庫

連合赤軍
浅間山荘事件の真実

久能靖

kawade bunko

河出書房新社

連合赤軍　浅間山荘事件の真実

◆一九七二年二月二十八日

「午前十時、ついに人質牟田《むた》泰子さんを救出するための突入命令が出され、現場は一挙に緊張が高まりました」

「浅間山荘」から約三〇メートル、山荘の玄関を見下ろす山の斜面に立って、警察の行動開始を伝える日本テレビのアナウンサー久能靖の声は幾分うわずっていた。

前日の晩、警察はこの日の午前十時を期して強行突入することを記者会見で明らかにしており、午前九時四十五分のＮＨＫを皮切りに、九時五十五分までには民放各局も特別番組に入り、現場からの中継放送に切り替えていた。が、この中継が九時間にも及ぶ長丁場になるとは誰一人思いもしなかった。

早朝六時から始まった拡声器による犯人への呼びかけは、前日までの説得調から次第に厳しい口調に変わっていく。午前九時五十五分、最後通告。

「警察は実力を行使する。早く武器を捨てて出て来なさい。最後の決断の時を失って一生後悔しないよう、もう一度考えなさい」

しかし、返ってくるのはこだまだけで、山荘内からは何も反応はない。

一九七二年（昭和四七）二月二十八日。銃を持った連合赤軍の数人が長野県南軽井沢の新興別荘地にある河合楽器の保養施設である浅間山荘に押し入り、管理人の妻牟田泰子を人質にして立てこもって十日目の朝である。

前日までの警察側の放水で軒下には無数の氷柱《つらら》が下がる山荘はさながら氷の要塞《ようさい》である。前々日の吹雪で積もった雪が陽光をまぶしく照り返し、午前十時ともなると玄関周辺の凍結した雪面もようやく緩み始めた。

この日の強行突入の断を下したのは長野県警察本部長の野中庸《いさお》だ。

この時点でも立てこもっている連合赤軍の人数や人質の泰子の安否は確認できていない。しかし人質の体力、気力ともに限界であると判断し、当日の気象条件も考え合わせて、彼は苦渋の選択をした。当時を振り返って野中は述懐する。

「人質を無事救出せよ、というのが至上命令だが、要塞のような浅間山荘を見ると、ほとんど不可能なことをやれと命ぜられているようなものだった。全知全能を傾ければ当時の警察力をして突破できなくはないと思ったが、人質の死という最悪の事態だってありうる。結果が吉と出るかは、運しかない。

万一にも凶と出たときには無能だった自分を国民に詫《わ》び、坊主になって、女房と二人で世を憚《はばか》って生きていこうと思った。そう開き直ると少し気が楽になったが、日本人というのはマスコミも含めて累を家族にまで及ぼすから、大学に行っている二人の娘が無能な本部長の子だと後のちまで指さされ、結婚できなくなるかもしれないと思い、可哀想だなとまで考えた。

でも、人質が生きていてくれなければ救出作戦の意味がない。その根拠は何もなかったが、人質は絶対に生きている、生きているんだと自分に言い聞かせ、心を奮い立たせていた」

そして午前十時。

葉を落とした雑木の陰に身を寄せながら見下ろす久能の目の前を、大楯を構えた機動隊員が一斉に前進を始め、山荘玄関前に築かれた土嚢《どのう》の陰に次々と身を潜める。次いで大きな鉄球を吊り下げた異様なクレーン車が左下方からゆっくりと進んでくる。と、それまで沈黙していた山荘の中から狂ったように激しい銃撃が始まり、上空に舞うヘリコプターの騒音と相まって山荘周辺は一気に騒然とした空気に包まれた。

◆連合赤軍

連合赤軍は、ひと口で言えば、キューバ革命の指導者の一人であるチェ・ゲバラを師と仰ぎ世界同時革命を唱える赤軍派と、毛沢東理論を信奉して一国革命を唱える京浜安保共闘が手を結んだ地下ゲリラ組織である。

一九六〇年代後半に全国の大学で学園紛争が頻発する。当初は学費値上げ反対などがきっかけであったが、やがてマスプロ教育の改善、産学協同体制の否定、大学管理への学生の参加など戦後の大学教育のあり方の根本を問う全共闘闘争に変貌していく。大学紛争の一つの焦点となった東京大学の場合、一九六八年（昭和四三）一月医学部のインターン制廃止運動から始まり、同年六月には全学に拡大、学生側は安田講堂に立てこもって拠点とした。一九六九年（昭和四四）一月十八日、大学当局の要請で機動隊が導入され、安田講堂に立てこもる学生との間で激しい攻防戦が繰りひろげられた。そして「安田城落城」をもって東大紛争は終息に向かう。それは同時に全共闘運動の急速な衰退の契機でもあった。

そうした中にあって、急進左翼としてなおも激しく武闘を叫び続ける共産同「赤軍派」は、一九六九年（昭和四四）九月に結成大会をもち、首相官邸の襲撃を企て、一九六九年十一月、山梨県塩山市の大菩薩峠にある「福ちゃん荘」に結集して予行演習を行っているところを、この情報をつかんでいた警察に踏み込まれ、幹部のほとんどが逮捕された。しかし組織は維持され、一九七〇年（昭和四五）三月末には日航機「よど号」ハイジャック事件を起こし、その翌年に入るとＭ（マフィア）作戦と称して、各地の銀行、郵便局などを次々と襲い金を強奪した。

一方の京浜安保共闘は新左翼系の闘争に飽き足りない京浜地区の労働者や学生で組織された。結成当初から愛知揆一外相のソ連訪問に反対して羽田空港の滑走路に火炎瓶を投げたり（一九六九年九月）、米軍基地を狙う（一九六九年十一月）など過激な活動を続けた。一九七一年二月には栃木県真岡《もおか》市の塚田銃砲店を襲い、猟銃十一丁、空気銃一丁、実弾二千三百発を奪った。この武器を持つ京浜安保共闘と潤沢な資金を持つ赤軍派は、日本での武装蜂起闘争を闘い抜くことを確認し合い、理論上の対立を超えて浅間山荘事件の前年に連合赤軍として合体した。

そのころ出た連合赤軍の機関紙『銃火』創刊号は、次のように謳《うた》いあげている。

「我々はすでに銃を奪取して武装した。プロレタリア革命軍こそ敵から奪った銃を味方の武器として団結する軍隊である。我々がその奪った銃で本格的な敵殲滅《せんめつ》戦を開始する時こそ日本革命戦争は本格的な幕開けを迎える」

事態を深刻に把え、神経をとがらせた警察庁は、二月を指名手配容疑者の捜査強化月間とし、重要凶悪犯の検挙に全力を挙げた。とくに十四日夕方から十五日朝にかけて北海道から四国にいたる二十四万か所の一斉捜索を行った。

その結果、広島県福山市の空き家の押入れから猟銃一丁、実弾二十八発、登山ナイフなどを押収、使われた形跡のない猟銃は銃身番号から前年に真岡市の銃砲店から奪われた銃であると判明したが、この時点でも盗まれた銃のうち七丁は所在不明である。そして、こうした徹底したローラー作戦にもかかわらず、連合赤軍の幹部の行方はまったく判らなかった。

ところが意外なところから彼らの尻尾《しっぽ》が現れた。

◆迦葉山

群馬県の上越線沼田駅から約一六キロ北に、霊山として知られる迦葉山《かしょう》がある。山の中腹の弥勒《みろく》寺は徳川幕府から寺格十万石の格式を許された由緒ある寺で、顔の大きさ五・五メートル、鼻の高さ二・七メートルという日本一の大天狗面があり、古くから参拝客が絶えない。山麓のバスの終点から寺までは片道一時間もかかるため、終点付近には参拝者相手の旅館やみやげ物屋などがある。

一九七二年二月七日の早朝、寿屋の下山寿男・文子夫婦は赤ん坊の泣き声と戸を叩く女の声で目を覚ました。時計を見ると午前三時である。こんな時間に誰だろう、といぶかしみながら文子がカーテンを開けると、赤ん坊を背負った半纏姿の若い女が立っている。驚いて中に招き入れて事情を聞くと、「途中で車が故障し、直らないのでここまで歩いて来た」という。

足元は、そのころでも珍しい、近所では見たことのない男物の登山用の靴を履いている。肩から下げたバッグには薄っすら雪が積もっている。かなり遠くから歩いて来たのかしらんと考えているとと突然、タクシーを呼んでくれという。

「明け方までここで休んで、それからにしたら」と勧めたが、急ぐからと言って聞き入れない。タクシーといっても沼田から呼ぶしかない。電話をすると案の定、タクシー会社は渋ったが、とにかく来てくれることになった。女を上がりがまちのコタツに入れて待たせることにしたが、タクシーが着くと、礼も言わずに飛び乗ってしまった。

タクシーに乗った女は運転手に「榛名湖畔」と行き先を告げると黙り込んでしまった。こんな早朝、二十二、三の若さに似合わず生気がなくてみすぼらしい母親らしい女と、泣き声一つたてない赤ん坊のようすに、母子心中をしようとしているのではないか、と運転手は思った。そこで客を降ろすと湖畔の公園管理事務所に立ち寄り後を頼んで山を下りて行った。

管理人もことが起きてからでは遅いと思い、派出所に連絡した。母子は保護されたが、問い質《ただ》す警官に、道に迷ったと言い、友人に連絡をとってくれと頼む。電話はすぐにつながり、その日の午後、迎えに来た友人という女性に母子を引き渡した。

その翌日、同じ管理人が、榛名湖周回道路から少し入った脇道に無人のライトバンが置き放しになっていると派出所に知らせてきた。警官が現場に駆けつけて車の中を覗《のぞ》くと座席にたくさんの米粒と菜っ葉が落ちていた。車は東京ナンバーの九八四一。「クヤシイ」と読めたのでよく覚えている、と群馬県警警備二課長の中山和夫は言う。

前年、神奈川県丹沢山中で京浜安保共闘の山岳アジトが発見されて以来、群馬県は山が多いだけに注意が必要だと考えていた中山は榛名湖周辺にアジトがあってもおかしくないと、ライトバンを見張らせることにした。必ず誰かが車に戻って来るはずだ、と考えての措置だったが、誰も姿を見せない。あらためて車の周辺を探すと、車の近くから山の奥に向かって何かで掃き消したような微かな跡が続いている。日も暮れようとしていたため、夜明けを待って付近の山狩りをすることになった。

明けて九日、人が歩いたらしい微かな跡を辿ること約一キロ。三〇センチほど積もった雪の中から数本の焼けた柱らしいものが覗いているのが見つかった。周りを掘り起こすとおびただしい電池が出てきた。

中山は、何らかのグループが痕跡を消すために焼いたアジトの跡と推定したが、焼け跡が新しい。数日の差で逃げられてしまったらしい。ライトバンは厳しい寒さでエンジンがかからず、置き去りにされたものと判断された。

群馬県警は消えた彼らの足どりを追うことに全力を挙げたが、意外なことから行き先が割れた。決め手になったのは臭いである。彼らが発散する悪臭がバスの運転手に強烈な印象を残していた。

七日午後に若い男女九人が榛名湖畔からバスで渋川に、さらに乗り継いで終点の迦葉山入口の透門《とうもん》まで行ったことが判った。

後で判るのだが、二月七日というのはその後の展開からみて重要な一日だった。

あの子連れの若い女は京浜安保共闘の一員で、榛名山のアジトの焼却に行った九人に緊急連絡をするため早朝に迦葉山透門からタクシーに乗ったのだ。しかも榛名山アジト

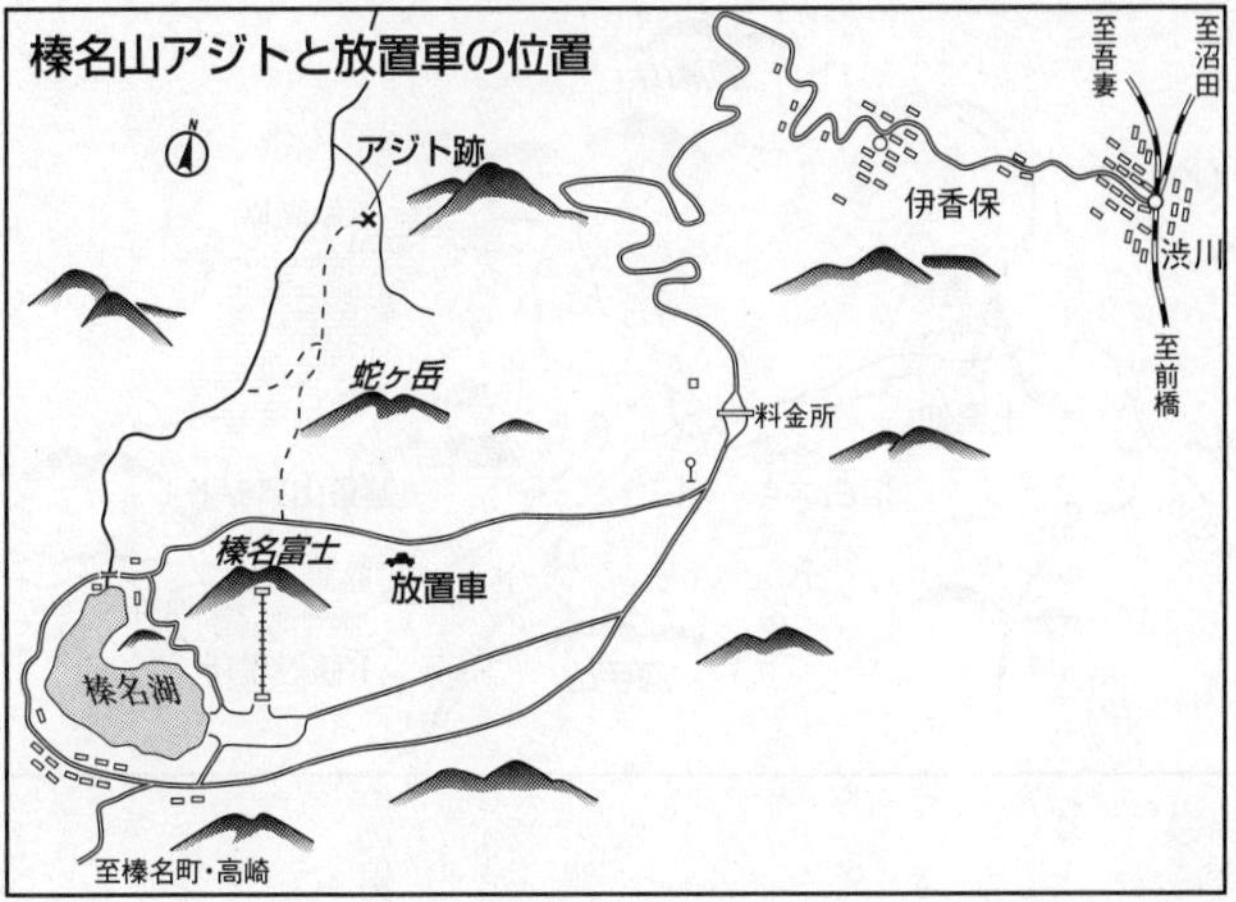

榛名山アジトと放置車の位置

の焼却は、アジトから脱走者があり、警察へ通報されることを恐れて急遽、処置したのだった。したがってこの女が警察に保護された時点では九人はまだ焼却したアジト周辺にいたことになる。この日に警察が女を厳しく追及していたなら、その後の展開が大きく変わったことも考えられる。

新たに彼らの足どりをつかんだ群馬県警は迦葉山のどこかに別のアジトがあるとみて、付近一帯の民家などを中心に徹底的な聞き込みを行った。

バスの終点に近い民家ではリュックサックを背負って山に向かう四人の姿を目撃していた。長靴姿で冬山にしては軽装だった。近所の人がコタツに入って、遭難しなければいいが、と話していた。

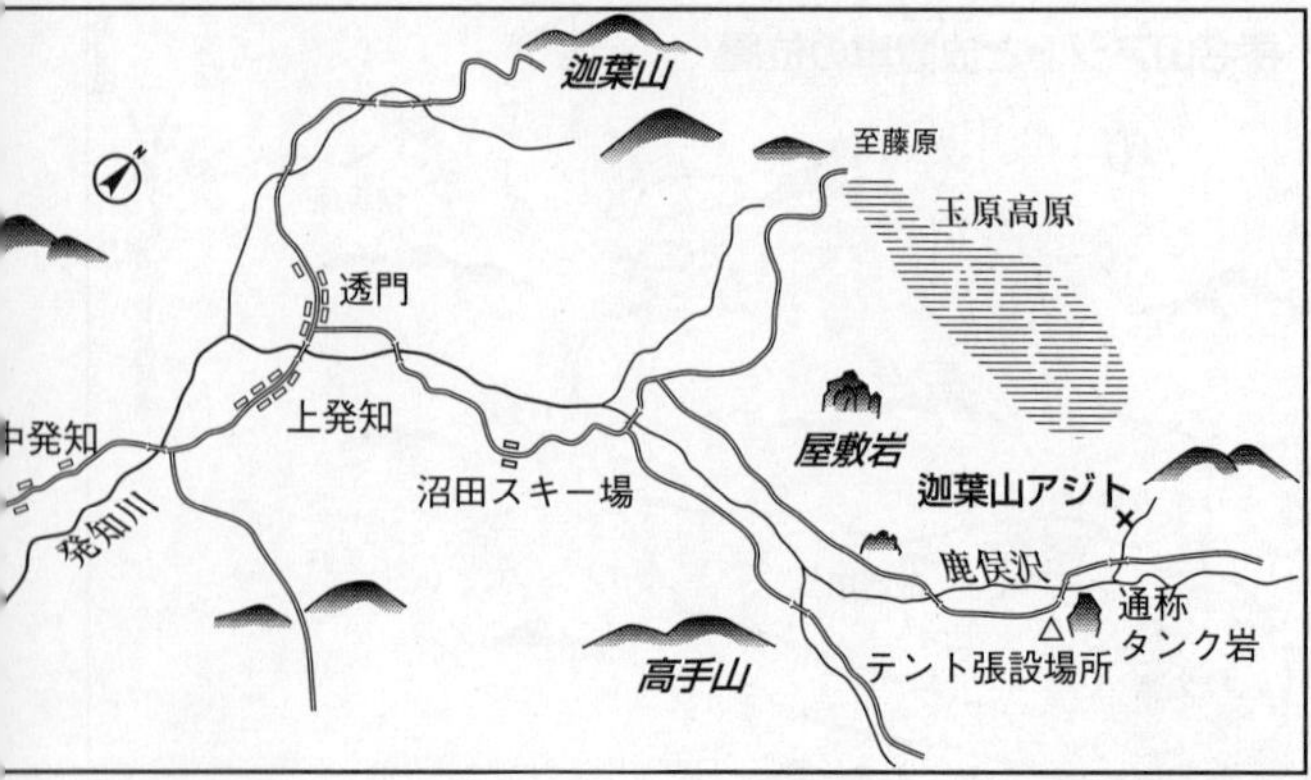

子連れの女がタクシーを呼んでくれと戸を叩いた寿屋に、やはり七日の午前十時ごろ、背が高く鼻筋の通ったかなりいい男が入ってきて、タクシーを呼んでくれと頼む。待っている間、コーラをくれと言うので差し出すとそれを取る男の手が黒く汚れているのに文子は気づいた。当時その奥の方でダム工事の話があったのを思い出し、「何かお仕事ですか」と尋ねた。男は鋭い目で睨《にら》みつけ、低い声でひと言「そうだ」と言うと、到着したタクシーに大急ぎで乗り込んで行ってしまった。

あたりが薄暗くなり始めたころ、また、白いダスターコートを着た坊ちゃん風の男がやってきた。

コッペパンや飴など日もちのする物はないかと尋ねた後、またもタクシーを呼んでくれと頼む。その男も出したお茶には手もつけず、タクシーがくるとそそくさと乗って行ってしまった。

きょうに限ってなぜこうもタクシーを呼ぶ人が多いんだろう、と夫婦で話したのでよく覚えている、と文子は言う。

寿屋ではタバコも売っているが、その前後の数日間、ブルーの車できてタバコの「新生」をひと箱だけ買っていく客がいた。決してまとめ買いをせず、きっかり定価の四十円を差し出すとタバコを奪うように立ち去るのだが、毎回買う人は違っていた。

そういえばこんなことがあった、と二人の猟師が警察に届け出てきた。

一月二十七日ごろ、猟を終えて下山する途中で「奥田」名義の運転免許証を拾った。すぐそばにふた張りのテントがあり、数人の男女が出入りしている。

「この免許証を落とした人はいないか」と尋ねると、

「今、本人はいないが確かにいます」と言って受け取ったという。

その時、猟師の一人はテントのそばで、小屋などの屋根や壁に使う波形のナマコ板を運んでいる女を目撃していた。

これだけの情報が集まれば間違いない。運転免許証の奥田とは、指名手配中の奥田寿一（仮名）であり、テントやナマコ板は新しいアジト作りのためのものと判断した中山は、林道を入った、通称タンク岩周辺を山狩りの中心にすることを決めた。

事件から二十七年後の二月末、久能靖は迦葉山のかつての現場に踏み入った。同行するのは、当時、そのあたりの現場検証の模様なども撮影した日本テレビのカメラマン久保田竜雄である。記憶の糸を辿りながら案内する久保田によれば、当時と多少道筋が違うという。膝までもぐる積雪があるのに、それでも当時の半分もないという。新しいクマの足跡に耳を研ぎ澄ましながら登ることおよそ四十分。杉の大木の脇に出る。大きく生長しているが当時あった杉に間違いない、と久保田も断言した。

二月十六日の午前十時ごろ、警察はこの杉から左の小さな沢づたいに入った急斜面でアジトの小屋を発見した。山の斜面を巧みに利用し、数本の立ち木に横板を渡した高床式の小屋だった。この一帯はすべて国有林であるが、無断で木々を切り倒し、丸太百二本、ナマコ板九十二枚を使い、広さは約四十五平方メートルであった。便所は別に建てられており、猟師が目撃したナマコ板も使われていた。小屋の蝶番《ちょうつがい》や犬釘は榛名山アジトで発見されたものと同じであった。

群馬県警はこのアジトを京浜安保共闘のものと断定した。これも後日、判明したこと

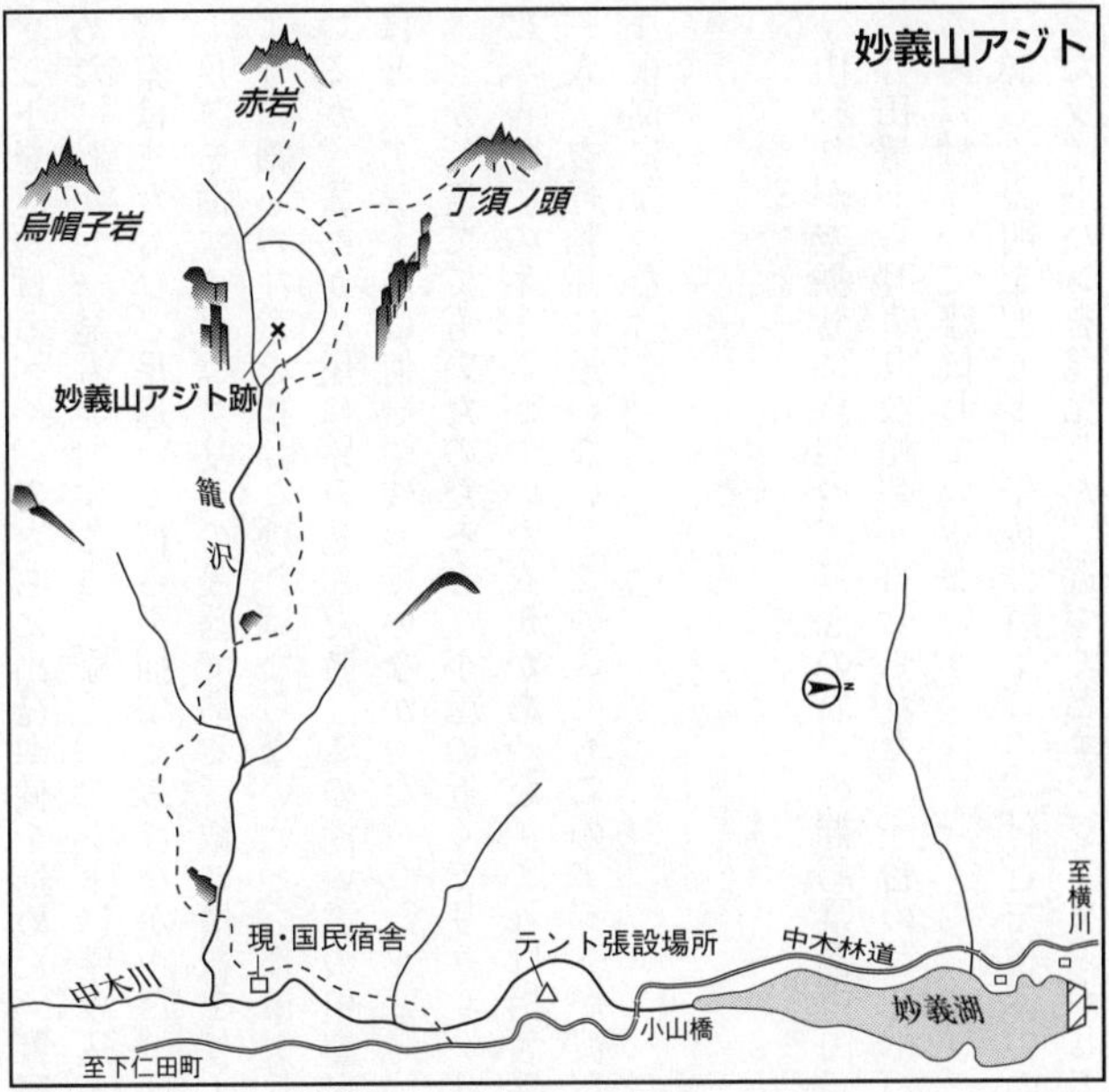

だが、榛名山アジトの焼却処分に出向いた九人もメッセージを伝えに入った子連れの女もこのアジトから出掛けていた。彼らは完成したばかりの迦葉山のアジトをほとんど使わないまま放棄したのだが、それには、榛名山アジトからここに移って間もなく二人の脱走者が出たことと、もう一つは運転免許証を届けに来た猟師を変装した刑事だと思い、警察が山を取り囲むに違いないと考えた、という事情があった。

一刻の猶予もできない。

彼らは妙義山方面に新たな

アジトを見つけるべく、ただちに出発準備を進めた。警察の襲撃に備えて銃に実弾を込めた。しかし一発も発射することなく、アジトに踏み込まれる以前に全員が脱出した。警察はまたもひと足違いで彼らを捕まえられなかった。

「足跡を消すことはゲリラの義務である。敵に情報を与えるいかなる手掛かりも残さぬように細心の注意を払わなければならない」と『都市ゲリラ教程』では注意を喚起しているが、警察が小屋に踏み込んだ時、この深い雪の中をどうして運び出したのかと思うほど、アジトには何一つ残っていなかった。

しかし慌ててもいたのだろう。小屋の近くでリュックサック一個が見つかり、その中に「吉野」のネームがついた衣類があった。これは指名手配中の京浜安保共闘の幹部の一人、吉野雅邦に違いない。このこともこのアジトが彼らのものであると断定する大きな根拠になった。

◆ぬかるみの不審車

山狩りが空振りに終わって無念の思いの群馬県警中山二課長のもとにその日の午後、松井田署から耳よりな情報が寄せられた。一台のライトバンが妙義湖近くの林道でぬかるみにはまって難儀しているという。

詳しく説明を聞くと、午後一時半ごろ、付近を検索中の二人の警官が五人の男女が乗ったライトバンを発見した。近づくとエンジンをふかしてぬかるみから抜け出そうとし

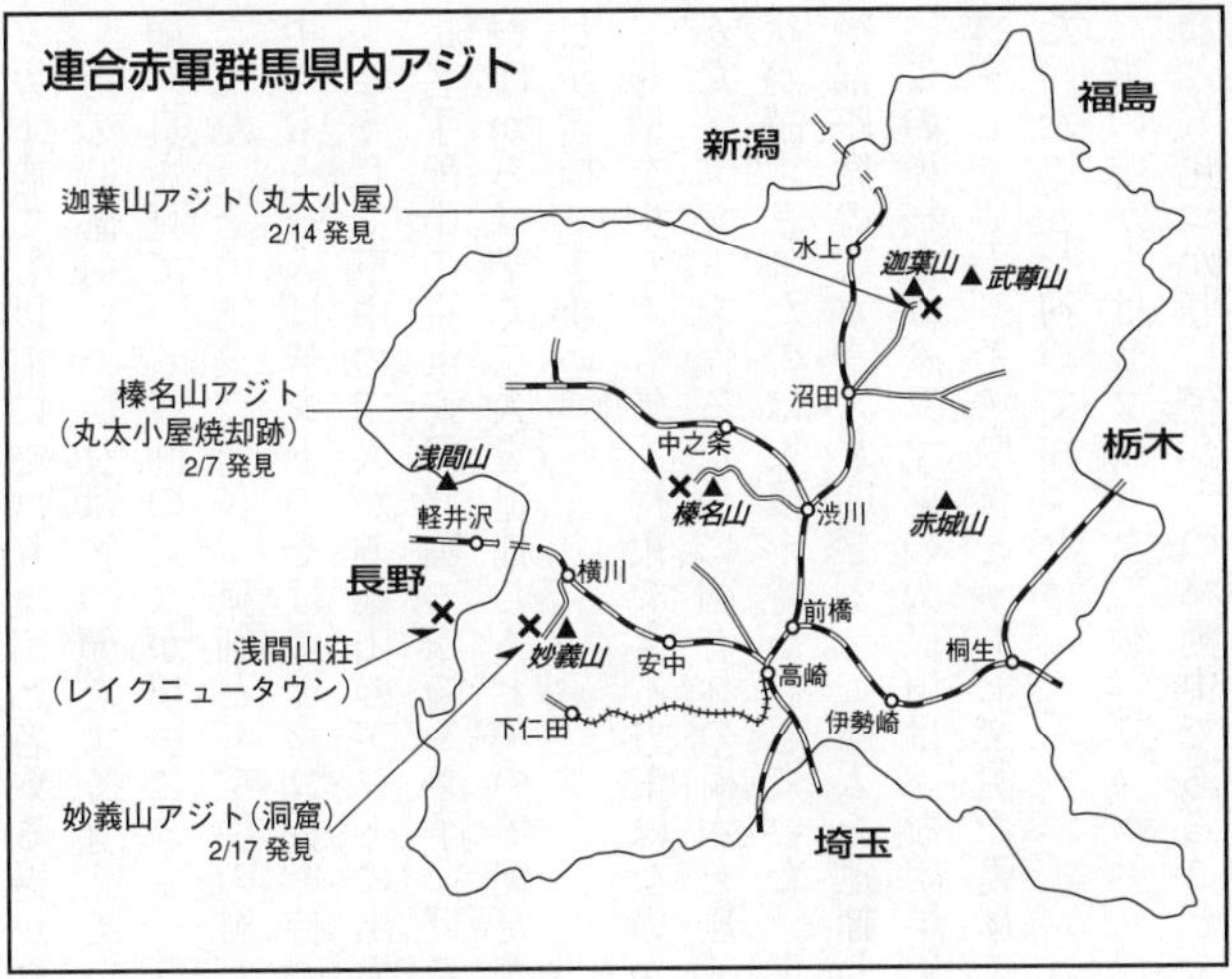

連合赤軍群馬県内アジト

ている。頼まれて一緒に車を押してやり、抜け出したところで、さあ職務質問をしようとした途端、二人を車内に残したまま三人が姿を消してしまった。ざっとこんな話である。

中山は、ライトバンを見張るよう指示すると、応援の警官を現場に急行させた。

車内に残った男女一人ずつは、内側からロックして出てこようとしない。外からの呼びかけにもまったく耳を貸さず、缶詰を開けて食べたり、女にいたっては車内で平然と放尿までした。

この間、県警は手をこまねいていたわけではない。車の番号からライトバンは東京で「奥田」名義で借りた車と判り、さらに前橋市内のレンタカー店でも以前にやはり奥田と名乗る男が車を借りていたことが判った。

その時応対した店長は客の顔をよく覚えていた。そこで店長と奥田の免許証を拾って顔写真を見ている猟師の二人が現場にきて、ライトバンの中にいる男を確認することになった。その結果、店長、猟師とも車中の男が奥田寿一に間違いないと言い、しかも車中のもう一人はテントのそばでナマコ板を持っていた女だと猟師が証言した。

こうして車中の二人が迦葉山のアジトに出入りしていたことが確認され、やがて女は指名手配中の京浜安保共闘の松崎ふさ子（仮名）だと判明した。状況の報告を受けた警察庁からは早く二人を逮捕しろと矢の催促だが、このままでは道交法違反容疑ぐらいでしか逮捕できない。

身柄を少しでも長く拘束できる方策はないかと考えた中山の頭に、森林法が思い浮かんだ。アジトを作るために国有林の樹木を無断で伐採したという森林法違反容疑で逮捕状が請求されたのは午後十時を過ぎていた。車の中に二人が籠城《ろうじょう》してから九時間あまり、後部座席の窓ガラスを叩き割って二人を逮捕した。

この模様をカメラマンの久保田は、なぜ早く逮捕しないのだろうといぶかりながら取材をしていた。その映像をテレビで見た寿屋の下山文子はあの時店にきた人物が過激派だったことを初めて知った。

車の中からはサブザック二個、リュックサック三個、寝袋七個などのほか、生活用品なども見つかり、アジトの移動中であることを窺《うかが》わせた。後の供述によれば、彼らは群馬県内では警察の手が廻って危険だと判断し、福島県の阿武隈方面に新しいアジトを探す目的で、車で出発したところだった。

警察はライトバンから消えた三人の行方を追ったが、そのころ彼らはもときた道を引き返し、通りかかった工事用のトラックに便乗して、三キロほど入った籠《こもり》沢で降りていたのだ。このあたりは今でこそ国民宿舎が建ち、舗装道路が延びているが、当時は砂利道で、さらに奥へ入るにはそれなりの山行きの装備が必要であった。道らしい道もない斜面を登ることおよそ一時間、天然の洞窟《どうくつ》がある。ここに迦葉山のアジトからすべての物を運び込んだ仮のアジトがあった。

息を切らせて洞窟に辿りついた三人は留守番をしていた六人の仲間に麓での顚末《てんまつ》を説明し、ただちに脱出することにした。今度ばかりは持ち物を整理している時間はない。洞窟にあるすべての銃と弾薬類、それにわずかばかりの食料を背負うと沢に沿って急斜面を登りはじめた。警察の検問が予想される道路を避けるのは当然として、水のある沢づたいが足跡の発見を難しくすると判断し、もっとも困難なルートを選んだ。

結果的に彼らの逃走を助けたのは、奥田と松崎が車中で九時間に及んで籠城し、そこを逃れた三人が工事用トラックに運良く便乗させてもらって三キロの道のりを稼いだことだった。

警察は、奥田らのライトバンが出て来た林道が行き止まりであることから、その奥の山中にアジトがあるとみてただちに付近の山狩りを行った。数時間後、もぬけの殻の洞窟を発見したが、日没のために捜索は一旦打ち切った。

そのころ男七人、女二人の九人は地図と磁石だけを頼りに、先導する男の踏み跡に歩幅を合わせ、一列になって雪の急斜面を登り続け、標高一一〇〇メートルあまりの頂上まで登りきり、尾根筋に出ていた。

◆軽井沢署、峠の検問

軽井沢署長の吉江利彦は着任して一年も経っていない。

長野県警本部から「松井田の妙義山で過激派が発見されたが一部が逃亡した。妙義山から軽井沢へ通じる道路のうち、彼らがくる可能性が一番高い道を署長判断で一か所見張るように」と、検問の指令が届いたのは十六日の陽も高いころである。

抜群の別荘地である軽井沢の夏季人口は当時でも十万人に達し、政財界の要人の警護もあって、軽井沢署の警察官数は応援も含めて百人近くになる。しかし冬季は、署長以下女性職員を含めても三十数人しかいない。検問に当てられる人数は十二、三人が精一杯だ。

松井田から軽井沢に抜ける道路は四本ある。彼らがどのルートを選ぶのか、吉江は考えた。碓氷《うすい》峠を越える国道十八号線は交通量が多いので除外する。残る三本のうち雪の少ない道は歩きやすい反面、人目につきやすい。彼らは警察の裏をかくに違いないと考え、冬季はほとんど車も通らない和美《わみ》峠に検問を置くことにした。和美峠は国道十八号線から分かれ、軽井沢の72ゴルフ場をさらに南に下った長野と群馬の県境にある。付近に人家はない。峠に立つと妙義山の異様な山容が目の前に迫ってくる。鋸の歯のような峰が連なる妙義山は一つの山ではなく、白雲山、金洞山、金鶏山の三峰の総称であり、どこか中国の山懐に抱かれたような錯覚にとらわれる。

署長自らが指揮にあたり、全員が拳銃を携帯した。物陰に駐車してエンジンをとめ、すべての明かりを消した幌《ほろ》つきの輸送車の中で寝ずの番にあたり、翌十七日の昼ごろ、長野県警機動隊と交替した。相手に感づかれないようにいっさい火を使わない深夜の張り込みがもの凄《すご》い寒さだったことをよく覚えている、と吉江は振り返る。

◆裏妙義逃避行

妙義湖に注ぐ中木川の渓谷を隔てた向かい側にも鋭い山並が続いて、こちらは裏妙義と呼ばれる。籠沢近くの洞窟のアジトを脱した九人はその一角を目指していた。

裏妙義へは国民宿舎「裏妙義」の脇の籠沢入口と書かれた道標の立つところから入るが、「急峻《きゅうしゅん》な岩場が多く油断は禁物」というチラシを松井田警察署や地元山岳会が登山者に配って注意を喚起するほどで、かなりの技術と装備を要求される山である。その裏妙義に、厳寒期、食料もほとんどない軽装備の彼らは挑んだのだ。必死の逃避行である。

この難路を彼らはどのように踏破したか、後に取り調べにあたった刑事の話や裁判記録などから足跡を辿ってみよう。

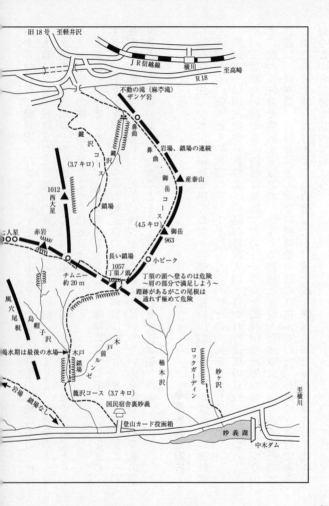

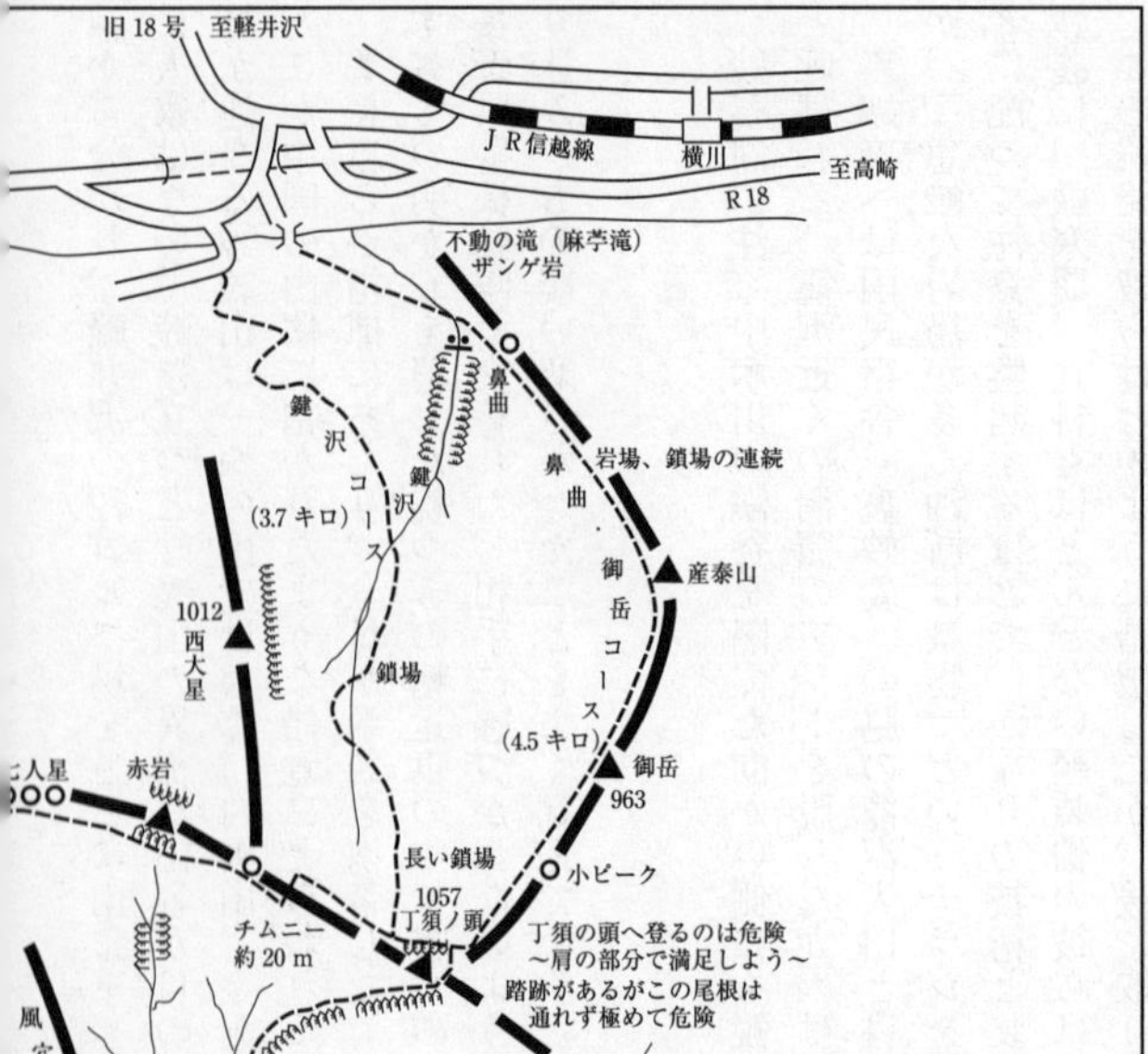

旧18号　至軽井沢
ＪＲ信越線
横川
至高崎
R18
不動の滝（麻苧滝）
ザンゲ岩
鼻曲
鍵沢コース
（3.7キロ）
鍵沢
鼻曲・御岳コース
岩場、鎖場の連続
産泰山
1012
西大星
鎖場
（4.5キロ）
御岳
963
七人星
赤岩
長い鎖場
小ピーク
1057
丁須ノ頭
チムニー
約20m
丁須の頭へ登るのは危険
～肩の部分で満足しよう～
踏跡があるがこの尾根は
通れず極めて危険
風穴尾根
烏帽子沢
渇水期は最後の水場
木戸鎖場
木戸前ルンゼ
桶木沢
ロックガーディン
妙ヶ沢
至横川
岩場
鎖場なし
籠沢コース（3.7キロ）
国民宿舎裏妙義
登山カード投函箱
妙義湖
中木ダム

(松井田山岳会・松井田警察署・松井田町消防分署・松井田町作成の案内図を一部改変)

登山道はかなりの急坂で、途中岩場に設けられた数か所の鎖場を経て、通常なら登山口から約二時間半で標高一〇五七メートルの丁須ノ頭《ちょうす》（丁須岩）に至るが、彼らは途中で登山道からそれて烏帽子《えぼし》沢へと踏み入る。警察犬による追及をまくためである。当然困難さは増す。しかも葉のない雑木の間からわずかに見える赤岩《あかいわ》を目指してまっすぐ登ろうというのである。

沢すじ登山は普段でも難しい。岩場が次々と行く手を阻むが、九人の中で登山の経験が豊富な植垣康博がロープを使って一人ずつ引き上げ、ついに赤岩を登り切った。

そこからは右手に丁須ノ頭が見える。この岩は裏妙義山系のシンボルで形が丁の字に似ているところから名づけられた。景観は素晴らしく向かいの妙義山系が箱庭のように見える。

先を急ぐ彼らにはゆっくり休む余裕はない。

すぐに尾根すじを烏帽子岩に向かって歩き始めた。ここからは塔のように聳《そび》える岩が続き、両側は谷まで切れ込んだ絶壁である。昼間なら谷底まで見えて足がすくみかねないところだが、夜のとばりが視界をさえぎって、恐怖心を和らげた。

腰までもぐる深い雪に足を取られながらも、奇岩を巻くようにして、また随所に設けられた鎖を使いながら最大の難所を乗り越えた。安堵《あんど》感が漂う。やがて雪になかば埋まった大遠見峠の道標を見つけると、彼らは予定通りのルートを辿っていることを確信した。大遠見峠は標高八八〇メートルで、烏帽子岩から二三〇メートル下ったところにあり、谷急山《やきゆう》を通って和美峠に抜けようという彼らの計画の重要なチェックポイントの一つだ。

小休止後、谷急山に向かってふたたび尾根づたいに歩き始めた。時計の針は午前〇時を廻っている。星空の下、冬の装備をしていない雪中行が身に応えないはずがない。ほとんど感覚の麻痺した凍傷寸前の足を引きずりながら尾根すじを進む。途中には大ギャップ、小ギャップと呼ばれる裏妙義でももっとも起伏の激しいところを突破しなければならない。雪との闘いを繰り返した。

夜明けを待って警察は大規模な山狩りを再開するだろう。ヘリコプターを使った空からの捜索も加わるに違いない。こう考えた彼らは、辛うじて身を隠せるほどの洞窟を岩場に見つけ、日暮れまで寝ることにした。彼らの供述から、東の空が白み始めた午前六時ごろだと思われる。

◆幹部二人の逮捕

彼らが予想した通り、十七日午前八時から群馬県警は警察官三百五十人、警察犬十五頭、警視庁から応援に来たヘリコプター二機による大規模な捜索を開始した。

捜索の中心は前日に発見した洞窟で、群馬県警機動隊は籠沢の入口から一斉に山に踏み込んだ。登山道から逸れること数十メートル、植林された杉林を抜けると大きな石がごろごろした賽《さい》の河原のような所に出る。アジトだった洞窟はその石の積み重なった中にあった。

八時半すぎに洞窟に到着した機動隊員は注意深く中を窺う一方、周辺の捜索を開始した。間もなく近くの岩陰に潜んでいる男女二人を発見した。

「いたぞ!」

叫び声を上げながら隊員たちが迫ると男はいきなりナイフを振りかざして突進してきた。隊員の吉崎巡査部長が木の株につまずいて転倒すると、男は馬乗りになりナイフで突きかかる。身に着けていた防弾チョッキが幸いし吉崎は左腕に軽い傷を負っただけで、二人は他の隊員に逮捕された。

女は京浜安保共闘最高幹部の永田洋子だとすぐに判った。男はその場では判らなかった。手配写真とあまりにも違っていたためだが、警視庁の面割班によって、赤軍派リーダー森恒夫であることが判明した。二月はじめにそろって上京した二人は、都内のアジトに潜伏し資金を調達して、この日、妙義山のアジトに辿りついたのだが、すでに仲間は一日違いで脱出しており、そこを逮捕されたのであった。二人は完全黙秘を続けたが、森はカーキ色のジャンパーの内ポケットに現金三百四十三万円余を、永田は四十六万円余を所持していた。

裏妙義の岩陰に潜んでいた九人は手持ちのポータブルラジオが伝える午前十時のNHKニュースで二人の逮捕を知り、大きなショックを受けたが、残った者だけで闘い抜く

群馬県警による妙義山中のアジト捜索（2月17日、提供／読売新聞社）

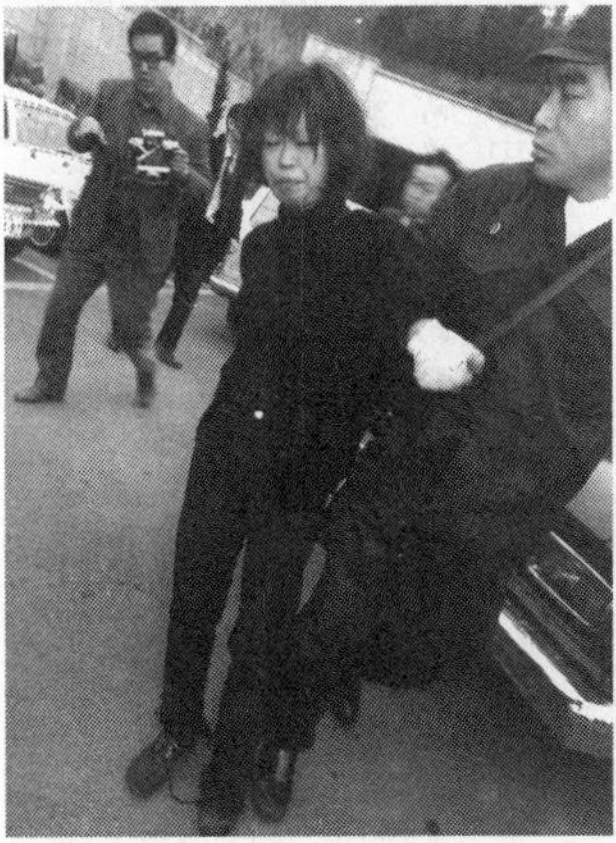

妙義山アジトで逮捕された最高幹部の永田洋子と森恒夫（2月17日、提供／読売新聞社）

決意を固めた。

そのころ群馬県警により洞窟内が検索されていた。入口は人が腰を低くしてようやく入れる大きさだが、内部は意外に広く、掘り下げた形跡があり、すえたような異臭が充満している。

ここでの押収品は長さ四〇センチ、直径四センチの鉄パイプ七本、黒色火薬八キロ、導火線と電池をセットした起爆装置六個、空薬莢《からやっきょう》二百発の他、寝袋二十三個、リュックサック二十個、トランジスタテレビ、多数の即席ラーメンや小麦粉、鍋、釜、スコップなどの生活用品も含め四千点以上に上った。この中で群馬県警が注目したものが二つあった。

一つは寝袋やリュックサックの数の多さである。それまでの捜索から推して人数はせいぜい十数人のはずだ。中山二課長は、いくらなんでも数が多過ぎると思った。もう一つは、両腕や両足、脇腹などの部分がズタズタに切り裂かれた下着やセーターだ。糞の付着した男物のパンツもある。殺人事件担当の刑事はこれを見て、間違いなく誰かが殺されている、と断言した。どこかに遺体が埋められているはずだ。警察犬まで使って周辺を探したが、それらしい形跡は発見できなかった。

アジトの捜索と並行して逃走したメンバーの追跡捜索も行われた。カメラマンの久保田も同行取材したが、丁須ノ頭に向かう登山道の最初の鎖場を越えたあたりで、先行していた機動隊員が下山して来て言った。

「足跡はないし、とてもこの先、登れるものではない」

山に慣れた久保田でさえ、冬山での救難活動に携わるほどの技量がなければ登るのは不可能だと思った。それが山を知る者の常識なのだが、九人は常識では計れない行動を取り、足跡を消すためにわざわざ沢づたいに登って、警察の目をくらませたのである。

山狩り後の十八日、警察犬がついに彼らの足跡を発見した。雪の上に残された足跡は数人分が入り乱れて点々と続いている。右側がクマ笹に覆われた急斜面、左側はそそり立つ絶壁である。足跡を追って急勾配を登りつめた隊員が赤岩の山頂から双眼鏡で見ると尾根づたいに烏帽子岩まで足跡は延び、その先は山頂の裏側に消えていた。

二日前に九人が必死の思いで辿ったルートだが、尾根すじには隠れる場所がないうえに、二日も経っていることから、警察は彼らがあたりにはいないと判断、それ以上追うことはしなかった。

そこから先の大遠見峠に出たあとは、和美峠を抜けて軽井沢方面に通ずるコース、並木沢沿いの登山道を下って国道十八号線に出るコース、それに中木川の上流に下りて下仁田方面に向かうコースの三つがある。警察は並木沢ルートが比較的雪が少なく楽なことから、彼らはその途中に潜んでいる、と考えた。それにしてもこの険しい道を本当に辿ったのだろうか、と信じられない思いを抱きながら、今後の捜索の重点を並木沢ルートに置くことにして隊員たちは下山した。

森恒夫、永田洋子の二人の幹部の逮捕とアジトからの大量の押収品から、警察は彼らに対する見方を根底から変えた。それまで警察当局は主義主張の異なる京浜安保共闘と赤軍派の合体については戦術的な協力関係だけと見ていたが、両組織の幹部が共同生活をしていた事実から両組織は手を握り、組織的に連合赤軍として完全に合体していることが裏づけられたからである。

◆元日本兵の帰還・札幌オリンピック・ニクソン訪中

連合赤軍をめぐる事態が急展開しているにもかかわらず、新聞、テレビの扱いは大きくなかった。二月十五日付『読売新聞』朝刊が〈小屋焼いて逃走?〉と疑問符つきの見出しで榛名山アジトの発見を報じているが、それ以前はどの新聞もまったく扱っていない。各紙社会面に揃って記事が載り始めるのは車に籠城した二人が九時間ぶりに逮捕されたことと迦葉山でアジトが発見されたことを伝える十七日付朝刊からである。さすがに十七日付夕刊では森と永田の最高幹部の逮捕を、また十八日付朝刊では妙義山中のアジトの発見を取り上げている。いずれも事実関係や警察発表に大きな紙面を割いているが、連合赤軍とは何かといった踏み込んだ解説記事はない。テレビのニュース原稿も一分から二分程度のものがほとんどである。これはニュースの重さから見れば軽い部類に入る扱いである。

現地に来た取材の記者は少なく、事件について発表しても記者の反応は鈍かったと、群馬県警の中山は言う。この一連の事件を取材して走りまわった各マスコミの駐在員も、京浜安保共闘だ、連合赤軍だといわれてもどんな連中なのか、どんな組織なのか、まったく理解できなかったと認めている。地方の新聞社支局員や駐在員だけでなく、ほとんどのマスコミ関係者がその程度の認識しかなかった。

一連の学園紛争の終焉《しゅうえん》から過激派はほとんど壊滅し、各地で起きた事件もその残党が引き起こした単発的なものとする見方が一般的だった。一年前の真岡市での銃砲店襲撃事件以降のいくつかの事件を互いに関連あるものと把える目があれば、あるいは違っていたかもしれない。

新聞社や放送局の公安担当記者が、革命を標榜《ひょうぼう》する連合赤軍なる組織が生まれたことを力説したところで、デスクたちには、革命という言葉すら非現実的なものと聞こえていたのであろう。本格的な山狩りが始まり、各社が本社から記者やカメラマンを現地に送り込みはしたが、それも支局や地方駐在員に対する応援の色合いが強かった。その時点でも依然、本社が懐疑的だったことを窺わせる。

ただ、そうした判断が生まれるのも故なしとしない世間の動きがあったことも事実である。

二月二日、日本の敗戦を信じず、二十八年間グアム島のジャングルに潜んでいた元日本兵横井庄一が帰国した。午後二時十五分、特別機で羽田空港に降り立った横井の「恥ずかしながら帰ってまいりました。天皇陛下さまに充分ご奉公できなかったことを申し訳なく思います」という言葉は、時間を超えて残る戦争のむごさを強烈に印象づけ、国民の胸を打った。静養を兼ねた入院の模様や、召集されて以来三十一年ぶりに入った風呂の感想などがマスコミで大きく扱われた。

三日には、東洋で初の冬季オリンピック札幌大会が十三日までの日程で華々しく開幕、マスコミはオリンピック一色になる。スキーの七〇メートル級ジャンプで笠谷・金野・青地の三選手が金・銀・銅メダルを独占すると興奮は最高潮に達し、連日関連報道がマスコミをにぎわせた。

国際的にも大きな事件があった。

前年の七月十五日、ワシントンと北京で同時に発表されたニクソン大統領の中国訪問が現実のものとなり、日本時間の二月二十一日午後、いよいよ北京入りすることになった。たがいに口をきわめて非難し合っていた両国の首脳が直接会談することになろうとは誰も想像していなかった。

失敗に終わったベトナム戦争から手を引くためにも中国の協力が必要なアメリカと、文化大革命で国際的に孤立化を深めていた中国の利害が一致したとはいえ、世界中に大きな衝撃を与えた。

とくに日本政府は、ニクソン訪中発表の直前にアメリカ政府から事前通告があったとはいえ、寝耳に水の事態であり、アメリカの「頭越し」外交を批判もできず、それまでの対中国政策の大幅な見直しを迫られる大問題であった。佐藤栄作首相は「慌てることはない」と平静を装ってはみたが、退陣要求が一気に高まることを懸念していた。

◆逃避行最後の日

武力革命による日本の変革を信じて闘い抜こうとする九人は、ヘリコプターの爆音が消え、十七日の捜索打ち切りを感じ取ると、夕闇が迫るころ岩陰から出て、谷急山を目指して登り始めた。激しいアップダウンを繰り返しながら夜半に妙義山系の最高峰、標高一一六二メートルの谷急山頂に至った。

裏妙義を縦走する登山者でも谷急山まで登る者は少ない。また谷急山から沢へ下ることは非常に危険であり、必ず大遠見峠まで、もと来た道を引き返すよう松井田署や地元山岳会が呼びかけているほどの山である。登山ガイドもおらず地図だけを頼りに歩く彼らはそんな危険を知る由もない。急斜面を沢に沿って下って行った。やがて彼らはついに下を通る道路に出た。寝静まった下平の集落を通って、さらに西へ進んだ。そして現在の長野自動車道軽井沢インターチェンジ付近に出るとそのまま和美峠を目指した。

そのころ和美峠では軽井沢警察署員と交代した長野県警機動隊が検問に当っていた。検問は、本隊を和美峠に置き、さらにその二、三〇〇メートル下がった場所に、先に発見捕捉することを任務とした一分隊を配していた。

午前四時ごろ、警備車の助手席にいた小林隊員が緊張した声で叫んだ。

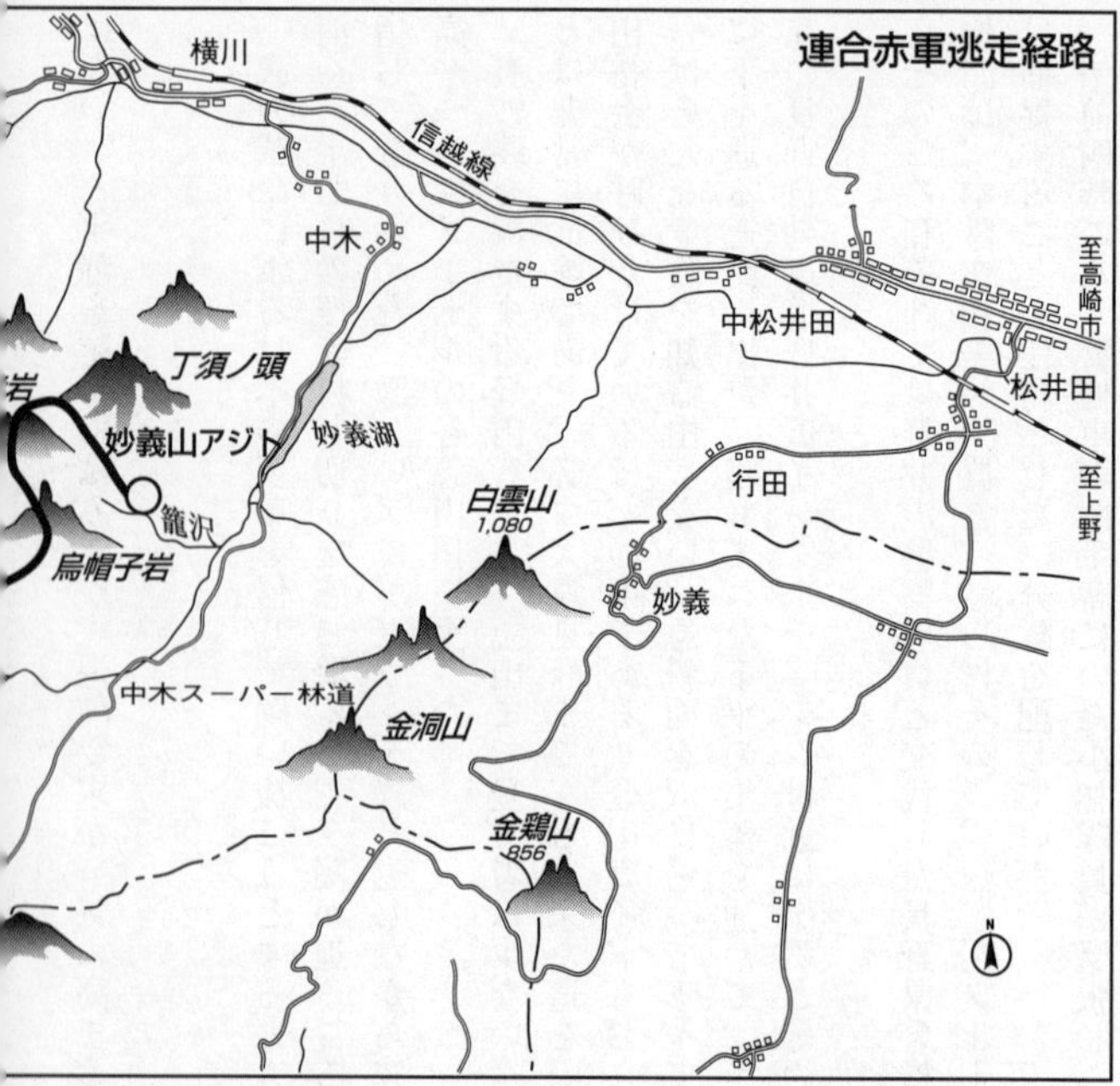

「分隊長、灯りが見えます」

運転席に座っていた分隊長箱山好猷《よしのり》が小林の指さす方を見ると、遥か下の方でチラチラと小さな灯りが動いている。昼間、松井田署員がパトカーを停めて警備に当っていたあたりだ。二人は目を凝らしたが、灯りはそれっきり見えなくなり一面の闇が広がるだけだ。道は一本しかない。誰か登ってくれば判るはずだと車の中で待機を続ける。誰も登ってこ

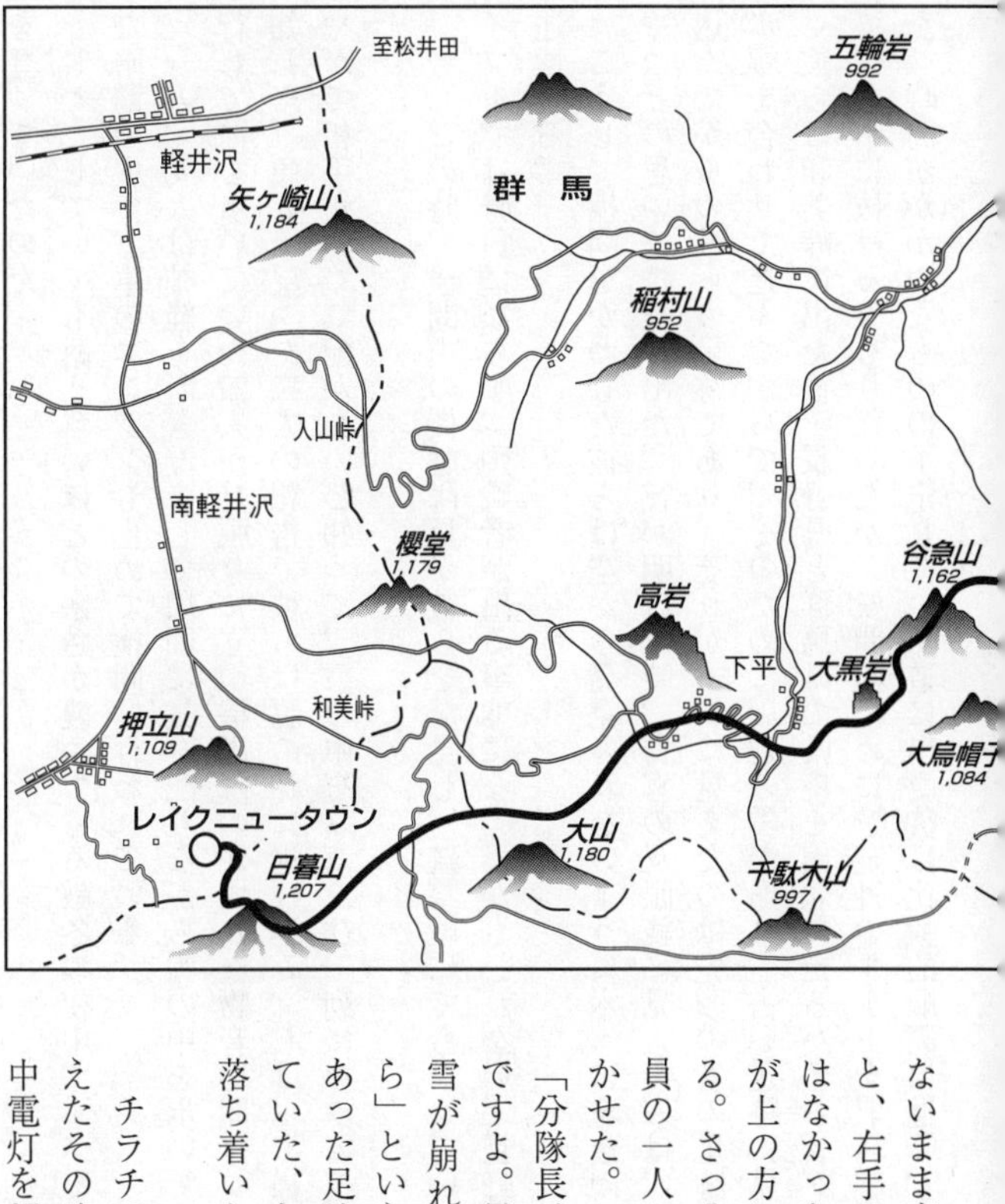

ないまま夜が明ける。と、右手の山に前日にはなかったはずの足跡が上の方に向かっている。さっそく箱山が隊員の一人に双眼鏡を覗かせた。

「分隊長、これは古いですよ。足跡の周りの雪が崩れていますから」という。前日からあった足跡を見落としていた、という結論に落ち着いた。

　チラチラと灯りが見えたその時、九人は懐中電灯を頼りにその道を登っていたのだ。

じっとしていても耐え難いほどの寒さが襲ってくる厳冬の夜中、すべての灯りを消した暗闇の中で、車のエンジンも止めて検問は行われている。

一方、九人は神経を研ぎ澄まして周囲に気を配りながら雪の中を歩いている。と、先行して前を歩いていた二人が見張りに立つ機動隊のかすかな物音を聞きつけ、検問を察知した。急いで戻った二人の報告で彼らは脇の林に逃げ込み、しばらく様子を窺った。やがて相手が動く気配がないと知って、雪の中をふたたび一列になって道を逸れて進んだ。

もしこの時、検問中の機動隊員が彼らを発見し、銃撃戦にでもなっていれば拳銃とライフルでは勝負にならず、殉職者が出る事態になったかもしれないと長野県警の幹部は述懐する。

こうして検問をかわした彼らは空から発見されないように木々に身を隠しながら進み、やっとの思いで稜線《りようせん》に出た。夜が明けた時、警官の双眼鏡に見えたのは、脇の林に逃げ込んでからの彼らの足跡であり、それが一つに見えたのは先頭の者の足跡に残る八人が歩幅を合わせて進んだからで、そのために周辺の雪が崩れ、古い足跡に見えたのだ。

彼らは和美峠に出た後、長野県と群馬県の県境を南北に走るハイキングコースを通って佐久市に抜けるつもりだったが、検問のために予定外のルートを取らざるをえなかった。時間がかかったものの予定していた道に出た後は比較的順調に進み、陽が落ちるころには一つの山の斜面にとりついていた。夜半にはその山を越え、眼下に見えた灯りを佐久市と信じて下り始めた。

ところがこの時、懐中電灯の灯りがまたも別の機動隊員に目撃されていた。

南軽井沢の72ゴルフ場の管理棟付近で検問に当っていた県警機動隊員の永原尚哉は、十八日のまだ夜もそれほど更けていないころ、右手の山の稜線付近に小さくポツンと動く灯りを認めた。灯りは下に向かっているように見える。道に迷った猟師が下山しているのだろうと、隊員たちは話し合ったという。翌朝、双眼鏡で見ると、その付近に一本に連なった足跡が発見された。

このように経過を追ってみると、榛名山以来、彼らを逮捕するチャンスが幾度かあったのだが、警察は今一歩のところですべて彼らを取り逃がしていた。

下山中に灯りを見られたことなど露知らずに山を下り切った彼らだが、そこで自分たちがどこに出て来たのか完全に混乱し、何がなんだか判らなくなった。

辿り着いたところはきれいに整備された丘の間を縫うようにして何本もの舗装道路が走り、水銀灯が一定間隔であたりを照らし出している。人家はほとんどない。目の前に無人の街が忽然《こつぜん》と現れたような錯覚に把われた。しばらく行くとレイクニュータウンという国土開発の分譲別荘地の看板があり、そこが新しい造成地であることを知った。

レイクニュータウンは、高級別荘地のイメージが強い軽井沢にサラリーマン向け別荘地を造ろうと、南軽井沢の広大なひと山を造成したもので、一区画百坪ぐらいの土地を建物付きで百万円別荘として売り出していた。分譲地の中央にはスイスのレマン湖を模したその名も同じレマン湖という人造湖がある。湖畔に開業した三越が全国網を挙げて販売したこともあってサラリーマンでも持てる別荘として人気が出始めていた。

造られて間もない別荘地であり、彼らの地図には載っていない。そのため自分たちの居場所が判らなくなってしまったのだが、それでもそこが佐久市郊外にできた分譲地だと信じて疑わなかった。連日連夜、張り詰めた神経で、深い雪の中を進む逃避行により疲労の極に達していた彼らは、ここまでくれば夜が明けてから佐久に出ればいいと考え、小高い丘の一角に雪洞を造り肩を寄せ合って眠りについた。大捜査網をかいくぐって逃走してきた彼らが過ごす、警察の手の及ばない最後の夜となった。

◆朝、軽井沢駅

夏は観光客でごった返す軽井沢駅も冬は淋しい。朝の通勤時間帯でさえ地元の通学生とわずかの通勤客だけで閑散としている。

二月十九日、駅の待合室の売店の下田(仮名)はいつも通り午前七時には店を開けていた。駅売りの新聞を買う客がかなりいるのだ。ふだんは客にことさら注意を向けることはない下田だが、「新生一個とマッチ、それに朝日、毎日、読売の朝刊をくれ」と男が千円札を出した時、思わず相手の顔を見てしまった。手が垢《あか》と泥で真っ黒に汚れ、異

連合赤軍の潜伏、逃走、殺人事件の舞台となった妙義山系。中央がレイクニュータウン（2月20日、提供／読売新聞社）

様な臭いが鼻をついたからだ。

まじまじと見つめると男は顔をそむけ、二メートルほど離れてストーブを囲んでいる男一人、女二人の仲間の方を振り向いた。彼らも汚れたアノラックに濡れたズボンという、およそ軽井沢にそぐわない服装である。ひょっとして新聞やテレビで騒いでいる過激派ではないか、と下田は思った。四人が新聞を覗き込んでいる隙《すき》に駅の助役に通報した。

この時、駅構内には警官が一人もいなかった。助役は彼らに気づかれないように軽井沢署に電話で連絡する。軽井沢署は五〇〇メートルほど離れている。

四人は小諸までの切符を買い、三番線ホームに入ってきた七時五十九分発の長野行普通列車に乗り込んだ。列車は三両編成だったが、人目を避けるように男二人が二両目に、女二人が三両目の中ほどに分かれて座った。

すでに発車時間になっている。息せききって駆けつけた十人の警官はただちに車内に入り、二手に分かれていた男女に職務質問を始めた。

「お聞きしたいことがあるので降りてください」と下車を促すが、三両目に乗り込んだ女二人はなかなか応じない。しぶしぶホームに降りたところで膝掛け代わりにしていたアノラックから手製爆弾一個と散弾銃の実弾二発が出てきた。銃刀法違反の現行犯で逮捕した。

二両目の車内では、男性の一人が「佐々木三郎で、本籍は福島市だ」と名乗り、もう一人が「中野敏雄だ」と名乗った。中野は住所を尋ねられると、

「長野市内幸町に住んでいる。これから小諸の建設会社へ行くところだ」と答えた。

たまたま長野市出身の署員がいた。

「長野市には内幸町などないぞ」というと、突然体当たりして逃げようとする。

警官が一斉に飛びかかって二人を逮捕した。列車は七分遅れで軽井沢駅を離れていった。

不審者逮捕の緊急報を受けて長野県警の柳沢岩男警備一課長と北原薫明警備二課長がただちにパトカーで軽井沢に向かったのは午前八時を廻ったころである。二人が軽井沢署に着いた時には四人の身元はまだ割れていなかった。

指紋照合や警視庁の面割班の協力で男は赤軍派幹部の植垣と青田光男（仮名）、女は京浜安保共闘の寺内喜美枝（仮名）と伊江和美（仮名）と判ったが、難航したのは指名手配されていない伊江だった。知らせを受けた父親が青森から軽井沢署に飛んで来た。窓越しに面通しさせると「うちの娘ではない」と言う。そこで直接会わせたが、「やはり違う」と言う。

面割班は絶対に間違いないと言う。念のためにもう一度、姉も一緒に面通しさせた。姉が「カズちゃん」と呼びかけた時のかすかな目の動きでやっと妹だと断定した。

四人の逮捕をきっかけに事態は急テンポで展開することになるが、あの朝、軽井沢駅で彼らが列車に乗って行ってしまっていたらその後どうなっていたか判らない、と北原は二十数年経った今でも駅の売店の下田の機転を褒める。とはいえ、過激派が仕返しに来ることを考え、その後しばらくは軽井沢署員によって下田の身辺警護をしなければならなかった。

◆さつき山荘

軽井沢署で四人の本格的な取調べが始まったころ、レイクニュータウンの雪洞では軽井沢駅での仲間の逮捕をラジオのニュースで聞いた五人が言葉を失っていた。

佐久市で衣類などを買い整えるために早朝に雪洞を出て行った四人が方角違いの軽井沢駅で逮捕されたのだ。残った者にはその謎が解けない。が、いずれにしてもぐずぐずしていては自分たちが発見されてしまう。銃と弾薬だけを持って雪洞を飛び出した。

同じころ、軽井沢署長室では吉江署長と長野県警の柳沢、北原両課長が当面の捜査方針を話し合っていた。基本方針はすぐに決まった。「まず足を出さないといかんな」

足を出すとは四人の軽井沢駅までの足取りを突き止めることだ。ただちに捜査員を動員して聞き込みに当らせた。ここでも悪臭が決め手となって案外、簡単に判明した。レイクニュータウン始発のバスの運転手が悪臭を放つ四人が駅まで乗ったと証言した。

検索の範囲は一気に狭まった。レイクニュータウンを中心とした南軽井沢の別荘を徹底的に調べることが決まり、県境の検問に配置していた機動隊員の一部も呼び戻されて別荘地に向かった。

検索は四十七人を十班に分けて行われた。長野県警機動隊の町田勝利分隊長以下、大野耕司、永瀬洋一郎、井出久実、穐澤《あきざわ》正夫の五人がレイクニュータウンのからまつ通り沿いの別荘地域に入ったのは午後二時ごろだ。道路は除雪されているが、別荘の周りは膝まで埋まる雪に覆われている。道路から建物までの雪に足跡があるかどうかを見れば別荘への人の出入りが判る。

パトカーをゆっくり走らせながら一軒一軒丹念に見て行くうち、まだ新しいと思われる数個の足跡が「さつき山荘」に向かっているのを発見した。よく見ると群馬との県境に近い若草山の方から建物に延びてきている。しかも入った足跡だけで出た跡はない。

最初の銃撃戦があった「さつき山荘」。写真左手に犯人たちの足跡（2月19日、提供／北原薫明）

負傷した大野隊員から拳銃を受け取る長野県警北原警備二課長（2月19日、提供／北原薫明）

町田分隊長はパトカーを運転する穐澤隊員を残して、四人でさつき山荘を検索することにした。

今は取り壊されているが、当時のさつき山荘は山の斜面を利用して建てられ、西の道路側が玄関で、東はベランダが張り出し、山の斜面からは高さ二メートルほどの床下になっていた。

足跡を追って床下に入ると上の方でミシミシときしむ音がする。屋内で人の動いている気配だ。

町田分隊長は、連合赤軍なら銃撃戦になると考え、全員に拳銃の弾込めを命じた。そして足跡が消えているベランダ北側の雨戸に近づく。右手で雨戸を開けた瞬間、

「バーン!」という銃声とともに弾が右側頭部をかすめた。

町田らはベランダから飛び降りる。が、遮蔽物《しゃへい》がない。散りぢりに林の中や岩陰に身を隠す。

「抵抗はやめろ!」と叫びながら町田が上空に向けて一発、威嚇発砲し、パトカーの穐澤に緊急連絡を指示する。山荘の中からは間断なく撃ってくる。四人ともに動きが取れない。弾が岩に当たり金属音を残して砕け散る。応援部隊の到着までここに一味を釘づけにしておかなければ、と町田は思いながら、もう一発威嚇発砲する。

十分ほど経ったころ、突然、板や窓を叩き割る音とともに数人の黒い影が一団となって山荘から飛び出し、銃を乱射しながら坂道を上に向かって走り出した。ほとんど同時

に、彼らの逃げた方向にいた大野隊員が顔から血を流しながら自力で道路に出てきた。散弾銃で撃たれたのだ。

「大丈夫だ！　心配するな！　犯人を追ってくれ！」

大野は手で血を拭いながら気丈に叫んでいる。気にはかかるが、犯人を追わなくてはならない。町田らは大野を気にしながら到着した応援の機動隊員と一緒に後を追った。が、犯人たちの姿が見えない。

からまつ通りを上ってポプラ通りに入った所で道が二手に分かれる。右手のやや平坦な道を検索していた永瀬隊員は急な斜面上方にそびえる別荘のバルコニーに人影を見つけて叫んだ。

「あっ！　いたぞ！　銃を持っている！」

同時に鋭い銃声がして永瀬が悲鳴を上げた。一緒にいた隊員が調べると銃弾は永瀬の背後から出動服のズボンや下着を貫いている。ズボンを脱がせてみると弾は尾骶骨に突き刺さって止まっていた。永瀬はただちに病院に運ばれた。午後三時半ごろだった。

犯人たちが逃げ込んだ別荘は判ったが、逃げ込んだ人数も別荘の名もまだ判っていなかった。

◆混乱の警備陣

「至急！　至急！　長野1から軽井沢！

レイクニュータウンを検索中、山荘で犯人を発見したが発砲されている。至急応援を頼む！」

穐澤隊員からの緊急報が軽井沢署の無線機に飛び込んできたのは午後三時十分ごろだ。

「付近の目標物を知らせよ」

「からまつ通りの入口だ！」

この交信のメモを手に署員は署長室に走る。署長の姿はなかったが、その場にいた県警の柳沢、北原両課長は報告を聞くとすぐに玄関に飛び出し、運良く停まっていたパトカーに乗り込むと、運転の警官に、「からまつ通りの入口に急行しろ！」と命じた。

その時、軽井沢署では朝に軽井沢駅で逮捕した四人についての記者会見が行われていた。

妙義山の山狩りの取材から急遽、軽井沢に廻った日本テレビの警視庁担当の中畑成記者も会見に出ている。カメラマン小室嘉朗は部屋の外で待機していたが、偶然、穐澤からの緊急無線を耳にした。署内の動きが急に慌ただしくなる。

小室は群馬県前橋の駐在員なので長野県の地理に詳しくない。そこで他社の記者に気づかれないようにそっと会見場から中畑を呼び出し、小室の車で機動隊の後を追った。レイクニュータウンの奥まった地点に到着した時、銃声は止んでいたが、一人の隊員が道の脇に倒れ、もう一人がそばに立っていた。あたりの雪には鮮血が飛び散っている。

倒れていたのは顔を血だらけにした大野隊員、立っていたのはパトカーで軽井沢署を飛び出した北原警備二課長である。

小室は大野が病院に運ばれるまでをカメラに収めたが、問題はそのフィルムを東京の本社に送る方法である。駐在員はいつも取材に必要な機材を車に積んで動き廻っているが、撮影したフィルムを送信することまではできなかった。当時、方法は二つしかなかった。自分で本社までフィルムを運ぶか、またはヘリコプターか列車で運ぶかである。多用されたのは列車である。車掌託送と言い列車の車掌にフィルムを託し、到着時間に本社からオートバイが駅まで行って受け取る、という方法である。大野隊員を撮影したフィルムもこの方法で軽井沢駅から上野駅に送られ、夜のテレビニュースで放映された。

レイクニュータウンから救急車で運ばれた大野の治療に当たったのは軽井沢病院の医師前田弘だ。

「X線検査をしたところ顔面と左前腕に七発の散弾が撃ち込まれていた。深さは約五ミリ程度だった。ただちに局部麻酔をしながら散弾の摘出を始めたが、射入口は小さく、弾が丸いため、一個取り出すのにかなり手間がかかる。とくに顔面は傷を大きくしたくなかったので尚更だった。

大野隊員はイライラしはじめ、『麻酔はいらない。傷口も大きくて構わないから早くしてくれ。すぐに犯人たちの追跡に加わりたい』と言う。

彼の我慢強さと警官としての使命感の強さにびっくりした。すべての弾を抜き終わると『行ってきます』と言って病院を飛び出して行った。翌日の新聞には彼の言葉通りに追跡隊に復帰していたことが報じられていた」

当然、そのころには記者会見は打ち切られ、各社の取材記者もレイクニュータウンに入ってきた。

一方、肝心の吉江署長はさつき山荘での銃撃戦の勃発《ぼっぱつ》を聞かされていなかった。というのも彼はその時、二階の警備課に上がって逮捕した四人の逮捕手続きの件で打ち合わせ中だった。緊急報が入った時、署長室に姿がなかったのはそのためだが、打ち合わせを終わって一階に降りてくると事務室には誰もいない。署内はガランとして無線だけがガンガン叫んでいる。しかもその声が署長室にいるはずの北原二課長の声だ。吉江は初めて何か突発事件が起きたことを知った。

柳沢、北原両課長が周辺にいた署員をすべて集めて、署長に連絡する暇もなく現場に向かってしまったのだ。衝撃的な事件の発生が署長の存在さえ忘れさせるほどの混乱を招いていた。加えて捜査や警備が専門でパトカー無線の使い方を知らない北原が、

「至急！　至急！　県下の無線は全部黙れ！」

とやって事件発生を伝えたから交通担当を含めて長野県内すべてのパトカーが沈黙してしまうという事態まで来した。しかし、

「東北信（東部・北部信州のこと）各署からできるだけ多数の人員を応援させられたい」

という北原の無線で、近くに配備されていた機動隊や各警察署から応援の警官が現場に

向かった。

この日の未明、稜線で小さな灯りを認めた県警機動隊の永原隊員は、四人が軽井沢駅で逮捕されるとすぐに国道十八号線の検問に廻るよう命ぜられていたが、その前に空腹を癒そうと石油ストーブで即席ラーメンを作りかけていた。ところが急に検問を切り上げて軽井沢へ応援に行くことになった。慌てた彼は作りかけのラーメンをストーブにぶちまけてしまい、空腹のまま出発することになった。

やがて犯人たちが逃げ込んだ建物は完全に包囲され、この別荘が「浅間山荘」という河合楽器の健康保険組合の保養施設であることが判った。

◆その時の浅間山荘

浅間山荘は、牟田郁男・泰子夫婦が住み込みで管理していた。

事件当時の様子を郁男に聞く。

「あの日は男女六人の泊り客があって、昼過ぎに車二台で到着した。チェックインは四時なので、六人はそれまでスケートセンターに行って来るからと言って、荷物は置いて出掛けた。ふつう、客がある場合は四時ごろから夕食の準備にかかるので、まだ時間がある。その間に犬の散歩をさせておこうと一人で外に出た」

——玄関の鍵はかけて出たのか？

「いや、かけていない。お客さんがいつ帰って来るかもしれないし、泊り客がある時はかけない。事件後、不用心だと散々言われたが……」

——奥さんはその時どうしていたのか？

「一番のんびりできる時間で、恐らく管理人室でテレビを見ていたと思う」

——犬の散歩コースは決まっているのか？

「大体決まっている。その日もいつも通り玄関を出て、左の坂を下りて行った。するとさっき出掛けたはずの男性客二人がチェーンを持って歩いてきた。どうしたのかと尋ねると、前輪に巻いていたチェーンがブレーキオイルのパイプを断ち切ってしまってブレーキが利かなくなってしまったという。

二人は切れたチェーンを探しに来たところだったが、この雪道ではチェーンなしでは走れない。そこでレマン湖畔の整備工の所まで案内したが、そこでは直せないと言うので、中軽井沢の関モータースを紹介してもらったりしていた。

大分時間も経ってしまったし、家内が心配しているだろうとレイクニュータウンの管理事務所に立ち寄り、同い年で仲のいい篠原宣彦さんに頼んで電話を借りた。電話には知らない男性が出たが、すぐに切れてしまった。そこへパトカーが何台もレイクニュータウンに入ってきた。警官に聞いても山狩りだと言うだけで何も教えてくれないので、警察といえども勝手に他人の敷地に入ってくるとはけしからんと篠原さんが怒り出した。

その時、妙に胸さわぎがしたことを覚えている」

——それですぐ管理事務所を出たのか？

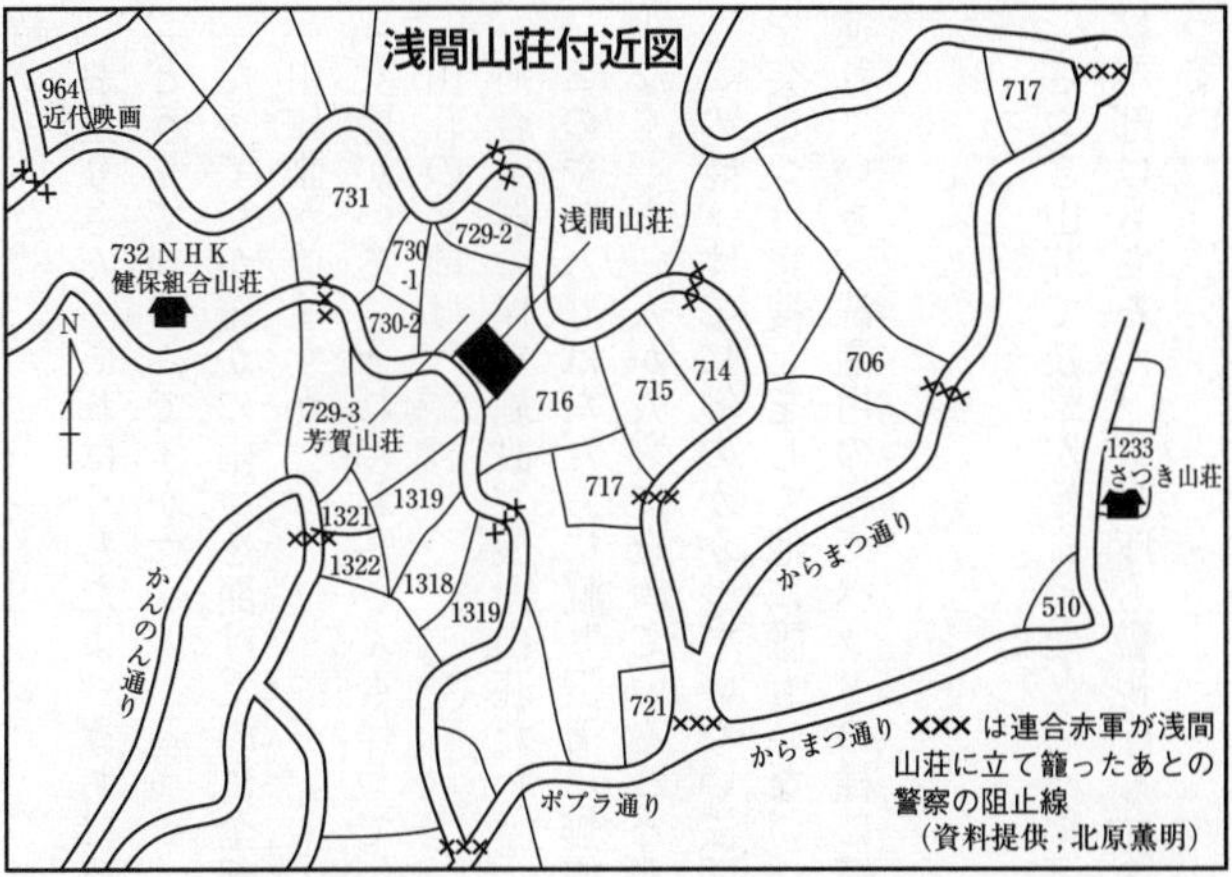

「そうだ。急いで帰らなければと思ったが、そこから山荘まではどんなに急いでも三十分はかかる。そこでボーリング場からもう一度電話をかけたが、やはり誰も出ない。いっそう不安になった。山荘のはるか下の池のところまでくると警官が立っていて、連合赤軍が潜んでいて危険だからここから先はだめだと言って行かせてくれない。自分の家に帰るんだと言ってもだめだった。

その場所から浅間山荘がよく見えたが、見上げた途端にすぐおかしいと思った。雨戸が全部閉まっていたからだ。雨戸の開け閉めは私の仕事だし、いくら冬だとはいえ朝もちゃんと私が開けたのだから」

そこで電話に誰も出ないことと話題になっている連合赤軍とが郁男の頭の中で

結びついた。

「お巡《まわ》りさん、あれはうちだよ。うちに連中が入っているよ」

「どうして判るんですか」

「だって私が確かに雨戸を開けたのに全部閉まってんだから……」

「中に誰かいますか」

「女房がいる。それにお客さんも帰っているかもしれない」

「山荘の名前は」

「河合楽器の保養施設、浅間山荘だ」

このやりとりはただちに軽井沢署に無線連絡され、犯人が逃げ込んだのが浅間山荘で、少なくとも一人が人質になっていることが確実になった。

この時、すでに鍵のかかっていない玄関から乱入した犯人たちは一人でいた泰子に銃を突きつけ家捜しをして他に誰もいないことを確認すると三階のベッドルームに泰子を連れていき、洗濯用の紐でベッドの柱に縛りつけていた。

◆守るに易く、攻めるに難し

さつき山荘で銃撃が始まったという穐澤隊員からの緊急無線を受けたころから長野県警本部はもちろん、警察庁も警視庁もマスコミ各社も蜂の巣をつついたような騒ぎになっていた。

野中庸県警本部長は県庁で行われた永年勤続警察官の表彰式を終って帰宅し、食事をしていたが、そこに第一報が入った。朝の軽井沢駅での四人逮捕に関して柳沢、北原両課長を派遣してあったが、県内で起きた銃撃戦とあっては現場に出向かないわけにはいかない。私服で軽井沢に向かったが、そのまま十日間も居続けることになるとは考えもしなかった。

本部長は、犯人たちが浅間山荘に乱入した後に軽井沢署に到着、ただちに〈連合赤軍軽井沢事件警備本部〉が設置され、署長室がそのまま警備本部になった。

経過説明を受けた後、本部長は現場を視察したが、ひと目見るなり、容易ならざる事件であることを実感した。

浅間山荘は事件の三年ほど前、北向きの傾斜地に建てられた三階建てで、玄関は三階部分にある。建設当時、四十度近い急斜面の崖《がけ》にどうやって建てるのだろうと地元の設計者の間で話題になったというが、それだけに基礎はしっかりしており、犯人たちが偶然に入った山荘とはいえ、守るには易く、攻める側からは何とも攻めにくい。山荘からの見通しは良く、山荘内の犯人からは警察側の動きが手にとるように判るはずだ。

犯人たちの乱入が確認されてしばらく後、郁男は浅間山荘から三軒離れた「プロレス山荘」の管理人に電話をした。「うちの様子がおかしい。警官に止められて行けないので、悪いけどちょっと見てきてくれませんか」

プロレス山荘の管理人は浅間山荘に出向き、施錠された玄関の戸を叩きながら、「奥さん、奥さん」と呼びかけたが誰も出てこない。

またそれと前後して玄関先に到着した機動隊員も山荘内部で激しく物を動かす音を聞いている。「間違いなくバリケードを作っている。今、突入しないといく時がなくなる。入れなくなるぞ」といった焦りの声が隊員たちから上がったが、その時いた隊員数はわずかに十人程度、中に人質がいるという情報も現場に届いており、慎重にならざるをえなかった。

あたりがすっかり暗くなった午後五時五十分ごろ、突然三階北側のベランダに人影が現れ、箱のような物を運び出した。姿はすぐに消えたが、どうやら弾除けを作っているらしい。その後こうしたバリケード作りが続いたらしく、閉められた雨戸の隙間から漏れる灯りが夜遅くまで動き続けたが、未明にはそれも消えた。

この間、数回にわたってマイクを使って説得が行われた。最初の呼びかけは午後七時ごろ、山荘右手の坂の下から登ってきた車の中から行われた。

「君たちは完全に包囲されている。逃げることはできない。ただちに武器を捨てて出てきなさい。人質をとることは最も卑劣な行為だ。奥さんを返しなさい」

その声は静まり返った周囲の山々に空しくこだまし、暗闇に吸い込まれていった。

この夜は、〈人質の安否の確認と説得による救出〉〈被疑者の動静と武器の確認〉〈被疑者の逃走防止〉など当面の警備方針に基づいて、あくまでも強行は避け、山荘周辺だけでも三百三十八人の警官を配置して徹夜態勢に入った。山荘内の犯人たちに呼応する周辺の動きを警戒して、信越線・小海線の各駅や道路の検問のため二百九十四人が緊張の配置についた。

◆焚き火を囲む報道陣

山荘の見える位置に場所を占めたマスコミ各社の記者やカメラマンも厳しい徹夜を強いられることになった。とくに妙義山の山狩りから取材を続けている地方駐在員や本社からの先乗りの記者やカメラマンは、朝の軽井沢駅での四人の逮捕、レイクニュータウンの検索、さつき山荘での銃撃戦、浅間山荘への立てこもりと、休む間もない取材の連続に食事を取る時間さえなかった。

しかもこの夜の最低気温は氷点下八度。そんな寒さを想定していなかったため十分な防寒具もない。急造の雪洞に入っても寒さはしのげない。久保田竜雄カメラマンは他社の記者たちと木の枝を集め、焚き火で暖をとった。焚き火を囲み足踏みをしながら警備に当たる警官も目撃された。

記者は本社に情報を送り続けなければならない。しかし山間のため無線機は役に立たない。

中畑成記者は夕方と夜のニュースに電話リポートするよう指示された。浅間山荘が見えるところからリポートしろ、というのがデスクの注文である。中畑は電話捜しから始めたが、冬の別荘地とあって人影はなく、公衆電話も見当たらない。やむなく山を降り、一回目はやっと見つけた公衆電話で、二回目は個人宅で電話を借りて、見てきた山荘を思い浮かべながらリポートせざるをえなかった。テレホンカードのように便利なものがない時代、小銭をどっさり用意し各社の記者が後ろに列を作って順番を待っているのを気にしながらの公衆電話からのリポートであった。

◆バックアップ態勢

警察庁は、さつき山荘の銃撃事件から浅間山荘の人質事件に移る段階で素早く対応した。

ふつう人質事件が発生した場合には刑事事件として処理するが、犯人が連合赤軍という武装集団であることから長野県警だけでは解決できないと判断した警察庁長官後藤田正晴は、ただちに応援部隊の編成を命じた。

そして十九日夜までには富田朝彦警備局長の特命によって、警察庁の丸山昂《こう》参事官、佐々淳行《さっさあつゆき》警備局付監察官、広報担当の菊岡平八郎理事官、警視庁から石川三郎警備部付警視正、国松孝次広報課長、富田幸三広報主任らが、長野県警野中庸本部長の指揮下に入るプロジェクトチームとして結成され、深夜の上州路を車で軽井沢へと向かった。

警視庁第九機動隊と特科車両隊の先発隊も出発した。警視庁には九つの機動隊が編成されており、毎日交替でいつでも出動できる態勢をとっている。九機は十九日の当番隊に当たっていた。

その後、二十二日には第二機動隊の内田尚孝隊長以下百三十九人、二十三日には第九機動隊の大久保伊勢男隊長指揮する二百十三人、二十五日には小林茂之隊長以下二十三人の特科車両隊、さらに二十六日には第七機動隊西田時夫副隊長指揮下のレンジャー部隊二十三人が次々と増強されて、近県からの応援も含めると千四百人もの大動員となった。

◆中継回線

テレビ各局も夜を徹しての対応に追われていた。

東京、新宿の初台に日本テレビの中継基地があった。そこには中継車はもちろんテレビカメラ、マイク、照明、マイクロ機材など中継に必要なすべての機材が置かれ、いつでも出動できるように中継部員が交替で待機している。

十九日午後三時過ぎに軽井沢への出動要請が飛び込んできた。まだ犯人が浅間山荘に乱入する前、さつき山荘での銃撃戦が始まった直後である。全国の事件・事故は共同通信を通じてただちに加盟各社に連絡が入るシステムになっており、銃撃戦の第一報は共同通信と警視庁の記者クラブからほとんど同時に千代田区二番町にある日本テレビ本社の報道デスクに入ってきた。大変な事件になると判断した森康雄副部長は中平公彦局長と相談の上、ただちに中継態勢を取るよう初台に電話を入れさせた。ところが土曜日であり、中継車を必要とする番組がなかったために待機している部員の数は普段よりずっと少ない。緊急電話で部員を呼び集めることから始めなければならなかった。

この間にも犯人たちが浅間山荘に逃げ込み、人質をとって立てこもったという速報が追い打ちをかけた。一刻の猶予もない。しかも冬の日は短い。駆けつけた部員の頭数が揃うと、あたりが薄暗くなった午後五時過ぎに大急ぎで軽井沢に向けて出発した。あまりに急な出動であったために自宅から駆けつけた部員はまだしも、会社からの直行者は背広姿のままである。

当時は通信衛星などない。中継はすべてマイクロ波を使っていた。中継元の送信用パラボラアンテナから送り出したマイクロ波を本社の受信用パラボラアンテナで受けて放送するのだが、電波は途中に障害物があると届かない。その場合にはもう一か所中継ぎのための中間点を設ける必要がある。これを二段中継という。複雑な地形での中継だと三段中継、四段中継まで必要になる。

出発前に地図で確かめると、浅間山荘は南軽井沢の北向き斜面にあり、現場から東京の本社まで中継ぎなしでは電波は届かない。二段、三段中継を想定して余分のパラボラアンテナを積んだ車も同時に初台を出発した。最初の中間点を碓氷峠近くの見晴台、二番目の中間点を赤城山の電電公社の鉄塔にする三段中継を考えたのである。

こうした事情は各局とも同じだ。ＮＨＫは現場から日本テレビと同様に見晴台に一度送り、さらに茨城県の筑波山頂のパラボラアンテナで受けて東京に送る三段中継を、Ｔ

BS系列の信越放送は見晴台を経て美ヶ原の送信所に送り、そこから長野市内の本社に飛ばして放送するという三段中継をとった。

このように放送手段は似たり寄ったりだが、やはり地元局が有利だ。NHKには長野放送局がある。TBSは老舗の信越放送を、フジテレビはおよそ三年前に開局した長野放送を、それぞれ系列局としていた。

長野県に系列局を持たない日本テレビは、機材からフィルムに至るまですべてを東京から運び、取材した映像、情報を東京へ送らなければならない。午後八時に中継車が長野市を出発した信越放送より三時間近くも早く東京を出た日本テレビの中継車が、あえぎあえぎ雪の碓氷峠を登って浅間山荘を望む中継地点に到着したのは、信越放送、NHKに次いで三番目。すでに二十日午前〇時であった。

中継車が到着しただけでは放送はできない。まず現場から本社まで電波を送るルートを作る作業がある。その点、県内で何回も中継放送しているNHKと信越放送はどの地点を結べば電波を送れるかを熟知していた。信越放送はたまたま二月十四日の番組で中継点として使った美ヶ原の送信所に、三月にも利用するつもりで中継用機材一式がそっくり置いてあった幸運もあって午前三時半には放送態勢を完成し、早朝のJNNニュースで全国のトップを切って現場からの生々しい映像を中継した。NHKも相前後して放送準備を終えた。

一方、長野県内から一度も中継したことのない日本テレビはまったくの手探り状態で、地図だけを頼りに悪戦苦闘していた。中継回線を作り上げるのは中継運用部の仕事である。

マイクロ用のパラボラアンテナを積んだ車に乗る中継運用部の加藤浩司は軽井沢の現場に向かう中継車の一行と途中で別れ、中継点の見晴台を目指した。見晴台は国道十八号線を軽井沢駅前で右折し、さらに山を登り切った群馬と長野の県境の峠にあり、晴れた日には関東平野が一望できる。標高一二〇〇メートルの絶好の中継地点だ。

見晴台にはすでにNHKの中継車が先に来ている。時折、吹雪となるあいにくの天候の下、加藤は手袋もせず、運転手と二人だけで二〇〇メートルのケーブルを敷き、中継の準備を進めた。浅間山荘近くの中継車と見晴台の間には障害物はなく、すぐに電波の送れる状態になった。ところが次の中継点である赤城山とどうしてもつながらない。赤城山と東京の間はこれまでに何回も使っており問題はなかったのに、これでは東京まで電波は届かないし、もちろん放送はできない。

三十九度以上の高熱を出して自宅で寝ていた中継運用部の若木裕夫副部長のもとに、どうしてもうまくいかないという連絡が入ったのは二十日未明であった。

「プロフィールは描いたか」と尋ねる。

「描いた。理論上は通るはずなのに、通らない」という現場からの返事だ。

プロフィールとは、未知の場所から中継する場合、二十万分の一の地図をもとに途中の障害物を計算して電波の通り道を探し出す作業だが地図上では判らない要素もある。

その一つが山の立木の高さだ。これは地図では読み取れない。それが計算に入っていないらしいのだ。押し問答をしている暇はない。

ルートの変更が必要だと判断した若木は、初台にあったもう一つのパラボラアンテナを車に積むと自ら運転して群馬県太田市に向かった。彼にはあそこなら大丈夫では、という心づもりの場所があった。その場所とは、小高い丘になった金山公園だ。そこにはすでにフジテレビが到着していた。中継ルートが同じフジテレビがいることに意を強くした若木は、一人でパラボラアンテナを立てると、見晴台の加藤と交信した。一発で通った。こうしてやっと南軽井沢から東京までの中継ルートは完成した。

何ひとつ遮るもののない吹きさらしの見晴台にいる加藤は、衣類が届けられる翌日の午後まで、東京からの着の身着のままの薄着で頑張らざるをえなかった。

フロントガラスが凍りついてワイパーも利かないほどの車を運転して、若木がやっとの思いで帰宅したころ、また別の問題が起きていた。郵政省電波管理局が、このままでは放送は認められないという強いクレームをつけたのだ。日本テレビは東京の局であり放送エリアは関東地方に限られる。長野県は関東ではない。したがって許可なく放送すれば電波法違反となる。エリア外からの放送の場合、あらかじめ移動申請を提出して許可を得なければならないのだが、あまりに急な事件だったために後手に廻ってしまった。もちろん長野県下に放送局を持つＮＨＫや系列局のあるＴＢＳ、フジテレビに問題はない。この問題を処理し、系列局を持たない悲哀をいやというほど味わった日本テレビが放送態勢を完了したのは、二十日午前八時だった。

◆アナウンサー出動

日本テレビのアナウンス部デスクに、アナウンサーを派遣してほしい、と要請があったのは中継車が初台を出発する少し前である。

当時は現場から記者がリポートするという報道スタイルはまだ確立しておらず、事件、事故の現場からはアナウンサーが中継することになっていた。野球をはじめとするスポーツ中継が売り物の日本テレビではスポーツ担当アナウンサーが多く、ニュース中継は同期入社の久保晴生と久能靖が主として担当していた。これまで東大紛争、成田闘争、航空機事故などのほとんどを二人で担当してきたが、たまたまその時、部屋にいた久能が軽井沢に行くことになった。

久能のロッカーには、普段からどんな現場に飛んでも大丈夫なように着替え用のシャツや下着、傘、登山靴、黒ネクタイまで用意してある。しかし、関東から出ることはほとんどないため、寒さ対策は不充分だった。急いで出発するというので、会社のジャンパーと長靴を借り、二、三日分の着替えを紙袋に詰めただけで中継ディレクターと一緒にジープで軽井沢に向かった。

深夜の碓氷峠を越えて現場に着いたころには空が白み始めていた。ジープを降りた途端、久能はその寒さに震えあがった。久能は数日前に札幌オリンピックの取材から帰ったばかりだったが、しばれるという北海道の寒さの比ではない。目の前にそびえる浅間山からの浅間おろしのためにいっそう体感温度が低く感じられる。その寒さの中で、テレビ各局の中継車が準備に全力を挙げている。日本テレビの中継スタッフも何とか早く電波を通したいと奮闘しているが、久能が到着した時点では放送の目途はまだ立っていない。朝の放送にはとても間に合わない、早くても正午のニュースからだ、という。

ひと眠りする場所もないので、久能はその間に周辺取材を進めることにする。それまで現地で頑張ってきた中畑記者、妙義山麓から一貫して取材を続けてきた地方駐在員の小室、清水たちに経過の説明を受ける。取材の鉄則は、現場をつぶさに見て、可能な限りの情報を自分の足で集めることだが、山荘内に立てこもった犯人たちの銃の能力、射程も判らないため、厳しい警察の阻止線が設けられており、それを越えて山荘に近づくことはできない。放送の準備は遠くから双眼鏡を通して見る山荘の様子と記者や駐在員、警察からの情報だけで進めるしかない。この場合、一番怖いのは情報が偏りがちになることだが、山荘内の情報が警察ですらつかめない以上、やむをえない。

◆取材前線本部

大事件の報道では、大勢の取材記者やカメラマンを効率よく配置し、本社と現場の連絡をスムーズにするための前線本部が設けられ、そこに全体を統括する現場デスクがいて指揮を執ることになる。

ＮＨＫは偶然にも浅間山荘の三軒隣がＮＨＫ健康保険組合の保養施設ＮＨＫ山荘だったため、宿泊や食事の心配のない最高の前線本部を確保した。一方、民放各社は前線本部づくりに血眼になった。空き別荘ばかりの冬季に適当なスペースを見つけるのは容易ではない。

日本テレビはこの面でも苦戦を強いられるところだったが、報道部の小木裕が機転を利かせて知り合いに手早く連絡していたため、軽井沢駅から徒歩三分という好条件の家が借りられた。石原一家の住まいである。

「小木さんから十九日夕方の六時ごろ電話があり、夜十一時の急行で確かに一人の方が見えられた。一階のコタツのある四畳半に案内して私たちは寝てしまったが、朝起きてびっくりした。いつ来たのか、部屋の中は七、八人に増えていて、電話をかけたり、無線機を操作したり、忙しそうにしている。外に出てもっとびっくりした。何と屋根の上には無線用のアンテナが立ち、日本テレビの旗が取りつけられているんですから。近所の人は私ん家が日本テレビに乗っ取られたと噂し合っていた程ですよ」

その日から目の回るような十日間を過ごすことになった、人の良い石原賢三・千恵子夫妻は、その時出入りした日本テレビの社員の、少し変色し始めている名刺を見ながら懐かしそうに思い出を語る。

出入りの人数はあっという間に増え、最初の四畳半の部屋に、二階の四畳半ふた部屋を増やしてもまだ足りず、近くにある実家の部屋まで使うことになった。千葉の息子のところへ出産の手伝いに行って留守にしていたおばあさんには、しばらく帰ってこないでくれと頼むことになった。

石原は雑貨店を営んでいたが、とても商売ができる状態ではなくなった。朝は五時に起きてコタツ用の豆炭の火を起こし、すぐに握り飯作りに取り掛かる。発泡スチロールの簡便な容器などない当時、携帯に便利な食べ物というと握り飯しかない。早朝から近所の人たちも手伝いにきて、何十個もの握り飯ができあがる。すると、徹夜組と交替する記者、カメラマンがそれぞれ三、四個持って飛び出して行くのだが、あまりの寒さに食べるころにはカチカチに凍ってしまう。ガタガタ震えながら苦労して食べるはめになった。

入れ替わりに帰ってくる記者たちのためにと、今度はうどんを用意する。たまたま以前、駅で立ち売りをしていたので一度に二十人分ぐらい作れる大きな鍋がいくつもある。野菜などの具がたっぷり入ったオニカケという郷土料理で、冷えきった身体にはこたえられない。夜は温かいうどんが記者やカメラマンを待っていてくれた。

◆庶務の奮闘

二十日朝、本社から到着した日本テレビ報道庶務の加賀駿介は、ただちに中継スタッフやアナウンサーの着替えの衣類の買い出しと宿捜しに駆けずり回ることになった。

着の身着のままのスタッフには最優先で衣類を手当しなければならない。これは他社も同じだ。緊急呼び出しで出動した警官も寒さに対する装備は不充分だった。街のすべての洋品店で厚手のシャツや下着、靴下などがあっという間に売り切れた。加賀は東京を出る時に本社の倉庫にあったジャンパーを全部リュックに詰めて持ってきたが足りるわけがない。前線本部のすぐそばに改装中の洋品店があった。加賀はほとんどの品物を買い取る条件と引き替えに、他社がきても店を開けないように頼み込んだ。

こうして事件発生の翌日の午後、徹夜で頑張った中継スタッフのもとに弁当と衣類が届けられた。零下八度の寒さの中で一人の病人も出なかったのが不思議なほどだが、スタッフの気力と使命感はそれほど充実していた。

一方、前線本部の石原家では収容人数に限界が来た。どう詰め込んでも取材スタッフしか入れない。宿の確保は緊急を要する。寮のあるＮＨＫはもちろん、ＴＢＳ系の信越放送、フジ系の長野放送は地元の強みを生かしてすぐに宿を確保した。日本テレビはまだ見つからない。かといって七十人のスタッフをふた晩も寒空の下で徹夜させるわけにはいかない。

加賀は八方手を尽くして探し、観光協会を通して小瀬温泉に行き当たった。浅間山麓にある鉱泉旅館で冬の間は閉めている。事件の現場からは車で小一時間かかり、途中は深い雪道という条件だが、多少の不便は我慢してでも多人数が収容できる宿の確保が先決だ。加賀は経営者を捜し出し、集められるだけの従業員を集めて旅館を開けてくれるよう頼み込み、二日目の夕方になって全員の宿が確保できた。中継班は午前三時、久能らスタッフは午前五時には宿を出発するのではんの数時間寝に帰るだけだが、温かい風呂と食事が冷え切った身には何ともうれしかった。

◆人質は必ず救出せよ

静まり返る浅間山荘をよそに、昼間銃撃戦があったさつき山荘の現場検証が夜を徹して続けられた。山荘の中は食べ散らかした缶詰や脱ぎ捨てた泥まみれのズボンやシャツ、キャラバンシューズなどが散乱している。ここで着替えて逃走したのは間違いない。押収された遺留品は、猟銃五丁と猟銃やライフルの実弾四十発、空薬莢《やっきょう》十九個、鉄パイプ爆弾一個など百八十三点に及び、九十五個の指紋が採取された。猟銃は番号から真岡市の銃砲店から強奪された銃であることが判明した。犯人たちは残る銃を持って浅間山荘に逃げ込んだと推定され、弾薬はまだ二千発以上あるらしいことも判った。

この現場検証の結果は、東京から警察庁の丸山昂参事官らが到着するのを待って軽井沢署の二階会議室で開かれた初の合同警備会議に報告された。この会議には、長野県警と警察庁、関東管区警察局、警視庁の幹部が参加した。そして野中県警本部長を警備本部長、丸山参事官を派遣幕僚団長とすることが決まり、警備体制が正式にスタートした。

席上、丸山たちが東京を発つ際に示された後藤田正晴警察庁長官の指示が明らかにされた。それは、

一、人質は必ず救出せよ。これが最高目的である
一、必ず公正な裁判で処罰するから、犯人を殺すな。全員生け捕りにせよ
一、警官に犠牲者を出さないよう細心の注意を払え

というものだ。

長官は、犯人が射殺されたりすれば殉教者となり英雄視する者が出ることを懸念して生け捕りを命じたのだ。この指示は事件解決まで警備本部が遵守しなければならない基本方針となった。

二月二十日朝、記者会見した後藤田長官は、基本方針を補足する形で次のように述べた。

「今は何とかして牟田さんを無事救出したいという気持ちで一杯である。この事件が凶悪犯罪であることは違いないが、彼らはもともとインテリなのだから、彼らの心に訴えて慎重な作戦をとり、できるだけ血を見ないで解決したい」

◆山荘内の情報不足

久能は中継が可能になった二十日の昼ニュースで長官会見を紹介し、事件は長期化しそうな見通しだと伝えた。南北朝の武将楠正成が北朝の大敵を悩ませた千早城の現代版ともいうべき堅固な浅間山荘の様子と、長官の言う慎重な行動を考え合わせると充分な準備が必要になると判断したからだ。

昼近くなって現場付近の寒気はようやく緩んできたが、それでも温度計は零下一度を示し、靴下を二枚重ねても長靴を通して足元から容赦なく寒さが這い上がってくる。久能は本社にカイロを持ってくるよう頼んだが、もっと困るのは寒さのために顔がこわばり、口がよく回らなくなることだ。放送本番が近づくと頰を叩いたり、軍手をはめた手で口元を暖めなくてはならない。

しかも久能がいる放送地点は、斜面の上に建つ山荘が正面に見えるとはいえ、八〇〇メートルほど離れており、肉眼では細かい動きがまったく見分けられない。左手にマイクを持ち、右手に持った双眼鏡を覗きながら、朝からの動きを伝えた。

夜通し行われた警察の呼びかけに何の反応もなかった山荘に最初の動きが見えたのは午前八時半ごろだった。突然三階北側のベランダに三人が現れ、十枚ほどの畳を立て掛けてバリケードを築き始めた。二人はヤッケを着た男だと判る。残る一人がネッカチーフをしている。人質の泰子ではないか、無理やり手伝いをさせられているのではないかと一瞬騒然となる。しかし、すぐに姿が消え確認はできなかった。

さつき山荘から逃げたのが男ばかり五人であることは負傷した大野隊員が撃たれながらも目撃している。しかし浅間山荘に入るところを誰も目撃していないし、玄関先まで近づいて偵察した限りでは、二人分の足跡しか確認できなかったのである。

ちょうどそのころ、付近の林道に不審な人物がいたという情報も警察に寄せられていたし、妙義湖畔でも、アジト付近でも、軽井沢駅でも、逮捕された犯人たちの中に必ず

浅間山荘平面図

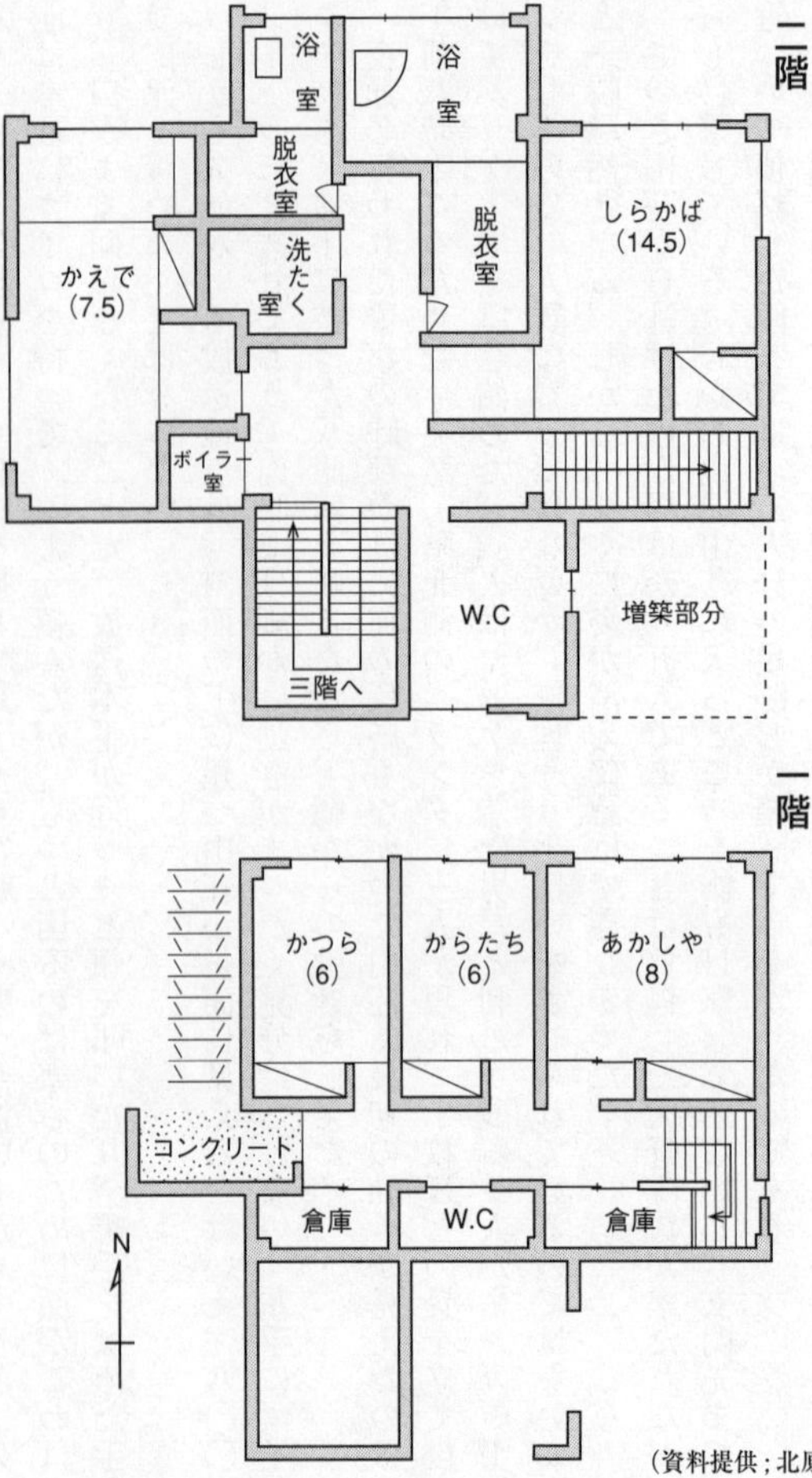

(資料提供；北原薫明)

三階

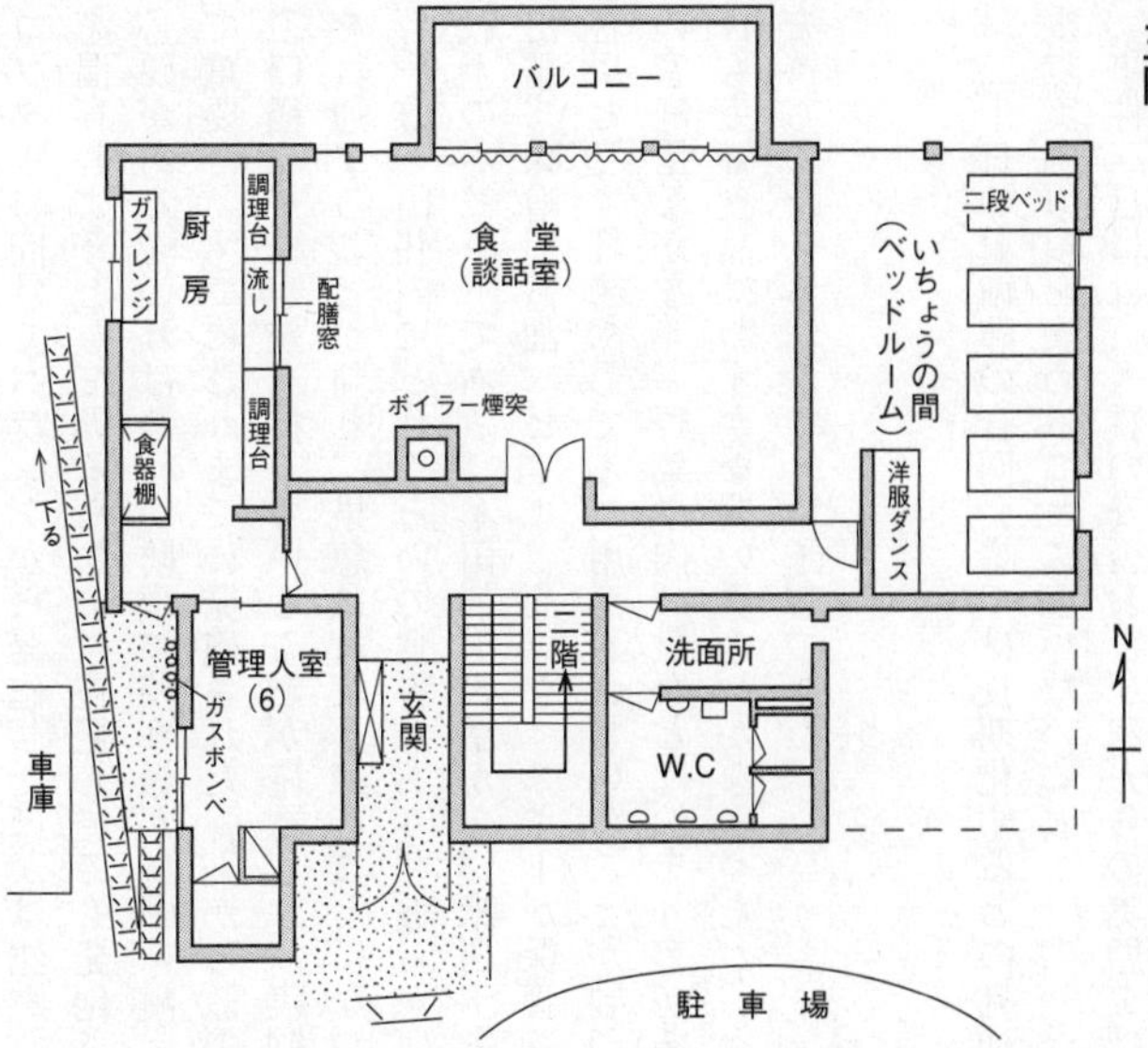

女が一緒にいたことからネッカチーフ姿の出現はいったい何人が立てこもったのか、人数の特定を困難にした。

人質が泰子一人であることは判ったが、山荘に何回接近して偵察しても一階から三階までのどこにいるのか、まったく手掛かりがない。こうした山荘内部の様子を探ることと併せて、警備陣にとっては彼らが持っている銃の種類と数の確認も急務である。これまでに各地で銃を押収してきたが、今持っている銃が真岡市の銃砲店から奪ったものだけとは限らない。

この日、犯人たちは午前八時四十分と四十六分に上空のヘリコプターに向けてベランダから発砲したほかは沈黙したままである。身体を休め、実弾を温存しようとしているらしい。挑発してでも発砲させてその弾丸から口径を割り出す必要がある。これは警官が防護に使う楯が銃弾に耐えられるかどうかを知る上できわめて重要だ。すでにこれまでに発砲された弾丸から散弾銃のほか、少なくとも一丁の二十二口径ライフル銃を持っていることが確認され、実験の結果、二十二口径ライフルは楯を貫通することが判り、早急に対策を練ることになった。

一方、山荘内にどれぐらいの食料があり、彼らが何日ぐらい持ちこたえられるかも作戦上のポイントである。牟田郁男の話から、米二十キロ、プロパンガスの大ボンベ四本、缶詰、味噌、醤油、ビール、酒、ウィスキーが保管されている他、この日の六人の宿泊客用として紅鱒やおでんが用意されていることが判った。郁男によれば、冷蔵庫が小型の家庭用しかなく、野菜や肉、魚などは泊まり客があるたびに買っていたという。この日も生鮮食品はわずかな買い置きしかなかったが、それでもこれだけあれば相当の期間を持ちこたえられることは予想できた。

◆呼びかけ作戦

二十日の警備陣の合同会議では長期化するとの見通しに立った上で、その日その日の重点実施事項を決めることになった。

事件二日目は、人質の安否および犯人らの実態を把握するため、陽動作戦として特型

攻撃、防御に力を発揮した装甲車（提供／小池啓太郎）

車（装甲車）を山荘に接近させるほか、被害者の肉親に呼びかけさせて心理的な揺さぶりをかけ、その反応を見ることが決められた。この方針に基づいて午前十一時過ぎから、人質になった牟田泰子の夫の郁男が山荘に向けて初めて呼びかけた。郁男は山荘前で呼びかけたいと言い張ったが、危険だというので山荘下のポプラ通りに停めた装甲車の中から行うことになった。

「泰子、聞いているか。オレだ。身体の具合はどうだ。元気で頑張ってくれ」

音量を最大にしたスピーカーから流れる郁男の声は静まり返った山荘周辺の空気を震わせながら響き渡った。その後も午後にかけて泰子の親族らがやはり装甲車の中から次々に呼びかけた。

「泰子さん、あなたは身体が弱いのだから無事に出して貰えるようにお願いしなさい。気を落とさずに頑張るんですよ」次第に涙声になりながらの訴えであったが、山荘内部からは何の反応もない。

吉江利彦軽井沢署長も山荘の玄関先五メートルまで装甲車で近づき、「君たちに一片の良心があるのなら、銃を捨てて出てきなさい」と説得し、「牟田さん、もう少しです。頑張ってください」と呼びかけた。山荘を包囲する機動隊員たちには動くに動けないいらだちが募ってきていた。

一方、山荘に立てこもった犯人たちに呼応する動きを警戒して、前日から大掛かりな山狩りが続いていた。午後に入って警視庁から派遣されていた警察犬アルフ号が手柄を立てた。応援にきた千葉県警の機動隊員に連れられていたアルフ号は、通称若草山の道路脇の雪を突然掘りはじめた。隊員が約五〇センチほど雪を除くと、ビニールを被せた二個の荷物が出てきた。中からはダイナマイト五本、導火線一巻、電気雷管二百個、散弾銃の実弾五十四発のほか、携帯無線機、トランジスタラジオ、毛布、ジャンパー、缶詰などが発見された。さつき山荘から五〇〇メートルほどしか離れていなかったが、付近に残された足跡から、犯人グループが後日取りにくるつもりで隠した品々と断定された。裏妙義を越えて逃げてきた彼らが、前日雪洞を掘ってビバークした、その場所だった。

◆レンズの性能

陽が沈んだ午後五時半ごろ、山荘の三階に電灯が灯る。前夜とは違って投光器が山荘を明るく照らし続ける中で二日目の夜を迎えた。ふたたび厳しい徹夜の勤務につく機動隊員や記者、カメラマンは長靴に滑り止めの荒縄を巻いたり、たきぎを集めたり、雪洞を新たに造ったりして夜に備える。前夜の混乱ぶりに比べると幾分落ち着いてきている。

そのころ日本テレビの前線本部では明日からの人の配置にデスクが頭を痛めていた。冬季オリンピックのために札幌に出張していた浅野誠也報道部長が駆けつけ、放送初日の反省にたって放送態勢をどう強化するかが話し合われた。

そこで第一に問題になったのはテレビカメラのレンズである。現場のテレビカメラには望遠レンズが取りつけられているが、ＮＨＫや他社のレンズが二十二倍なのに、日本テレビのレンズは十七倍しかない。この差は大きい。中継車は各社とも同じ場所に停めている。ＮＨＫが山荘の窓枠まできっちり撮れるのに、日本テレビは建物全体を撮るのが精一杯なのだ。

「もっと近くで撮れないのか」「レンズをなんとかしろ」

と現場の実情を知らない本社から無理な注文がくるが、どうすることもできない。手を尽くしてレンズを探したがどうしても手に入らなかった。

◆呼びかける母親

事件三日目。二十一日の最低気温零下十一度あまり、寒さは前日より厳しいが、天気は良い。

警察庁はあらゆる方法で人質の安否の確認を急ぐよう指示していたが、この日も犯人たちの心情に訴える説得工作に力点が置かれた。郁男ら肉親が乗った装甲車が玄関のすぐそばまで接近し車中から呼びかけが行われた。

夜のとばりが降り始める午後五時ごろから連合赤軍メンバーの坂口弘と吉野雅邦の母親が、もし息子が山荘内にいるのなら、と説得を申し出て呼びかけをした。母親二人は警視庁のヘリコプターで軽井沢に到着するとすぐ現場に行き、装甲車の中でマイクを握った。

「まあちゃん、聞こえますか。牟田さんを返しなさい。これではあんたの言っていた救世主どころじゃないじゃないの。世の中のために自分を犠牲にするんじゃなかったの。こうなった以上、最後は普通の凶悪犯と違うところを見せてちょうだい。武器を捨てて出てきてほしいの。それが本当の勇気なのよ」

「牟田さん、本当に申し訳ありません。奥さんを返しなさい。代わりが欲しければ私が行きますから」

二人の母親の説得はおよそ三十分も続いた。山荘からかなり離れて立っていた久能の耳にも、多少エコーがかかってはいるが、はっきりと聞き取れた。今や手が届かないほど隔たってしまった親子の間であっても、子を想う親の言葉には真情が溢れていた。最初は、甘いなあ、と思って聞いていた久能の胸にも熱いものが込み上げてくる。

この時、母親は知る由もなかったが、警察は山荘内に吉野がいることをすでに知って

（上）雪洞で配備につく機動隊員（提供／北原薫明）
（下右）二重の楯に身を隠しながらガス銃をもつ機動隊員（２月23日、提供／読売新聞社）
（下左）厳寒のなかでのパトロール（２月25日、提供／読売新聞社）

いた。さつき山荘で採取した九十五個の指紋の中に彼の指紋があったのだ。さつき山荘で採取された指紋はその日の朝に県警の鑑識課に送られた。選別の結果、対照可能なもの十一個、参考程度のもの十一個、対照不能なもの七十三個であった。対照可能な十一個を警察庁から送られてきた指紋と照合した結果、さつき山荘の便所内で採取した一個が吉野の右手中指の指紋と一致した。さらに翌日になって別の一個が坂東国男の左手人差指の指紋と一致し、少なくともこの二人が山荘内にいることが確認された。

二人の母親ががっくり肩を落として帰った後の午後七時半ごろ、山荘の玄関から左手の道を曲った地点で、一人の男が警察の阻止線を越えて山荘に近づこうとして逮捕された。彼は新潟でスナックを経営する田中保彦と名乗り、人質の身代わりになるつもりだったと供述した。警察は、今後は絶対に軽率な行為をしないよう厳重に注意して午後十一時二十分に釈放した。浅間山荘事件は発生時から大々的に報道されたこともあってだろう、身代わり志願者が日ごとに増えていた。

◆果物籠

牟田郁男は、この日、手紙を添えた果物籠を山荘に届けたいと申し出た。郁男は自分で持っていきたいと言ったが認められず、第九機動隊の大久保伊勢男隊長がヘルメットを脱ぎ拳銃も置いて丸腰になって山荘に近づき、

「泰子さん、ご主人からの差し入れです。受け取ってください」と大声で言い、籠を玄関先に置いた。犯人からの発砲はなく、固唾《かたず》を呑《の》んで見守っていた隊員や報道陣はほっと胸をなで降ろした。しかし、バナナ、リンゴ、ミカンの入った果物籠は終日置かれたままであった。

郁男はこの日、事件発生後初めての記者会見を軽井沢署で行い、果物籠につけた手紙の内容を明らかにした。

「半分は女房に、半分は犯人に宛てて便箋二枚にフェルトペンで書いた。犯人に対しては妻を一刻も早く返してほしい。また説得に応ずるよう呼びかけた。女房の身代わりに自分が人質になってもいい。女房は果物が好きだからひと口でも食べさせてほしい、とも書いた」

また、心境を聞かれ、

「私の気持は言葉に言い表せない。警察に最善の努力をして貰っているので、それに期待するしかありません。犯人が会うと言ってきたら、当然、行きます」と答えた。

◆心理学者

一方、警察庁が心理学的な立場から警備上のアドバイスを得たいと専門家三人を派遣してきた。東京工業大の宮城音弥名誉教授、聖心女子大の島田一男教授、警視庁科学警察研究所の町田欣一技官がヘリコプターで軽井沢に到着。現地を視察した後、警備陣幹

部に進言をした。長野県警北原警備二課長によれば、その要点は、
一、心理学的には立てこもっている連合赤軍の方が有利で、警察の方が追い詰められている。
一、疲れているとさらに不利になるので隊員は交代で休養させるべきである。
一、隊員が情報不足でイラついているので、隅々まで情報が行き渡るようにしたほうがいい。
一、人間は夜四時間以上寝ないと参ってくるから、照明や音による陽動作戦で犯人たちを眠らせないようにする。
というものであった。要するに、食料や暖房を確保している以上、犯人側に強みがある。彼らの方から何か要求してくるような状況にしないと解決は難しいというのが専門家の見方だ。

その夜、より強力な投光器で照らしたり、朝まで三十分ごとに呼びかけをしたのは、提言を参考にした行動であった。しかし、騒音は初めのうちこそうるさいと感じても馴れてしまうと意外と気にならなくなり、眠ることもできることを数多くの事件現場で経験している久能はこの作戦には首をかしげた。

◆署長の気配り

この年、一月の軽井沢は比較的暖かだったが、二月に入ると猛烈な寒さが続いた。そ

の寒さの中で、キッチンカーが二台、前夜に引き続いて現場に出動した。このキッチンカーは警視庁からもってきたものであったが、震えながら徹夜警備にあたる隊員たちを喜ばせた。

「うどん一丁」

「こっちはラーメンをくれ」

記者やカメラマンの中にも注文する者がいる。ラーメンが八十円、ミカンが十五円だった。

確かに毎日、朝昼晩の三食、千数百人分の食事の手当は頭の痛い問題になっていた。

吉江軽井沢署長は、東京から派遣された幹部から、

「ご苦労は判るけど、弁当の形だけでも変えて貰えないか。いつも同じ弁当じゃ……」

と注文をつけられた。弁当だけの食事もすでに三日目となり、もっともな不満だ、と受けとめた実直な吉江は、ただちに給食にできるだけ変化をつけようと給食担当や業者に連絡して、温かいお茶やみそ汁、牛乳を出すようにし、小諸や松井田の業者から形の違った箱弁当を取り寄せるようにした。問題はその配達だ。隊員の配置場所があまりにも多すぎる。「弁当がこない。どうなっているんだ」と連絡が入る。調べると配達の車がスリップして立ち往生していることもあった。

署長が目配りしなければならないのは食事だけではない。長野県警はもちろん、東京、神奈川その他からの応援部隊や警察庁、警視庁などから派遣されている幕僚幹部の宿舎

の確保も簡単ではない。隊員用として、屋内リンクの水を抜いた軽井沢スケートセンターをはじめ、合わせて六つの施設に七百人分を確保し、業者から布団や毛布類を借り上げた。幕僚たちの宿舎には長野県警職員宿舎「高原ホテル」を充てた。ところが高原ホテルは本来が夏の避暑用施設だったから、部屋の中でさえ掛けておいた湯上がりのタオルが朝には凍って固まっているほどの寒さだった。

とにかく応援部隊の宿舎は整えたのだが、自分たち長野県警幹部の宿舎までは手が廻らない。結局、軽井沢署が臨時宿泊所になった。この宿泊所で人気の部屋はといえば留置場である。狭くとも畳が敷いてある。誰もが入りたがったが、入れたのは本部から応援にきた保健婦だった。

ようやく静かになった署内で、県警の北原警備二課長は机の上に布団を敷き、吉江軽井沢署長はフローリングの床にシートを敷いて、着の身着のままで横になる。身体は疲れ切っているのだが、神経が高ぶっていてなかなか寝つかれない。

吉江は、自分の所轄管内で起きた大事件に強い責任を感じていた。横になって天井を見つめているとさまざまな想いが頭を過《よぎ》る。

「人質を何とか助けなければならないが、彼らは人質の解放には何の反応も示してこない。もし解放に応じる場合は必ず代わりの人質を要求してくるだろう。そうなったら行くのは自分だ。自分以外にはない。覚悟しなければいけないなあ」

そう考えるとさすがにちょっと身震いがしたという。

◆母親に銃で応答

やっと眠りについたのも束の間、すぐに四日目、二十二日の朝が明ける。最低気温零下十三・八度。相変わらず天気は良い。雪の浅間山が山頂まではっきり見える。

前日にすでにいくつか作られていた山荘玄関側の銃眼は、屋根裏の庇《ひさし》の下、玄関脇、管理人室の壁など、いつの間にか七か所に増えている。これで外の動きが山荘内からは逐一手に取るように判るようになったはずだ。突入はいっそう難しくなった。

この日の基本的な警備方針は前日と変わらなかったが、銃眼から時折覗く人影と銃を監視し、写真に撮ることが新たに加えられた。

肉親の呼びかけも、中にいる彼らを電話口に出させる方向で続けることになった。午前九時二十分から前日に続いて吉野と坂口の母親が山荘の手前一〇メートルまで接近した装甲車の中から呼びかけを始めた。

「電話の受話器がはずしてあるようだけど、掛けてちょうだい。直接あなたと話がしたいの。私たちはすぐそばにいるのですから、話しかけているのがそちらからも見えるでしょう。牟田さんの奥さんは無事ですか。ひと目でいいから顔を見せてください」

直接の対話を望む二人の母親の訴えは無視され、電話がつながる気配はまったくなかった。母親たちはこんな呼びかけもした。

「昨日アメリカのニクソンが中国へ行きました。社会は変わってきているのです。あなた方の目的はもう充分達成されたじゃありませんか。銃を捨てて出てきなさい。警察は絶対に撃たないと言っているから出てきなさい」

山荘内にはテレビもある。トランジスタラジオも持っていたので、彼らもそのニュースは知っているはずだ。

ニクソン大統領は、二十一日午後〇時二十七分（日本時間）、大統領専用機〝スピリッツ・オブ・セブンティシックス号〟で北京空港に到着、歴史的な一歩を印し、出迎えた周恩来首相と握手を交わした。この模様は全世界に同時中継され、首相官邸では佐藤栄作首相が竹下登官房長官とともにテレビに見入っていた。一旦、宿舎に落ち着いた大統領は、その後ただちに毛沢東主席と会談、米中間の新しい「対話の時代」が幕を開けた。

久能は米中会談まで取り入れ涙で声を詰まらせながら呼びかける二人の母親の説得にじっと聞き入っていた。

と、突然鋭い銃声が響いた。キーンという金属音を残して一発、二発と銃弾は母親たちが乗る装甲車の鋼鉄製の車体に当たって跳ね返った。

彼らは母親に銃口を向け、呼びかけに発砲で応えたのだ。

久能は激しい怒りを覚えた。その後のニュースは、感情を抑え切れないままの現場リポートになってしまった。その一方でなぜ、前日の母親の呼びかけには沈黙し、今日になって、「うるさい！」「黙れ！」と言わんばかりに発砲したのかという疑問が残った。

後日の彼らの供述からこの発砲についてのいきさつを見てみよう。

「最初、二人の母親の呼びかけが始まった時にはびっくりし、みんな俯《うつむ》いて黙って聞いていたが、坂東と吉野は『おふくろも歳をとったなあ』と顔を見合わせた。坂東は『警察の野郎、利用しやがって』と怒りを露にしたが、吉野はかなり動揺していた。

翌日、ふたたび母親の呼びかけが始まると、吉野は玄関上の銃眼から装甲車に狙いを定め、『私が撃てますか』と母親が呼びかけた直後に、母親に向かって発砲した」

この供述だけでは、発砲した吉野の本心まで読み取れないが、その様子から推して母親の呼びかけが彼らにはかなり効果があり、あの発砲には「うるさい」という反抗よりも「もうやめてくれ、頼むから帰ってくれ」という、哀願に近い気持が込められていたような気がしてならない。

発砲にもめげず涙の説得は午前十時五十分まで続けられたが、何の反応もなく、もうこれまでと二人の母親は現場を去った。

報道陣の間では、彼らが人質をとっていながら、四日目になるというのに何一つ要求してこないのはなぜか、泰子の姿をチラッとでも見せた方が警察としても攻めにくいはずだ、もしかすると姿を見せられない事情、つまり泰子はもう死亡しているのではないか、といった憶測まで飛び交った。

◆昨日の男

「誰か山荘の方へ登っていくぞ！」という声が上がった。午前十一時半ごろだ。

その時、中継車の中にいた久能がモニターテレビを見ると山荘北側の崖をよじ登る一人の男が映っている。しかし十七倍の望遠レンズではよく判らない。久能は中継車を飛び出して双眼鏡を覗いたが、やはり結果は同じだ。警官にしてはそれらしい装備をしていないし、そんな無鉄砲な単独行動をとる警官がいるとは思えない。いったい誰なんだ。一般人だとすると、どうやって厳しい検問を突破してきたのだろうかと考えている間に、男は浅間山荘と隣の芳賀山荘の間を登って視界から消えた。

男は驚く機動隊員をあざ笑うかのように山荘南側の玄関前に姿を現した。

玄関を右下に見下ろす場所にカメラを構えていた日本テレビの久保田竜雄はその一部始終を目撃した。

「崖を登って突然姿を現した男は、NHK山荘の方へ向かう素振りをちょっと見せたが、すぐに向きを変えて玄関への階段を降りて行った。そして銃眼から目だけ覗かせている犯人らしい男と話を始めた。内容までは聞こえないが、身ぶりからしてどうも身代わりにきたとでも言っているらしい。

しばらくして男は玄関先に前日から置かれたままになっている果物籠を取り上げると、玄関のドアを開けて中に差し入れた。その時、危ないからさがれという機動隊員の声が飛び、こちらを向いた男が、うるさいと怒鳴り返して手を挙げた瞬間、鈍い銃声がして男は仰向けに倒れた。

人が銃殺される時はこんな風になるのだろうかと思ったほど、倒れるというよりはまるでスローモーションを見るようにグニャと腰から崩れる感じだった。男は頭を玄関の方に向けて仰向けになったまま動かなかったが、やがてゆっくり立ち上がると、頭を左

浅間山荘玄関で撃たれた田中保彦（2月22日、提供／読売新聞社）

右に振りながらフラフラとふたたび石段を登って上の道へ出てきた。そこへ大楯を持った隊員が駆け寄り、後方に運んで行った」

久保田から少し離れて、玄関を正面から見下ろす位置にいた信越放送のカメラマン小林忠治は玄関に近づいた男を見るなり、そばにいた同僚の記者と思わず顔を見合わせ、ただちに無線で社の前線本部に連絡した。

「昨日の男がここにきている！」

男は、前夜、軽井沢署に一度は身柄を拘束された、あの新潟の田中保彦だった。撃たれて負傷した田中は病院までの車中で事情聴取する警官に対して、

「山荘のドアは手前に引くと簡単に開いた。ドアのすぐ後ろには椅子や家具でバリケードが築かれており、泰子さんを呼んでも返事がなかったので振り向いた途端、玄関左側の壁の穴から撃たれた」

と供述している。田中はそのまま軽井沢病院に搬送された。診察したのは原久弥と前田弘の二人の医師である。

「運び込まれた時には朦朧《もうろう》としてはいたが、意識はあり、弾さえ取り出せば助かりそうな感じだった」

「弾が脳に達しているかどうかを見るために白金のゾンデを弾の射入口から入れたところ予想に反してグルッと曲っていった。そこでレントゲンでいろいろな角度から調べたらやはり弾は回転して入っており、射入口と弾のあった位置がずれていた。そのうちど

んどん意識がなくなった」

軽井沢病院には全身麻酔の設備がないため、ただちに佐久市の浅間総合病院に移され、そこで弾の摘出手術を受けた。取り出されたのは縦一センチ、横八ミリの三十八口径拳銃の弾だった。

田中は玄関のバリケードを乗り越えて山荘に入ろうとしたため、警察の回し者と見られて狙撃されたのだ。手術後、昏睡状態になり、再移送された上田市の小林脳神経外科病院で事件解決直後の三月一日未明に死亡した。

◆機動隊員二名被弾

七か所ある銃眼のどれから、何時何分に発砲があったかを被害の有無や銃の種類も含めてすべて克明に記録しておくことは、検挙後の立証にとってきわめて重要である。そのため、それぞれの銃眼ごとに担当する視察班が編成されていた。

午後三時半ごろ、望遠レンズでは撮れない屋根裏の銃眼を写真に撮るため、鑑識班の三人とこれを援護する大楯を持った機動隊員三人が装甲車の陰に身を隠しながら前進し始めた。装甲車はゆっくり進んでいたが、アイスバーンのためにスピードが上がった。そして機動隊の三人が銃眼に晒《さら》された瞬間、分隊長の三村哲司巡査部長が狙撃されて右足に被弾、助けようとした小林定雄巡査も左頸部を撃たれた。さらに小林隊員を救出して後退し始めたパトカーのフロントガラスにも銃弾が命中した。パトカーの隊員に怪我はなかった。

右膝関節部を撃たれた三村の右足のすね当てからは、散弾の威力を増すための直径五ミリのベアリング玉が発見された。救急車で浅間総合病院に運ばれ、弾丸の摘出手術を受けた二人はともに重傷で、とくに小林はその後長い間、後遺症に苦しむことになる。

◆救急医療態勢

一日に三人もの負傷者が出てしまったことで警備本部は重苦しい空気に包まれた。

一方、次々と負傷者が運び込まれる病院はどこも職員をフル動員するほどの忙しさである。とくに負傷者のほとんどが運び込まれることになった軽井沢病院は町立の小病院であり、内科担当の木戸病院長を含めて三人しか医師がいない。土曜、日曜は本来当直制だったが、三人全員が連日待機せざるをえなくなった。

しかも警視庁や神奈川県警などからの応援部隊の中には、ほとんど経験したことがない厳しい寒さから体調を崩す者が続出し、医師たちの忙しさに輪をかけた。風邪をひく者、高熱を発する者のほか、胃痛を訴える者も少なくなかった。これは満足に食事ができないうえに、疲労とストレスが重なって胃をやられてしまうためだが、隊員たちは無理を承知で配置についていた。

あまりに多い救急患者に、ついに時間を定めて院長自らが機動隊員の宿舎に夜間の往診をするほどであった。むろん町民に対する一般診療を休むわけにはいかない。とくに外科医の手が足りないということで、原医師の出身大学である千葉大学医学部から同級生の医師が交代で応援にきてくれた。

もちろん現場には地元日本赤十字の医師や看護婦も待機していたが、多数の負傷者が出たことを機にすべての負傷者を軽井沢病院に搬送するのではなく、手術を要する者は佐久市の浅間総合病院へ、頭をやられた場合は上田市の小林脳神経外科に直接運ぶ手筈《てはず》が整えられた。

一方、強行突入に備えてあらゆる場面を想定した訓練が浅間山荘付近と地形的によく似た斜面を使って行われていた。とくに実戦経験の少ない長野県警機動隊は警視庁機動隊の指導を受けながら突入訓練を繰り返した。突入となれば死と隣り合わせになる。一枚ではライフルの弾が貫通してしまうので二枚重ねにしたジュラルミンの大楯を持っての訓練は苛酷であったが、真剣そのものであった。

◆集音マイク

テレビ各社は予想される強行救出のXデーに向けて着々と態勢を整えていた。

日本テレビの音声担当の友光秀男は集音マイクの設置という危険な作業を一人で進めた。集音マイクは、中継現場のノイズだけを拾うマイクで、臨場感を出すために欠くことができない。

突入の際には当然、玄関付近が主戦場になるであろうから、できるだけその近くに設置したいが、玄関近くまで行って設置するわけにはいかない。そこで友光は山荘の南側、玄関前の道路を隔てて、報道陣が陣取っていた山の雪の斜面を腹這いで少しずつ前進し、集音マイクを中央に取り付けたパラボラに紐をつけて玄関と同じ高さになる崖下まで滑り降ろした。このマイクは最後まで機能し、中継放送に一段と迫力を加える抜群の効果をもたらしたが、友光にすれば、薄明かりの中での作業だけにいつ撃たれるか気が気でなかった。

このころには、新聞、テレビ、ラジオ、雑誌、それに外国の特派員も含めて取材陣は千人を超えていた。警視庁から派遣された国松孝次広報課長らが中心になって次第に広報態勢を整えた。国松とは後年、警察庁長官時代に何者かに狙撃され九死に一生を得たその人である。

マスコミの方は、警視庁記者クラブ詰めの各社のキャップクラスが取り仕切るようになり、混乱を避けるため一日四回、定例の記者会見を軽井沢署の道場で行うことになった。そして四回目の会見には野中本部長も出席してその日の警備態勢や犯人、被害者の動向を発表することになった。この日の午後十一時からの会見で、野中は、翌二十三日から強行偵察に踏み切ることを明らかにした。

強行偵察は、人質の安否確認のために重装備で山荘に接近する偵察行動であり、救出行動ではないが、場合によってはそのまま救出行動になることがありえること、一班四～五人編成で三方面から行うが、それぞれの班にはライフル、拳銃の狙撃班を支援させるという具体的な点まで説明した。

また会見の終りで、犯人側が一段とエキサイトし、二十二日だけでも二十三発も発砲するなど山荘に近づく者は誰でも撃つほど凶悪化しているので、現場の指示には従ってほしいと、マスコミ各社に強く要請した。このように本部長がわざわざ言わなければならないほど、少しでも山荘に近づこうと阻止線突破を図る記者やカメラマンが跡を絶たなかった。

午後八時十分、山荘への送電が切られた。これは犯人がテレビ、ラジオで情報を得ていることが充分考えられるためで、テレビはちょうどニクソン大統領の中国訪問の様子を放送していた。

山荘内は真っ暗になり、前夜よりもさらに強力な投光器で山荘全体が不気味に浮かび上がる。彼らを眠らせないために大喚声を上げて殺到する警官や車の動きを録音したテープを流して総攻撃を思わせる擬音作戦が取られ、併せて山荘の屋根に向かって投石が夜通し続けられた。これに苛立ったのか、午後十一時十六分、山荘の東側に設置してあった投光器のレンズが狙撃されて砕け散った。山荘の銃眼から狙って命中させており、かなりの射撃の名手がいると考えられた。

◆二発の照明弾

「お疲れでしょう。一日ぐらいすべてを任せてゆっくり休んでください」という長野県警の申し出にこの日は警視庁などの応援部隊は全員休むことになった。が、この日は警察側にとっては余程の厄日であったらしい。

明日の警備態勢についての会議が終わり、幹部たちが床に入った直後の午前一時二十分ごろに二発の照明弾が上がった。

事前に、打ち上げる照明弾の数が一発の時は擬音作戦開始の合図、二発の時は犯人たちが山荘から強行脱出した場合と決めてあったから、スワッ強行脱出だ、大変だ、とばかりに非常召集がかけられた。追いつめられた彼らが一か八かで強行突破を図るかもしれない、というのは充分に考えられるケースである。ところが不思議なことに山荘は静まり返っている。

信号係の大失態だった。現場の信号係は打ち合わせ通り、擬音作戦の開始を告げるべく照明弾に点火したが湿っているのか発射しない。そこで予備の二発目に点火した。これはうまく上がった。ところが湿っているはずの一発目も突然、後を追って飛び出してしまったのだ。

犯人たちを眠らせないための作戦で、自分たちが眠れなくなるという皮肉な結果となった。寝入りばなを起こされたこともあって応援部隊の怒るまいことか。「だから長野県警には任せられないんだ」と一瞬気まずい空気さえ流れた。

ようやく静けさを取り戻した午前四時、突然、野中本部長が現場最前線に姿を現した。昼間、阻止線を民間人に突破されたことで、気の緩みを懸念する視察であり激励であった。

本部長の現場視察は二度目だが、こんな時間にくるとは思いもよらない隊員たちは一様に驚いた様子だ。古武士を思わせる風貌の本部長は短いが心のこもった声を掛けていく。

「身体はどうだ」「寒いのにご苦労さん」「頼んだぞ」

狙撃されかねない危険な場所では隊員が何の指示もないのにサッと大楯を出して本部長を防護した。県警の北原警備二課長はその時の感懐を次のように述べている。

「こんな力強い交流が最高指揮官と隊員の距離を縮めた。普段はあまり言葉を交わす機会のない隊員と本部長が、じかに触れ合い言葉を交わしたこの出来事は、各隊員たちの胸中に永遠に刻まれていった」

（北原薫明著『連合赤軍「あさま山荘事件」の真実』）

◆人質事件最長記録

五日目を迎えた二十三日の午前七時をもって浅間山荘事件は人質事件の国内最長記録を塗り替えることになった。

四年前の一九六八年（昭和四三）二月、静岡県清水市で殺人を犯した金嬉老が寸又峡の旅館に宿泊客ら十三人を人質にとって立てこもり、八十七時間、ライフル銃とダイナマイトを手に抵抗を続けた末に逮捕されたのがそれまでの記録であった。

記録を更新した時点でも、浅間山荘事件は解決のメドは立っておらず、身体が弱いと言われる人質の泰子の疲労度は限界に達しているのではないかという心配がさらに強まった。

空は珍しく曇り空。気温は相変わらず零下十度を下回っている。一晩中エンジンをかけたままの中継車や電源車にさえ氷柱が下がる寒さで、一か所にじっと立っているのは難しい。

久能が本社に頼んだカイロは前日までに届いていたが「カメラが優先だから君たちは我慢してくれ」と言われてしまった。カメラのレンズまで凍りついて動かなくなってしまうため、カメラにカイロを巻きつけて守らなくてはならないのだ。簡易暖房剤のような便利なもののない時代である。最終日までカイロが久能の身体を暖めてくれることはなかった。

◆強行偵察

二月の遅い朝が明けた午前七時四十分ごろ、突然、山荘の玄関が細目に開き、三人の男が身を乗り出してバリケードの補修やドアの釘づけ作業を始めた。山荘内にあったものを勝手に着込んだのだろう、三人はそれぞれ赤い上着やカーキ色のジャンパー、緑色のセーターを着ている。事件勃発以来、初めて三人の男が同一行動をとった。これで少なくとも籠城は三人以上であることが確認できた。三人は十五分ほどでふたたび山荘内に入ったが、この行動から彼らが最後まで山荘に立てこもって抵抗する構えであることが窺えた。

午前八時四十五分になると、恒例になった警察や肉親の呼びかけが始まる。

「あんなに訴えているお母さんの気持が判らないのか」

「君たちが理想としている社会はこんな卑怯な方法で実現することなのか」

「君たちは完全に包囲されている。今からでも遅くない。武器を捨てて出てきなさい」

「泰子さんの元気な姿を見せないなら、我々の方から直接確かめに行く」

硬軟織り交ぜての説得は延々と続くが、何の反応もない。

「直接、確かめに行く」

これがこの日の眼目であり、言い換えれば強行偵察だ。午後一時、野中本部長は記者会見で、「本日の午後二時三十分から作戦行動を開始する」と発表した。

警察行動の大きな節目となった強行偵察は野中本部長を総指揮者に、現場総括者が石川三郎警視庁警備部付警視正、現場指揮者が原信義長野県警機動隊長と内田尚孝警視庁第二機動隊長という陣容である。

午後二時三十分、発煙筒を合図に三方向から一斉に行動を開始した。山荘の南側、玄関前を東西に通る道の山荘に向かって左側の坂下方向から警視庁第二機動隊の二十三人、右側のＮＨＫ山荘方向から同じく二機の二十二人、また山荘北側、山荘が建つ崖下の道路を長野県警機動隊の十五人がそれぞれ装甲車に守られながらゆっくりと前進する。

また支援部隊として警視庁の機動隊員四十人が待機し、玄関前の山の上には警視庁と長野県警のライフル班九人が、すべての銃眼に照準を合わせて狙撃態勢に入っている。さらにその後ろには、百人を超える記者やカメラマンが樹木の間に身を隠しながら事態を見つめている。

左右から進んだ装甲車は、およそ二十分で玄関前に接近し、隊員たちは大楯で身を守りながら、内部の様子を探ろうと山荘へ接近し始めた。四人の隊員が山荘西側のガレージまで近づき、石垣や一階の壁に張りついて突入ルートの発見に必死の偵察を続けた。

三時四十分、表と裏から同時に投げられた発煙筒で山荘が白煙に包まれるのをきっかけに、初めて数発のガス弾が発射される。一発が玄関のガラスを破って飛び込み、裏側からの一発は浴室に飛び込む。ガス弾攻撃を受けて犯人たちが動き出す。玄関ガラスの破られた部分に布団を積んで防いでいるのが確認できる。銃眼から覗く銃の動きが慌ただしくなる。南の玄関側から一発、北の裏側から二発の発砲があり、ベランダからの一発が装甲車の右側ガラスに命中、直径一・五センチのひびが入った。

冬の日は短い。夕闇が迫ったため、四時三十分に撤退を開始、強行偵察は約二時間で終った。ＮＨＫ山荘で事態を見守っていた牟田郁男は「駄目でしたか」と肩を落とした。

このあと軽井沢署で行われた記者会見で、野中本部長と作戦参謀の佐々淳行監察官は人質の安否は確認できなかったものの、突入に備えての作戦上大きな効果があった、と評価した。その一つはかなり近くから現場の写真が撮影できたこと、もう一つはガス弾を七発撃ち込めたことで山荘内の生活環境を悪化させたことを挙げた。また、彼らが催涙ガスで苦しくなって窓やバルコニーから姿を見せたり、もっと発砲して激しく抵抗するだろうと予想していたのだが、反応が少なく意外だった、という感想も述べられた。

このことについて、久能はそれほど意外なこととは思わなかった。東大紛争や街頭闘争の取材での自身の経験からして、催涙ガスを浴びた時は涙が止まらず、痛くて目を開けていられるものではないし、目をこするとますます痛みが増す。水で洗うかレモン汁が効果的なのだ。彼らもこれまでの経験でそうした知識はあるだろうし、ガス弾を想定した対策は充分しているだろうからである。また電気を止められてテレビこそ見られないものの、ラジオで情報を得ていることは確実で、この日の作戦が偵察目的であって本気で突入する気のないことは彼らも知っているはずだと考えた。

◆いろいろな作戦案

その夜の幕僚会議では、もう少し多方面から時間をかけて偵察する必要があること、山荘の雨戸を取り除かない限り内部の情況確認は困難であること、が反省点として挙げられ、翌日もその点を念頭に置いて引き続き強行偵察を行うことが決まった。また、強行突入の「Xデー」に突入する部隊を警視庁の第二、第九機動隊と長野県警機動隊で編成することにし、強行偵察にもこの部隊をあてて訓練を兼ねることになった。

一方、すでに事件発生から五日が経過し、人質の耐えうる限界をどこに置くか、いつまでに準備が完了するかによってXデーが決まるため、石川三郎警視正を中心に山荘の設計図をもとに突入個所や突入方法など具体的な検討を急ぐことになった。

新聞やテレビは、連日、浅間山荘事件を大きく報道し、世界的な大ニュースである米中首脳会談がかすんでしまうほどだ。国民の関心は高く、臨時に増設した軽井沢警察署の電話回線がパンク状態になるほど警備陣に対する激励とともに多くの意見が寄せられた。

長野県警の資料に記録された一般から寄せられた意見を見ると、「遠慮せずにライフルで射殺してしまえ」という過激なものから、

「水道に睡眠薬を入れて眠らせたらどうか」

「強力な磁石で銃を取り上げろ」

「泰子さんの愛犬チロに盗聴器を取りつけて山荘内に入れたらどうか」

「ネズミを捕らえてそれに盗聴器をつけるというのはいかがか」

「トイレの音で男女の別を聞き分けたら」

と人質の安否確認を求めるものまでさまざまである。どれもが人質を無事に救出したいという願いから生まれた提案、声だから一笑に付すわけにはいかず、警察はその対応に振り回された。警察もいろいろ試みてはいた。浅間山荘西隣にある芳賀山荘から鉄管の中に集音マイクを忍ばせて突っ込んでみたり、煙突からマイクを吊るしたりして人質の安否を確認しようとしたのだがすべて失敗に終っていた。

◆因果な仕事

警察庁や警視庁の留守部隊の間には、何をもたついているのかという空気が生まれ始めていた。

やはりそんな気持にかられていた一人、警視庁警備部の主席管理官宇田川信一は、六日目を迎えた二月二十四日の午後、赤木警備部長に呼ばれ、突然、軽井沢行きを命ぜられた。現地にいる佐々淳行の強い要請である。必要な情報収集や強行突入のための情勢判断など、現場の情報視察班の指揮を執って貰いたいという。宇田川は佐々が警視庁警備一課長として異動してきた時に遠慮なく意見を述べたことから妙に佐々に気に入られていた。佐々とすれば決戦の時を間近にして、自分の手足となって動いてくれる気心の知れた腹心を傍らに置きたかったのだろう。

当時、宇田川は警備部にあって事あるたびにどの機動隊をどこに配置するかを立案する重要なポストに就いており、まさか自分が東京を離れることになるとは思ってもいなかった。しかし命令である。彼は自分の伝令役を一人連れて行くことにし、二十人ほどいる警備一課の大部屋に出向いて声を掛けた。

「俺はこれから軽井沢に行くことになったが、俺の伝令として行ってくれる者はいないか」

皆、下を向いてしまったが、一人だけ顔を上げたまま宇田川を見つめる男がいた。一番若い近本警部補だ。

「近本君、お前だ。お前が伝令だ」と言うと、近本は、

「ありがとうございます」と答えて元気良く立ち上がった。

いつ帰れるか、場合によっては死に直面するかも知れないのに「大した奴だ」と宇田川は涙が出るほど嬉しかった。近本はすでに結婚しており、「行く前に女房に連絡だけとっていいですか」と言う。もちろん許可した。

実は、この日は宇田川の結婚記念日でもあった。普段、家に帰れないことが多いため、年に一回、何があっても結婚記念日だけは妻と二人だけの時間を持つことにしていた。家に持って帰るつもりのケーキが手元に届いた直後に軽井沢行きを命ぜられた。皮肉な巡り合わせというほかない。因果な仕事だと思いながら自宅に電話すると案の定、妻は声を曇らせた。家まで戻る時間はない。ケーキだけは届けるから、と言って電話を切った。妻はどんな気持でケーキを口にするだろう。

当時、上野から軽井沢までは急行列車でも約三時間かかった。午後九時の切符しか手

に入らなかったため、宇田川は近本に命じて寒さに耐えられるような厚手の毛糸の靴下や中に着るチョッキなどを有楽町に買いにいかせた。

◆潜望鏡

その間、宇田川は自分の机で出発の準備をしながら思いを巡らせていた。

「情報収集の責任者だから現場に行かざるをえないが、現場情報班からの報告だと覗くとドーンと撃ってくるので危なくて顔が出せないらしい。自分が撃たれたのでは指揮が執れないし、何かいい方法はないものか」

ふと思い浮かんだのはテレビ映画で見たクリスタル望遠鏡だった。潜水艦が海に潜ったまま海上の様子を探る潜望鏡と同じものだ。しかし警視庁にそんな器材はない。自分で神田のカメラ屋に出掛けて探すことにした。数軒訪ね歩いて、ようやく一台だけ見つけたが、値段は二十五万円だという。当時の二十五万円は大変な金額だ。そこで「警視庁のこういう者だが」と店長に名刺を出して、貸してくれないかと頼んだが、売り物だから駄目だという。

「俺はこれから浅間山荘に行くんだ。これが成功すれば警視庁が大量に購入する可能性だってあるんだぞ。あくまでも可能性だがね」というと急に態度が変わって無料で貸してくれることになった。もっともその後警視庁がクリスタル望遠鏡を大量購入したという話は聞いたことがない。

◆強行偵察第二日目

二日目を迎えた強行偵察は前夜の決定に従って時間をかけて行うことになり、早朝からその準備に追われた。この日も午前五時から人質の泰子の肉親の朝の呼びかけが始まった。

「泰子、聞こえるか。電気がなくて寒いだろうが頑張ってくれ。お前の頑張りだけがみんなの頼りなんだから」「山荘の中にいる皆さん、何の罪もない泰子を閉じ込めておくのは皆さんの主義に反すると思います。もう充分に目的は達していると思いますから泰子を返してください」「お茶を飲ませてやってください。ご飯を食べさせてやってください」

後に明らかになったのだが、その時、山荘内で夫や自分の肉親の涙声の訴えをじっと聞いていた泰子は、せめてチラッとだけでも姿を出させてほしい、と犯人たちに頼んだが、見せれば警察の勝ちになってしまうから、と冷たく拒否されていた。

この後、九時三十分からは滋賀から駆けつけた坂東の母親も呼びかけた。

「お母さんはお前を生き甲斐に今日まで働いてきたんや。人を痛めつけたら自分も痛めつけられなならん。中国とアメリカが手を結んであんたらの言ってた世の中になったじゃないの。堂々と出てらっしゃい。一日でも二日でもここで待っているから出てきてちょうだい」

肉親たちの必死の説得にも彼らは何の反応も示さなかった。

こうしている間に準備が整い、前日と同じ位置にライフル班が銃座を据える。午前十一時四十五分、二回目の強行偵察が始まった。装甲車を前日より五台増やして八台に、隊員も百十人から百三十五人に増員して、山荘の南側を通る道と山荘の北側、崖下の道のそれぞれ左右四方面から行動を開始した。装甲車とその陰に隠れて前進する隊員の歩調が合わずに狙撃されたこともあるだけに蟻が這うようにゆっくりと進み、二十五分かけて、〇時五分にようやく山荘玄関前と山荘の裏の崖下でそれぞれ進んできた装甲車が一緒になった。

ただちに山荘の崖下の装甲車から呼びかけが始まった。その呼びかけが終わるか終わらないかのうちに、三階北側のバルコニーに突然、緑色の帽子を被った男が現れ、続いて三階東側の窓からも白いハチマキをした長髪の男が外の様子を窺った。二人の姿は久能の位置からも双眼鏡ではっきり確認できた。

その直後、玄関側から二発の発砲があり、うち一発が山荘に接近した装甲車の後ろに待機していた放水車の小さな筒先に命中した。射撃の精度はきわめて高く正確である。

午後〇時十分、各地点から一斉に発煙筒が発射され、山荘全体が白煙に包まれ、それに紛れて隊員が西隣の芳賀山荘まで接近した。しかし、そこから先は、銃眼から銃口が狙っており、前進できない。作戦はいったん中止され、隊員たちも楯を構えながら慎重に元の位置まで後退した。

三時四十分、装甲車に拳大の石が積み込まれるのを待って、作戦は再開された。ふたたび四方から装甲車が山荘に接近する。山荘内の人の動きがにわかに慌ただしくなる。

「君たちが抵抗を止めないので我々は武器を使用する。三階の玄関脇の換気口の所にいる者、君だ！ すぐに銃を捨てて出てきなさい」

警告は装甲車から見える犯人に対しては、指名して行われた。犯人側も白ハチマキの男が再度北側のバルコニーに現れたり、玄関側から黒ずくめの男が発砲したり、前日とは打って変わって激しい抵抗を示した。やがて警察側はトタン屋根めがけて装甲車に積んできた石を投げ、次いで大型発煙筒を投げつける。続いて放水車から初めての放水を始めるなど、攻撃の手を緩めない。午後四時三十五分、それまでは雨戸を強く叩くだけだった放水が、玄関付近に向けられ、ついに玄関ドアのガラスを突き破る。水が激しく山荘内に注ぎ込まれる。警察側としては、扉はもちろん内側のバリケードまでも吹き飛ばしたかったのだが、しっかりと釘づけされた扉はびくともしない。

犯人側は放水銃からの水が浴びせられていない銃眼から発砲する。警察側が放水で破れた個所からガス弾を撃ち込み、山荘内の状況が一気に悪くなる。犯人は必死になって破損個所を補修しようとする。警察側はそうはさせまいと二台の装甲車を玄関前の道路に停めて、そのまま翌朝まで監視を続けた。

◆人質の安否はまだ不明

警察は一段と戦術を強めたものの、依然として内部の状況を確かめられないまま、午後五時四十分、作戦の中止命令が下された。第一線の指揮に当たった警視庁二機隊長の内田尚孝は、

「何とか内部への突破口を作りたかったができなかった。放水の際、二人の男が見えたが、かなり慌てた様子で玄関の内側にもう一つバリケードを作って放水を防いでいた。室内が暗くてよく見えなかったが、この二人が玄関周辺の守りについているようだった。残念ながら泰子さんらしい人影は見えなかった」と語った。

一方、後藤田警察庁長官は、午後の記者会見で次のように述べた。

「泰子さんの安否はまだつかめていないが、生存を前提に無事救出するために全力を挙げている。皆さんが泰子さんを気遣ってじりじりする気持は分かるが、警察としてはあくまでも冷静に事態を見極めたい。現在、強行偵察や揺さぶり、説得を重ねているが、このまま膠着状態が続く場合には決着をつけなければならない。

その時期は、泰子さんがどんな状態で監禁されているかによってかなり違ってくる。縛られているといった厳しい状況に置かれていると見なければならないが、医師や学者の意見も参考にして泰子さんが心身ともに極限状態だと想定した時点で決断したい。決行までは説得などによって何とかいい局面を見つけたい」

（二月二十五日付『朝日新聞』）

この会見からは強行救出まではまだ数日あると読み取れたが、現地では泰子はもう限界にきていると見る空気が強かった。久能には、東京と現地の幹部の間にズレがあるように思えた。

◆楯を強化せよ

二十四日夜の警備会議は野中庸本部長の定例記者会見が終わるのを待って始まった。ちょうどそこへ東京から宇田川信二が到着した。宇田川が警視庁の警備一課の主席管理官だと自己紹介すると、「どうぞこちらへ」と本部長の傍の席に座らされた。

会議が始まると、いきなり佐々が、

「宇田川君、頼みたいことがある。警察無線がうまく機能しないので無線の指揮系統図を作ってくれ」

と発言した。長野県警の幹部たちは思わず顔を見合わせた。主席管理官というからにはてっきり偉いと思って上席を薦めたが、君づけで呼んでいるからには佐々のほうが上らしいということになり、わずか二分で佐々と席を替えられることになった。一瞬会議室は笑いに包まれた。

その時の状況を笑いながら話した佐々は、宇田川への指示はこういうことだったと説明してくれた。事件発生以来、長野県警のパトカー無線を使って連絡を取り合ってきたが、これだと交通事故の報告などパトカーの他のやりとりまで入ってしまう。いざ突入という時に、余計な電波が割り込んでしまうので浅間山荘事件専用の周波数を決めろ、ということである。宇田川はただちに準備に取り掛かった。

会議では防護資材についても検討が加えられた。今使っている防弾楯は特殊鋼で作られており重過ぎて行動に支障があるため、大楯を二枚重ねて使うことになった。これならライフルの弾も貫通しないことが昼間の強行偵察で実証されたからだが、三百人分を明朝までに用意してほしいという緊急の要請が警視庁に出された。

電話を受けた警視庁警備一課長の宮脇磊介はただちに留守部隊に指示して六百枚の大楯を二枚ずつ針金で縛り、徹夜で三百人分を作り上げた。

翌朝、それをヘリコプターに積み込むと、宮脇は自分の目で効果を確かめたいと現地に乗り込むほどの熱の入れようであった。この二枚組み大楯により犯人の激しい銃撃にもかかわらず、以後、強行突入の日まで一人の負傷者も出なかった。

◆土嚢

一方、山荘の玄関前を中心に銃撃に耐えられる前進拠点を作るべきだとの意見が採用され、急遽土嚢を積み上げることになった。

土嚢づくりには樹脂袋がいるが、近辺の農協に連絡しても在庫がない。ようやく小諸農協の協力でとりあえず三百袋が確保できた。次は袋に詰める砂だ。レイクニュータウン管理事務所の責任者だった篠原宣彦の話によると、レマン湖の補修用に備蓄してあった砂が使われたという。冬の湖面が凍りついている間に湖面に撒《ま》けば、わざわざ船で運ばなくても必要な場所に砂が撒けるという発想から、大型トラック八百台分もの砂が湖畔に山積みされていた。

その後三日間で二千八百六十二袋の土嚢が作られた。たまたまそこにあったとはいえ、この砂がなければ土嚢づくりは無理だっただろうし、強行突入作戦も変わったかもしれない。この砂はきわめて大きな役割を果たした。

二十四日夜の警備会議では、資材面だけでなく、強行突入の際の部隊編成も決まった。山荘内に突入して人質を救出し、犯人を逮捕する制圧検挙班を中心に、内部への突破口を作って支援する破壊工作班、ガス弾や放水等で支援する直接支援班、装甲車などによって支援する特科車両隊のほか、レンジャー部隊や狙撃班も配置するという編成である。

また強行突入の場合の山荘への突入部隊については、一階は警視庁第九機動隊、二階は長野県警機動隊、三階は警視庁第二機動隊という配置が決まった。

この配置について作戦を指揮した佐々淳行は、後日、次のように説明してくれた。

「数回に及ぶ強行偵察の結果、一階のカーテンが常にわずかながら揺れているので、我々は犯人たちが人質とともに二階にいると思っていた。そこで、犯人たちを三階に引きつけて人質と分断し、その隙に二階に突入して人質を救出しようと考えた。

その二階に長野県機を割り当てたのは長野県内の事件だったので人質救出の栄誉を与えようと思ったからだ。次はあくまでも長野県警の応援部隊である警視庁の二機と九機だが、九機は歴史が浅いので、犯人が潜んでいる可能性のもっとも薄い一階に、数々の修羅場を経験している百戦錬磨の二機を抵抗が激しいと予想される三階の正面攻撃に当たらせることにした」

長野県警には、県内で起きた事件は自らの手で解決したいという意地がある。それを大事にした配置である。一、二階は堅固な外壁にカッターで穴を開けて突入するとして、問題は三階だ。そこはブロックを積み重ねたような構造なので強力な放水でかなり壊せることは判っていたが、それに必要な水をどうやって山の上に確保するかが課題となった。

◆土嚢を積む

徹夜で作り上げた三百袋余りの土嚢は、二十五日の午前中に装甲車で前線に運ばれ、三回目の強行偵察がほとんど成果を上げられないまま終わった午後一時半過ぎから積み上げ作業が始まった。土嚢は玄関を挟んで左右に積むことになった。ひと袋の重さが約三〇キロ、しかも銃眼から数メートルしか離れていない。作業は困難をきわめた。重い土嚢を持った隊員を数人の大楯を持った隊員が守ってひと袋ずつ慎重に運ぶのだが、目の前に橋頭堡を築かれることへの苛立ちからか、山荘からは激しい銃撃を加えてくる。

このため玄関に向かって右側に約八十袋、左側に約二百四十袋の土嚢を積み上げた時には午後五時を廻っていた。この土嚢積みについて、野中はその夜の記者会見で、「そろそろ人質の限界を超える時がきている。その攻撃の用意でもある」と強行突入が近いことをほのめかした。

◆報道協定へ

定例記者会見は一日六回行われるようになったが、報道陣の雰囲気は日ごとに緊張の度を強め、殺気立ってさえきた。新聞社が十二社、ラジオとテレビが二十社、それに雑誌も加えると実に五十二社が軽井沢署での会見に参加している。それにアメリカ、イギリス、フランスなど外国の記者やカメラマンもいる。

警察側首脳も取材規制、報道規制をまったくしないままXデーに突入した場合、激烈な取材合戦を繰り広げる報道陣の安全が保障できないだけでなく、人質救出活動にも支障の出ることを憂慮していた。また山荘内の犯人たちが電源を切られてテレビが見られなくても、ラジオから情報を得ていることは確実であり、Xデーが決まった場合、ラジオには日時や戦術について放送しないようにしてもらわなくてはならない。が、ラジオだけ規制するわけにもいかない。

報道陣の安全と混乱を回避するためにも、救出作戦を成功させるためにも軽井沢にきているすべての報道機関に協力を求めて報道協定を結ぶ必要が出てきた。

（上）銃撃の下、山荘前面での土嚢積み（2月25日、提供／読売新聞社）
（左）放水用の水を確保するための簡易水槽（提供／北原薫明）

その夜の記者会見で野中本部長はとくにその点に触れて、「事態によっては報道協定締結を要請するかもしれない」と述べ、それをきっかけに具体的な動きが始まった。

報道協定とは、警察側が可能な限りの情報を提供することを条件に、報道各社が取材や報道を自粛するものである。一社でも反対すれば協定は成立しないが、事件発生からの状況をつぶさに見てきているだけに、各社とも規制は致し方ないという認識でほぼ一致していた。

在京の各社には警察庁の菊岡平八郎理事官と警視庁の国松孝次広報課長、富田幸三広報主任が、長野県内の各社には長野県警の吉沢三男刑事部長が中心になってそれぞれ分担して調整を図っていくことになった。ここで富田幸三の顔の広さがものを言った。

富田は警視庁広報の主のような存在である。いつもニコニコと笑顔を絶やさず、〝ホトケのトミさん〟の愛称で呼ばれるほど記者からの人望が厚い。

軽井沢署でも、例えば記者会見で、「土嚢積みが一部ですが、きょう午後五時で完了しました」とだけ発表しようものなら、会見が終わった途端に、

「一部とは何か」

「土嚢の袋はどこで調達したのか」

「中に入っているのは土なのか、砂なのか」

「何人の隊員で作ったのか」

「土嚢を作っている場所を地図で示せ」

「作業中、何発発砲があったのか、銃の種類は何か」

と、即答できないような質問が矢のように浴びせ掛けられるが、富田はいやな顔一つせず、テキパキと処理していった。

「記者からの質問をうるさいと思ったことはない。判らないから質問してくるのであって、国民に何が起きているかを知らせる記者としては当然だと思う。どんな細かい質問でもその記者にとっては意味のあることだから」

富田はかつて広報の役割をこう述べたことがあるが、記者クラブには暇さえあれば顔を出し、全員の顔と名前を覚えていた。彼には記者の顔を見ただけで何を言いたいか判るのだった。富田は臨時に設けられた〈連合赤軍事件軽井沢警察署特設記者クラブ〉を実質的に取り仕切る警視庁記者クラブ加盟各社のキャップやデスククラスの間を素早く廻り、おおよその了解を取りつけた。

深夜〇時半、朝日、毎日、読売、東京、NHKの五社の前線キャップが代表として警察幹部の宿舎である高原ホテルに呼ばれた。ここで本部長らから報道協定の必要性、趣旨、要望事項などが説明され、五社からも意見が出された。その上で協定案文の作成に取り掛かった。話し合いが終わったのは午前三時だった。これと並行して長野県警も地元の信濃毎日、信越放送、長野放送および県警記者クラブ幹事への根回しをしてそれぞれから了解を取りつけた。

◆モンケン

この二十五日夜の警備会議ではもう一つ重要な決定があった。山荘の三階部分の攻略方法としてモンケンを使用することになったのである。

「警察の人は、なぜかモンケーンと変な発音をしていたがモンケンと言うのが正しい。モンケンは昔、櫓《やぐら》を組んで基礎を打つのに〝エンヤコラ〟と掛け声をかけて上から落とした大きな重りのことで、鉄でできていて丸いので、マルモンケンとか鉄モンケンとか言っていた」

久能の取材に対して、警察が記者会見でモンケーンと呼んでいたのは大鉄球だと、自宅の一室で説明するのは、信州建設（仮称）の社長の白田弘之である。当時、モンケンは主としてコンクリートのビル解体などに使われていた。

この大鉄球作戦は、浅間山荘事件の現場指揮を執った幕僚の一人佐々淳行が一九六九年（昭和四四）の東大事件の際、安田講堂に立てこもる学生らを排除する方法として思いついた。しかし、文化財の安田講堂を破壊することはまかりならぬ、という当時の警視総監秦野章のひと声で許可されなかったいわくつきの方法であった。

今回は河合楽器の河合滋社長が、山荘は壊してもいいから泰子さんだけは無事に救出してほしいと山荘の破壊を認めたため、初めて実地に使われることになった。ただちに長野県内のモンケンを持つ建設会社との交渉が始まったが、銃撃戦の中での危険を伴う作業だけに辞退が相次いだ。

そんな中、「おもしろい。やりましょう」と快諾したのが、信州建設の白田だった。

「当時、群馬県の高崎山の裏でリハビリセンターを建てていた。大型のブルドーザーをトレーラーに積んで二回目の運搬を終えて事務所へ上がったところで電話が鳴った。説明を聞いているうちに、戦争から帰ってきた年寄りが『鉄砲ダマの下を潜ったこともない奴が』とよく言っているのを思い出し、これはいいチャンスだと二つ返事で引き受けることにした。ただし絶対に社名を出さないようにしてくれという条件だけはつけた。頼んで歩くのは十社目だと言っていたが、あっさり引き受けたので、かえって相手は拍子抜けしたみたいだった」

豪快な白田はその経緯を愉快そうに語った。

当時、会社には一・五トンと一・七トンの二種類の大鉄球があったが直径七〇センチ、一・七トンの鉄球をクレーン

山荘破壊に威力を発揮したクレーン車とモンケン（2月28日、提供／北原薫明）

車の腕の先に鋼鉄のロープで吊るして玄関周辺の壁を打ち壊すことになった。アメリカ製のシューローレンという重量のあるクレーン車に改装が加えられた。操縦席のガラスを防弾ガラスに変え、車体には厚さ九ミリの防弾用鉄板を張りつけた。警視庁で行った実験では厚さ一〇ミリの鉄板でもライフル弾は貫通したのだが、一〇ミリの鉄板が手に入らず九ミリのもので間に合わせることになった。プレートのナンバーも隠した。

この大鉄球作戦の準備は極秘裏に進められ、大鉄球を吊るしたクレーン車が姿を見せるまで報道陣もまったく気づかなかった。

◆虚しい呼びかけ

二十六日は事件発生以来、初めての本格的な雪になり、大雪注意報も出た。放水用の貯水槽に厚い氷が張りつめ、最低気温は氷点下十二・二度まで下がった。この冬、四番目の寒さである。

マスコミ各社は、Xデー近し、を感じとっていた。久能の中継場所も山荘の南側、山荘の玄関部分を見下ろす山の斜面に固定することになった。玄関までの距離約三〇メートル、銃眼もはっきり見える。実況中継には絶好の場所だが、かなりの急斜面であり、カチカチに凍った雪のやや緩やかな所にテレビカメラや撮影用カメラがほぼ横一列に並ぶ。久能の隣にはフジテレビの露木茂アナウンサーがいる。きわめて危険な場所だけに立ち木に半分身を隠すようにして山荘を見つめるが、この近距離からでも山荘がかすんでしまうほどの激しい吹雪になった。日中でも〇度までしか上がらない寒さに滑り止めで長靴に巻いた縄もあまり役に立たない。山荘前の道路は撒《ま》かれた凍結防止剤で青く染まっている。

そんな中、午後一時から土嚢積みの作業が再開され、夕方までには玄関東側に高さ一・二メートル、長さ五メートル、西側に高さ一・六メートル、長さ五メートルの警察側のバリケードが玄関前に立ちはだかるようにできあがった。

このバリケードは犯人たちには心理的に大きな圧力になったはずだ。そして彼らを眠らせないための擬音騒音作戦が引き続き夜を徹して行われ、肉親たちの呼びかけも続けられた。

すっかり恒例となった牟田郁男の呼びかけに続いて、午前九時から泰子の母親が初めて呼びかけた。それまで恐ろしくて近寄れないとNHK山荘にこもっていた母親はついに居ても立ってもいられず、およそ三十分間呼びかけたが、説得というよりは哀願に近く何回も涙で途切れた。

「泰子ちゃん、お母さんがきたよ。もうすぐだから、頑張るんだよ。水でも何でも口に入れなさい。中にいる人、お願いですから泰子を出してください」

また土嚢積みの作業が終わった午後六時から、今度は寺田浩一（仮名）の両親が呼びかけをした。寺田は日共革命左派の幹部で、警察は山荘に立てこもっている一人と見ていた。

「君は書類を全部焼いて家を出て行ったが、それで親子の関係を絶ったつもりだろう。でも親子の絆はそんなものではない。今のやり方が世の中にアピールすると思うのか。メンツや恥を恐れて理性を曇らせるな。最後まで抵抗するのが日本人の特徴だが、君の評価はこれからの君の行動にかかっている。広い所に出て、意見を発表しなさい」

理性に訴えた父親のこの呼びかけは、それまでの肉親の呼びかけの中でも一番虚しく悲しいものとなった。後日判るのだが、彼はこの時、すでに殺害されてこの世の人ではなかったのである。

この父親の呼びかけは、山荘の中で聞く彼らにもこたえたようだ。坂口弘は、後に獄中で書いた著書『あさま山荘一九七二』でその時の心中を次のように述べている。

「この時、われわれは全員ベッドルームに集まって耳を傾けた。御両親を目の前にして私は言いようのない胸の圧迫を感じた。お父さんはよく通る声で、親の心情をこめて訴えた。誰かがポツンと、『この世にいない者の親を呼ぶんだからなあ』と言った。私は黙って頷いた。他のメンバーの胸中も苦しかったに違いない」

◆報道協定成立

報道協定を結ぶための警察側と報道関係者との会議が二十六日午前十一時から市内の旅館で始まり、会議には特設記者クラブに登録している五十二社すべての代表が集まった。

報道関係者の身の安全のためにも、救出作戦を円滑に進めるためにも報道協定を結ぶ必要があることを警察側があらためて説明し、警察が用意した協定原案をもとに一つひとつ詰めていった。

原案は、未明までかかった代表五社の意見や要望などを踏まえて警察がモザイクをつなぐようにしてまとめたものだが、修正も必要だった。ひと口に五十二社と言っても、新聞もあれば、テレビ、ラジオ、雑誌もある。もっとも大変だったのは雑誌だった、と広報課長だった国松孝次は振り返る。雑誌とそれ以外のメディアとでは締切りがまったく違う上に、雑誌は警視庁、県警の記者クラブに加盟していないため、広報担当者も面識がなかった。そこで雑誌についてはあらかじめ雑誌協会を通じて協定の趣旨を説明し、了解を取りつけたという。

原案を項目ごとに報道各社の自主的な協議という形で詰めていったが、それぞれの利害も絡んで、ようやく全体がまとまったのは午後三時半だった。

これだけの協定は現場のデスクだけで判断できない。まとまった協定案を各社が持ち帰り、本社の裁可を仰いだが、このころには協定やむなしの空気が大勢を占めており、相次いで受諾の返事が寄せられた。こうして史上空前の大報道協定は、翌二十七日午前十一時をもって発効することになる。もちろん全国規模の本社間協定として共同通信社、時事通信社の配信網を通じて、軽井沢にきていない報道各社にもすべて通知された。

〈連合赤軍事件の取材・報道にあたっている報道機関各社は、本事件の性格に鑑み、今後の取材・報道の取扱いについては次の通り協定する〉と前文で謳われた報道協定の内容は次の通りである。

一、X作戦に関する警察の事前発表とオフレコ

1、X作戦については、作戦開始日の前日の午後十時に、長野県警察本部長が記者会見を行って、作戦開始時間、作戦従事人数、指揮系統、戦術の概要、使用装備などについて正式に発表する。

2、この発表内容の取扱いは次の通りとする。

ア、新聞については、当日朝刊をもって解禁するが、X作戦開始時間までは、現場における社内連絡の無線通信に、X作戦の内容を含ませないよう配慮する。

イ、ラジオ、テレビについては、X作戦開始時間まで、いわゆる見込み記事を含めて、X作戦の内容を報道しない。現場における社内通信については、新聞と同様とする。

ウ、雑誌については、新聞と同様とする。

二、航空取材に関する方針

X作戦開始時間から終了時間までの間に於ける、現場上空の航空取材については、日本新聞協会の『航空取材に関する方針』およびこれに基づく『航空取材要綱』を厳守する。

補足すれば、『航空取材に関する方針』とは、航空機による取材が増え、慎重な配慮が求められるようになったため、取材対象に迷惑をかけたり、行事の運営を妨げるような取材活動はしないこと、互いの安全のために危険な飛行を避けることを基本方針として新聞協会に加盟する全社が六五年（昭和四〇）に確認したものである。

またこの方針に基づいて具体的なことを取り決めたのが『航空取材要綱』で、

一、航空機の騒音によって行事の運営や一般の日常生活に支障を与えないよう注意する。

二、人や物件に危害を与えるおそれのある低空飛行はしない。

三、同じ対象物を多数のヘリコプターで取材する場合は衝突を避けるため右旋回とする。

四、空中に停止して特定の位置を独占したり、他機の取材の妨げになるような行動はとらない。

五、著しい危険性があると認められる取材はしない。

など十項目を取り決めている。

各社がヘリコプターを使って取材する浅間山荘事件ではどうしても航空取材に関する部分を報道協定の中に入れて確認しておく必要があった。
三、取材拠点の設定
X作戦実施中の取材拠点は山荘前の道路および山荘下の道路を含む警察側の規制線の外側とし、危険を避けるため規制線内には立ち入らない。
四、X作戦中の経過発表
1、X作戦中の経過発表は、原則として軽井沢署内の報道センターで行う。
2、現地指揮所においても、随時報道担当者が経過発表するが、長野県警本部長の記者会見はX作戦終了後、軽井沢警察署内の報道センターで行うことを原則とする。
五、X作戦終了時の措置
1、X作戦により人質となっている被害者を救出したときは、現場の第一地点付近(山荘東側の坂下)に待機している救急車により搬送するので、第一地点規制線から救急車にいたる間の道路の山側に取材線を設けて取材するが、被害者に対する会見、インタビューは、収容先の病院の主治医が診断して支障がない旨許可するまでは行わない。
2、X作戦により犯人を逮捕したときは、現場の第一地点規制線からポプラ通りとかんのん通り三差路に待機している護送車にいたる間の道路の山側に取材線を設けて取材する。

3、現場建物（浅間山荘）には、X作戦が終了しても、現場検証が終了するまでは、取材のための立ち入りをしない。ただし、玄関から玄関ホールまでについては、警察においてこの場所の検証を最初に行い、検証後可及的速やかに次の要領により取材を行う。

ア、現場建物内に入って取材するカメラマンは、X作戦当日、軽井沢警察署に集合し、所定のリボンを着け、用意されたバスに同乗して現場第二地点付近（NHK山荘前）へ行き、そこで待機する。

イ、玄関から玄関ホールまでの取材は、取材線の範囲内において次の順序により行う。

①新聞カメラマン
②テレビカメラマン
③ラジオ取材者
④雑誌カメラマン
⑤新聞・テレビ記者
⑥雑誌記者

ウ、前記③のラジオ取材者、⑤の新聞・テレビ記者、⑥の雑誌記者はカメラマンと別のリボンを着け、現場第二地点付近（NHK山荘前）で待機する。
エ、取材は、前記の順序によりおおむね十人を一グループとし、一グループの取材時間は三分とする。
オ、テレビ・ラジオは、この取材時間中における現場からの生中継は行わない。
カ、カメラマンは、前記取材終了後、現場第二地点付近に待機している前記バスに集合し、カメラマン全員の乗車終了後、レイクニュータウン入口まで一緒に帰り、そこで解散する。
キ、この取材にあたる人員は、各社とも記者一名、カメラマン一名に限定する。
4、現場建物全体についての取材は、全体の現場検証終了後、可及的すみやかに行う。
六、その他
1、犯人を射殺する事態が起こった場合は、事件の性格を考慮して射殺した警察官の所属・氏名・住所等、射殺した警察官に関する人定は公表しない。
2、現場にいたる道路上における取材用車両の駐車は、交通妨害にならないような方法で、良識をもって行う。

以上

報道協定は、作戦開始から終了後までのあらゆる場面を想定してきめ細かく決められた。山荘内の取材を三分間としたのは、当時のムービーカメラは一本が一〇〇フィート、およそ三分間しか撮影できないことも考慮してのものであった。

◆本部長の決断

報道協定という懸案が解決したことから、野中本部長はこの日最後の記者会見で、「突入の時期について私の腹は固まっているが、今は微妙な段階にきているとだけしか申し上げられません」と、慎重な言いまわしながら、強行突入が時間の問題となったことをほのめかした。

本部長の腹の内は、会見後に開かれた警備会議の席上で初めて明らかにされ、二十八日強行突入が決まった。そのため二十七日中に土嚢を完成させ、すべての準備を最終チェックすることになった。

この決定はただちに東京の後藤田正晴長官ら警察庁や警視庁の幹部に報告された。報道陣には報道協定が正式に締結され発効するまで伏せておくことになった。

強行突入を二十八日に決定した、その経緯を今回の取材で野中に尋ねた。

――二十八日を最終日にすることは、かなり前から考えていたのか？

「そうだ。自分では確か四、五日前に決めていたと思う」

――実は二十七日にやろうと思ったが、予報が雪なので一日延期することになったという情報が駆け巡ったが、真相はどうか？

「今となっては、はっきり覚えていない。ただ会議の席上、確か佐々だったと思うが、二十七日は日曜日なので夕刊がない、と発言したような記憶がある。私はそんなことが大事なのかなあと思ったが、大事だと言うので、ひょっとしたら二十七日としておいて、やっぱり二十八日の方がいいとしたのかもしれない」

野中は、二十七年前の記憶を懸命に呼び起こしながら語り、一日延期があったとしてもそれは天候のためではなく、新聞に配慮した結果だったという意外な事実を明かした。警察側がマスコミを最大限に利用しようとした姿勢の一端が窺える。

この強行突入の日について、当時、病院側と警察側の連絡役として連日走り廻っていた軽井沢病院の事務長小林次夫はこんなエピソードを語ってくれた。

「二十七日は最初から予定にはなかったはずだ。二十七日は私の甥の結婚式で、以前から私が司会することが決まっていた。そこで二十七日は休みたいと申し出たら、二十八日は休まれたら困るけど二十七日は安心して行ってこいと言われた。何の心配もなく結婚式に出席できたのではっきり覚えている」

◆準備完了

強行突入を明日に控え、二十七日は最後の土嚢積みの作業が午前十一時半から始まり、午後三時過ぎには予定したすべての土嚢が積み上げられた。玄関東側に長さ八メートル、西側に十四メートル、高さ一・二〜一・六メートル、幅一・五メートルの土嚢の壁が完成した。その陰に身を潜めると銃眼はまったく見えなくなり、最前線の機動隊員にも安堵感が漂った。また山荘に突入するための梯子《はしご》や掛《か》け矢《や》、つるはしなども現場付近に運ばれて準備はすべて完了した。

珍しく暖かな日になり、最低気温も氷点下三・六度までしか下がらず、濃霧が発生した。

穏やかに解決したいという方針を貫くため、肉親の呼びかけはこれまで通り早朝から行われた。午前七時過ぎからふたたび寺田の父親が呼びかけた。

「人間は機械ではないし、機械でもオーバーホールが必要だ。体をいたわらないと必ず後遺症が残る。人の命の大切さも充分に考えなさい。泰子さんを解放し、君たちも自分の手で自分を解放して君たちの正しいと思うことを我々に示してほしい」

あくまでも冷静に懇々《こんこん》と説得するような呼びかけに続いて、吉野の母親がマイクを握った。

「昨夜、寺田さんのご両親と話し合い、あなた方は自分のことより他人のことを先に考えていることがよく判りました。億万長者で目の見えない人がいたとしたらその人は全財産をなげうってでも目が見えるようになりたいと思うものよ。そういう人のことを理解するために、あなたにも一か月間目をつぶったまま暮らしてみなさいと、前に話したことがあるでしょう。あの時の気持を忘れてしまったのですか。

一緒にいる人たちも聞いてください。人質になっている人にとっては指一本、爪一枚でも掛け替えのない大切なものなのよ。どうか人の命を大切にしてあげてください。そして自分の命も大切にしてください」

最後となる肉親の呼びかけもまったく無視されて、山荘内からは何の反応もなかった。

◆最後の作戦会議

こうした現場での動きと並行して午後三時過ぎから警察側の作戦会議が行われた。最後の会議とあって中隊長以上の全幹部が集められた。その状況を長野県警の記録から見てみよう。

それまで「X作戦」と呼ばれてきた二十八日の強行突入が〈牟田泰子救出作戦〉と呼ばれることになり、警備実施計画の最終打ち合わせと指示が出された。この計画こそ、それまで東大事件や街頭闘争など都内で起きた数多くの困難な警備に当たってきた警視庁と、成田闘争をはじめ全国の事件の警備を指導してきた警察庁が、実戦経験の乏しい長野県警を全面的にバックアップして練り上げた、警察の全力を結集した計画であった。

会議の冒頭、まず野中本部長が訓示した。

「今回の事件に対して、我々としては、全知全能を傾けてあらゆる手段を講じてきたが、監禁状態にある牟田泰子さんは精神的にも肉体的にも限界に近づいているものと判断される情勢にある。

これ以上、危険な状態に陥れるよりは、万一の身の危険防止に最大限の考慮を払った上、救出に当たるべきであるとの判断の下に、あえて強行救出の手段を取らざるをえない。

各位においては、きわめて危険かつ困難な任務に当たってもらう訳だが、くれぐれも血気にはやることなく、あくまでも冷静沈着に状況を判断しながら部下を掌握し、事故なく所期の目的を果たすよう、それぞれの持ち場で最大限の奮起をお願いしたい」

続いて立った佐々淳行は、

「今、我々が必要とするのは決断と勇気である。長野県警を中心として本事件に当たることを名誉として、小異を捨てて大同についてもらいたい」と数々の修羅場を経験してきた危機管理のベテランらしく各部隊が功名心に走ることを戒め、

「全警察官は見物人になってはならない。同志の受傷を防止するため全員が努力してほしい」と一致団結を呼びかけた。さらに、

「彼らは、銃による革命しかないと確信している。そして連合赤軍の名を上げる革命のチャンスを狙っているが、我々は彼らが革命の英雄ではなく、国民の敵であることを立証しなければならない」と事件に臨む警察の立場を説明し、人質の安全救出、犯人の全員逮捕、受傷防止を最重点目標とすることをあらためて確認して、最後の会議は終了した。

◆マスコミの論調

佐々の言葉は、力で体制を変えようという革命などはまったくの幻想であり、絶対に許すことのできない暴挙だという警察側の一貫した考え方を示したものであった。それは長い間の保守政権下にあって警察が権力の側に立つ以上、むしろ当然であったが、マスコミはどのように把えていたのだろう。

『朝日新聞』(二月二十日付)は〈世論も許さぬ狂気集団〉の見出しを掲げて、

「毛沢東の内戦方式は人民大衆に守られ期待されて成功したのに、連合赤軍は市民にソッポを向かれ、市民を傷つけ、市民に警察に通報され、逮捕のキッカケをつくっている。

自分たちがゲリラだと思っても、どだい、ゲリラになっていない。こうなっては大衆から孤立した狂気集団というほかはないし、世論が許すはずがない」

と決めつけている。『読売新聞』(二月二十二日付)も、

「それにつけても、彼ら連合赤軍の行動はわれわれ市民の怒りを新たにする。連合赤軍の本質は最初から犯罪者の集団であり、極度の反社会性をもつ異常者の徒党だったといってよい。

銃口から権力が生まれ、その権力を革命につなぐという彼らの〝革命的行動〟が、

しょせんは犯罪のための口実にしかすぎないことは、こんどの事件で一層明確になった。

この際主婦牟田泰子さんの無事救出に全力をあげるのはむろんのことだが、目的は最後の抵抗を試みる連合赤軍の一斉検挙にあることはいうまでもない」

という社説を掲げている。

他の新聞、雑誌も、彼らの行動や心情を少しでも理解しようとする記事は見当たらない。テレビ各社も革命とは無縁な、善良な一市民を人質にした凶悪事件という把え方で一致していた。

報道協定は二十七日午前十一時に発効し、テレビもラジオも新しい情報はいっさい流さなくなっていた。山荘に立てこもる彼らは、情報がないながらも目の前で高さを増していく土嚢と考え合わせて、いよいよ機動隊が強行突入してくるであろうことを予測し、最後まで闘うことを確認し合い、どのように闘うかを話していた。

「私は見張りを除く三人をベッドルームに集めて対策を協議した。

『何かいい脱出策はないか』と、私が水を向けると、坂東君は、

『警官を人質に取ったらどうだ』と言った。私は、

『それはいい。ぶん殴って、縛り上げ、ベランダから吊るしておこう。どうやって

奴らを取るか』

と応じた。坂東君は、

『左の方の機動隊は緊張しているが、右の方はたるんでいるから、右の方に爆弾を投げつけて、倒れた奴を中に引っ張り込もう』と言った。

そこでわれわれは、厨房へ行き、厨房の壁に穴を開けることにした。……

ところが、いざ穴を開けようとしたら、壁が硬くて歯が立たなかった。……

こうした次第で、西側の芳賀山荘周辺にたむろしていた機動隊をやっつける計画は断念した。

後に逮捕されてから、私を調べた刑事は、

『ケッ、警官を縛ってベランダに吊るしておくだと』と、警察を馬鹿にするな、といった調子で私を非難した。考えてみれば、かなり荒唐無稽な発想で、刑事が怒るのも無理ないなと思った。

この後、ベッドルームに戻って別の計画を協議した。吉野君がこんなことを提起した。

『玄関口にあるガス管を引いて、いつでも放出できるようにし、機動隊の突入があったら、充満したガスを爆発できるようにしておいたらどうだろう』

私は、『それはいい。やってみてくれ』といった。吉野君は、ベッドルームを出て、大ホールのガス栓口を確かめに行った。

しかし、玄関口が広い上に、風通しが良くなっていることに気づき、ベッドルームに戻ってくると、『無理なようだ』といった。……

冷静に考えれば、この計画も随分荒唐無稽で、実行していたら、ベッドルームにいたわれわれも一緒に吹き飛んでしまう危険が十分あった」

（坂口弘著『あさま山荘　一九七二』）

◆強行突入の発表

二十七日午後十時から軽井沢警察署の道場に設けられた特設報道センターで強行突入についての記者会見が始まった。立錐《りっすい》の余地もない会見場は人いきれで真冬とは思えない暑さだ。

記者会見で強行突入を発表した野中庸長野県警本部長（2月27日、提供／読売新聞社）

会見に先立って〈Xデーは二月二十八日〉という大きな紙が吊るされた。場内からは喚声とも溜め息とも形容できない声が湧き上がる。会場にいた久能靖は、身震いするほどの緊張感に襲われた。この十日間で身体は疲れ切っているはずだが、高揚した気持を抑えるのに懸命な状態である。

そんな中、どうしてこんなに落ち着いていられるのかと思わずにはいられない野中本部長が席についた。彼は、最高責任者として大変な重圧が掛かっているはずだが、事件発生以来まったくそれを感じさせず、表情にも出さない。この日も会見場の異様な雰囲気に臆《おく》することなく静かに談話を読み始めた。

「去る二月十九日午後四時ごろ、連合赤軍の一味と思われる者たちが、猟銃、ライフル銃、拳銃を携行して、河合楽器保養所『浅間山荘』に侵入し、管理人牟田郁男さんの妻、泰子さんを監禁して立てこもってから、本日午後十時までで百九十八時間を経過しております。

この間、警察としては監禁された泰子さんの安全救出を最重点に、あらゆる手段を講じて無事救出を図るとの基本方針の下に、警察はもちろんのこと、ご主人や親族の方々をはじめ、立てこもっているとみられる犯人らの家族の呼びかけ、説得を数十回にわたり粘り強く続けて参りましたが、犯人からの応答はまったくない状態であります。

他方、監禁されている泰子さんの安全確認については、犯人からの銃撃の危険を冒しながら、当面なしうる限りの手段を講じて参ったのでありますが、これに対し犯人らは猟銃などで、まさに狙い撃ちしてくる状況であり、本日午後七時現在までに八十発を発砲し、このため一般人一人と警察官二人が重傷を負うという状況であります。

　このような努力にもかかわらず泰子さんの安否は今なお確認するに至らず、日を追うにしたがって過酷な監禁状態が続き、今や精神的にも肉体的にもこれ以上耐えない、きわめて憂慮される事態に立ち至ったものと判断されるものであります。

　このような状況判断のもとに警察は泰子さんの身の危険防止に最大限の考慮を払った上、これが無事救出と、警察官の犠牲を極力避けるという基本方針の下に、あらゆる事態を想定した上での万全の警備体制をもってあえて救出強行に踏み切る決意を固めたのであります。

　国民各位のご理解とご協力をお願いする次第であります。

　昭和四十七年二月二十七日
連合赤軍事件警備本部長
長野県警察本部長　野中　庸」

　野中は記者がメモを取りやすいようにゆっくりと談話を読み上げた。会見場はカメラとメモを取る音だけである。野中が談話を読み終わると途端に会場から一斉に質問の声が上がった。

　そこで見事な仕切りを見せたのが警察庁から派遣されて広報を担当した菊岡平八郎である。彼は、「社名と名前を言ってから質問してください」と注文をつけた上で「今、

A社のBさんがお聞きになったのはこういうことですね」と記者の質問を必ずおうむ返しにした。

「百人以上の手が挙がって収拾がつかないのですべて私の裁量でやらせて貰った。私が質問を繰り返している間に、実は誰が答えるかを居並ぶ幹部たちに考えて貰うための時間稼ぎとして意識的にやった」

後日、彼は取材に対してそのように語ったが、意図はともかく、取材する方は大いに助かった。質問する記者の方にはマイクがない。そのためどのような質問内容だったのか、騒然とした会見場では聞き取りにくいのだ。久能はこれは自分の仕事にも役に立つやり方だな、と思いつつメモを取り続けたが、やはり具体的な作戦行動を質《ただ》すものが多い。

――あすは何時ごろから行動を開始するのか？

「午前八時に部隊配置を完了する。そして午前九時から警告、説得を開始し、九時五十五分に最後通告を行う。山荘への突入命令は午前十時に出す」

――何人の機動隊員が投入されるのか？

「総数は千五百人だが、山荘に突入する部隊は百二十五人である」

――具体的に作戦はどのように進められるのか？

「まず放水によって銃眼を制圧し、突破口としてドアを破る。水圧でもドアが破れない場合は、掛け矢、ドリルなど他の方法で破壊する。橋を架けるなどレンジャー部隊を使うことも考えている」

――警察犬も使うのか？

「警察犬は五頭用意してあり、状況によっては山荘内に入れることもあると思う」

――犯人は爆弾を持っていることが考えられるが対策はどうか？

「死角を作ったり、間合いを詰めたり、部隊を散開させたりして使用できないようにする。大楯やネットで跳ね飛ばすことも考えている」

――人質を前面に出してきた場合はどうするのか？

「その時点で考える」

――泰子さんの生命を守るため、犯人を一時的に逃がすこともありうるか？

「ありうる」

――泰子さんが生きている確率は何パーセントか？

「生死についての確証がないので何とも言えない」

――生存が確認された後に殺された場合は？

「今は泰子さんを安全に救出することを念ずるのみだ」

――不幸にして泰子さんの死亡が確認され、しかも激しい抵抗が続いた場合はどうするのか？

「正当防衛、緊急避難に該当する場合は、ライフルや拳銃を使うこともありうる」

――その場合、誰が判断するのか？

「本部長が判断する」

——山荘の中はどのような状態になっているか？

「推測にすぎないが、三階はほとんど原形を止めないほど変わったと思われる。家具や什器はバリケードに使われている。二階はあまり変化はなく、一階は原形に近いと思う」

——犯人は何人か？

「最低で三人、最高で五人だと思う」

——犯人はどの階にいると思うか？

「三階ではないかと思う」

——犯人の弾丸はどのくらい残っているか？

「盗まれた実数から押収したり、これまでに発砲したりしてきた数を引くと単純計算では九百二十発はあると思う」

——負傷者が出た場合の救護態勢はどうなっているか？

「現場に医師四名、看護婦七名、救護員十八名が待機し、負傷者の応急処置に当たる。警視庁参事官梅沢博士の診断で収容する病院を決める予定である。救急車八台、救護車一台、軽傷者輸送用のパトカー三台を現地に待機させるほか、重傷者の輸送用のヘリコプター三機を浅間山荘近くの72ゴルフ場に用意する」

——突入してから解決するまでどのくらいの時間をみているのか？

「いつ終了するか見通しは判らない」

――犯人を逮捕したらどこへ連れて行くか?

「とりあえず軽井沢署だ」

記者会見はいかにも整然と行われたかのようだが、これは質疑を整理した結果だ。会場の各所から思い思いの質問が浴びせられ、重複するもの、およそ関係のないものまで飛び出して時間だけが過ぎて行く。この記者会見も例外ではなかったが、菊岡の巧みな采配によって午後十一時半ごろ終了した。

◆夫の気持

牟田郁男は事件発生以来、NHK山荘に滞在していた。記者会見に先立って、吉江利彦軽井沢署長は郁男を訪ね、強行突入が決まったことを伝え、了承を求めた。

「事件発生以来、私の傍には警官がおり、トランシーバーから聞こえる情報で、それまで何ら事態に進展がないことは判っていた。だから了承を求めにきた時には覚悟はできていた。その時『家内がどういう状況になるかは、私も祈るしかないけれども、警察の皆さんがケガをしないようにしてください。家内のために犠牲者でも出たら、私としてはどうしたらいいか判らなくなってしまいますから』と答えたように思う。

何としても無傷で出してくれとは言えないので家内のことはしようがない、という気持を伝えた。しようがないと言うと家内にも家内の身内にも申し訳ないが、何か言わないとやり切れない気持だったし、なかば本心だったように思う」とその時の気持を郁男は述懐する。

一方の吉江は、

「心配していたよりは、淡々というか素直に受けてくれた。確かにケガがないようにとは言われたが、泰子について云々という点はどうかなあ」と首を傾げた。

現実のことなのにどこか夢見心地のようだった、という郁男の言葉から推して、吉江にそのように伝えたと思い込んでいたのかもしれないが、郁男が最悪のシナリオまで考えざるをえないほど追い込まれた気持になっていたことは間違いない。

◆前夜の突入部隊

すでにすべての隊員の役割分担は決まり、深夜まで最後の点検に余念がなかった。二十八日は既定方針通り、山荘の一階は九機、二階は長野県機、三階は二機が突入することになっており、突入部隊として指名された第二、第九、長野県機の百二十五人は隊ごとに最後の訓示と注意を受け、中には水盃を交わす隊員もあった。

これについて野中庸は後に次のように語っている。

「この配置は本部長判断だ。人質は二階に、犯人の大半は三階にいるとの見方だったので、最大目標である人質の救出を地元の長野県警にやらせ、それを掩護《えんご》するために正面を経験豊かな警視庁にやってもらうことにした」

——仮に、予想通り、泰子さんが二階にいて先に救出できたとしても犯人逮捕は無傷という方針に変わりはなかったのか？

「変わらなかった。とにかく死んだら英雄になってしまうから」

——彼らが最後に自殺するのではとは考えなかったか？

「ありうるとは思った。それから人質を撃ってから自決するということもありうるし、いろいろなケースが考えられた。しかしとにかく英雄を作ってはいけないという気持はあった」

野中は記者会見を終えてただちに第二、第九機動隊の宿舎である軽井沢スケートセンターを訪れた。時計の針は午前〇時を廻っている。

「明日はよろしくお願い致します」と野中が内田尚孝、大久保伊勢男両隊長の手を握る。二人とも「判りました。やります」とだけ答えた。万感の思いがこもる短いやりとり、それだけで充分だった。

野中がその足で軽井沢署に戻ると、そこには突入部隊に選ばれた長野県警の二十一人が整列して本部長の訓示を待っていた。ここでも野中は横山副隊長以下一人ひとりの手を握り「頼むぞ」と言うだけでひと言も訓示は述べなかった。

「隊員の二十代の若者たちに、明日、死ぬかもしれない危険な任務を命ずること自体、考えてみれば大変なことだった。戦後、教育の問題をはじめ、いろいろな点で批判を受けている若者がやってくれることに心から感動を禁じえなかった」

後にそのように語った野中だが、その時は一片の訓示など不要に思えたに違いない。

◆実況中継の態勢

強行突入を目前にしてテレビ各局は中継態勢をどうするか、頭を痛めていた。

通常、事件現場からの中継は数台のカメラを配置して動きを伝えるのだが、銃撃の中での放送だけに山荘の近くにカメラを何台も置くことはできない。カメラ位置は各社ほぼ横並びにならざるをえない。しかも、どの角度からも山荘の建物と周辺の機動隊の動きしか撮れない。

南側から山荘を見下ろす山の斜面をA地点、北側から山荘を下から見上げる場所をB地点とすると、画面に違いが出るといっても、カメラに取りつける望遠レンズの能力の差と、もう一台のカメラを軽井沢署に置いて画面に多少の変化をつけるかだけだ。

しかしアナウンサーの配置については、各局で違いが出た。

当時の現場中継は必ずアナウンサーがメインを務め、取材した情報を持った記者がアナウンサーのところへ駆けつけて報告するスタイルだった。この事件の中継でも各局の基本は、メインのアナウンサーに、リポーター役として別のアナウンサーや記者を配するという布陣であった。

NHKは浅間山荘のすぐそばにNHK健康保険組合の山荘があるという地の利を生かし、山荘の一室にアナウンサー席を設け、メインの平田悦朗アナが目の前のテレビモニ

突入前夜、投光器の光の中で静まる浅間山荘（2月27日、提供／読売新聞社）

ターを見ながら喋ることにした。厳冬の屋外で喋らざるをえない民放のアナウンサーにはうらやましい限りであるが、テレビモニターはそこに映し出される範囲が見えるだけで、全体像が見えず、しかもモニターの映像が今ほど鮮明ではなかっただけに、平田にとっては決して楽ではなかったはずだ。

野球をテレビで見るのと、野球場で見るのとではまったく違うように、通常、アナウンサーにとっては全体の動きを視野に入れられる現場からの実況中継の方がはるかにやりやすい。しかし、平田は、

「それまでも何回となく、テントの中に設けられた放送席でモニターを見ながら放送した経験があるので苦にならず、それほどの抵抗感はなかった」という。

平田の隣には警視庁担当の船久保晟一キャップが座り、二人の掛け合いを中心に放送を進めることにした。左翼勢力の動向に詳しい船久保がいてくれて助かった、と平田は言う。この二人の傍には社会部デスクが控え、各地点に配置された記者からの情報や警察発表をすべてここで整理した上で二人に手渡すことにした。

現場で放送全般の指揮をとった報道局次長の梅村耕一は次のように言う。

「人命尊重が最優先だから、山荘の中でラジオを聞いている犯人たちに無用な刺激を与えるようなアナウンスは絶対にしてはいけない。不確実な情報は入れるな。どうしても入れる場合には未確認だということを必ず付けて放送するよう厳命した」

この彼の言葉には正確な放送を基本姿勢としたＮＨＫらしさが窺える。これを受けて

アナウンス室デスクでもあった平田は、Ａ地点からサポートする松川洋右アナ、軽井沢署をカバーする塚越恒爾アナ、ラジオを担当するＮＨＫ長野放送局の三人のアナウンサーに対して、

「とにかく推測で喋ってはいけない。確認された情報だけを喋れ。もし、喋ることがなくなったら前の情報を繰り返せ」と申し渡し、ラジオを含む六人のアナウンサーの意思統一を図って当日に臨んだ。

民放はどうだったのか。

ＴＢＳは長野県下の系列局、信越放送に任せ、自らは警視庁詰めの記者などを情報収集の応援部隊として派遣しただけである。小型中継車一台を除くと、大型中継車もテレビカメラもアナウンサーも信越放送である。地元で起きた事件に関しては地元の局に任せるというＴＢＳの基本方針によるもので、メインのアナウンサーはベテランの伊藤隆徳である。

伊藤は山荘北側のＢ地点の中継車のそばに張られたテントの中で、モニターを見ながら伝えることになったが、テントの正面には浅間山荘が実際に見えており、モニターの画面と見比べながら放送した点でＮＨＫとは違っていた。伊藤の隣にはＴＢＳの公安担当記者竹馬《ちくま》伸朗が座り、入ってくる情報をもとに二人で実況中継した。傍らにいるデスクのもとには各所に配置された記者から携帯無線で情報が入る仕組みにした。放送前に確認されたのは、警察情報だけでは放送しないということであった。

フジテレビは長野県内に系列局がありながら、すべて自社主導で行い、TBSと違っていた。これは系列の長野放送が開局してまだ三年と日が浅かったからだ。山荘南側のA地点の露木茂と北側のB地点でサポートする長谷川恵一のフジテレビの二人のアナウンサーの掛け合いで進行することにした。

系列局を持たない日本テレビは、東京からアナウンサーを連れて行かざるをえない。報道部長の浅野誠也は考えた。

「機材に関しての差は歴然としていた。NHKのレンズだと窓までアップで撮れるのに、うちのレンズでは建物全体が精一杯だった。これではまったく勝負にならない。そこで音で勝負するしかないと考えた。一本ずつのマイクにアナウンサーを全部張りつければ、中継個所を拡げることになり、かなり多角的な放送ができるのではないかという発想だ。報道局長の中平公彦にその考えを説明し、できるだけのマイクとアナウンサーの手配を要請した」

この浅野の構想を本社も了承した。すでに現場にいる久能靖と芦沢俊美のほかに、浅見源司郎と倉持隆夫の二人のアナウンサーが急遽、軽井沢に派遣されることになった。二人ともスポーツ担当で、台本がないアドリブには馴れているというのが選抜理由である。浅見は前日、巨人軍の宮崎キャンプの取材から帰って、久しぶりに自宅でくつろいでいる時に緊急呼び出しをかけられた。浅野部長は四人のアナウンサーのうち、久能をメインとして山荘玄関が右下に見えるA地点に、倉持を玄関が左下に望める斜面に、芦沢を山荘を見上げるB地点に、浅見を軽井沢署にそれぞれ配し四元中継でいくことにした。

四人の掛け合いでやる場合には、四人の声をうまく調整する必要がある。これにはやはり急遽派遣されたミキサーの湯本昭一が担当することになり、ようやく準備は完了した。

◆水断ち

あと十時間あまりで強行突入を迎える夜、眠りについたと思ったのも束の間、午前三時には起きなければならなかった。現場まで小一時間かかる小瀬温泉の宿を四時には出発しないと、朝のニュースに間に合わないからだが、中継スタッフはひと足先に出る。夜の間に降り積もった雪に埋まってしまった中継ケーブルを掘り出し、中継車の電源を入れてカメラを暖めなくてはならないのだ。

この日は氷点下五・九度、かなりの寒さだがこの十日間では比較的暖かい方だ。雪が固まっておりケーブルの掘り起こしは容易ではないのだが、準備は予想外に早く終わった。

宿には早朝から、温かいご飯とみそ汁、野沢菜漬けの朝食が用意されている。しかし、久能靖は箸を取らなかった。お茶も飲まない。放送する際、満腹だと張りのある声が出ないことと、もう一つはトイレ対策だ。

突発事件は別にして、この事件のようにあらかじめ長時間にわたると予想される場合には、久能は計画的に水断ちするのを常としていた。前日の朝から少しずつ水分を減らし、夜食でもみそ汁やお茶にはいっさい口をつけなかった。これは久能だけのことではない。NHKの平田も同じことをしている。まして銃撃戦の中での中継である。現場に便所などない。

そのための心構えではあったが、その実、久能には、長くても昼過ぎには終わるだろうし、いざとなればCMの間に用を足せばいいと気楽に思っていた部分もあった。

◆小枝が折れた音

現場に着いた久能は、前夜遅く軽井沢入りした浅見源司郎と倉持隆夫をA地点に連れて行った。放送が始まる前に現場を見せておこうと思ったのだ。アナウンサーにとって全体像を事前に頭に入れておくことはきわめて重要だ。倉持は現場担当だからまだしも、軽井沢署に詰める浅見にとっては現場の状況を知っておくことが必要だった。

二人とも現場を見るのは初めてだ。久能が山荘を見下ろしながら建物の構造や銃眼の位置を説明していると、突然、頭の上で「ピシッ」と小さいが、鋭い音がした。まだ夜が明け始めたばかりで、警官の動きも少なかっただけにその音ばかりが妙に大きく聞こえた。

途端に倉持は、ハッと身を縮めた。

「倉持、少し脅えているな」と久能は思った。

雪の重みで小枝が折れた音なのだが、今までテレビの画面でしか見ておらず、しかも銃撃が続いていることを承知で現地入りしているのだから、銃弾が飛んできたと勘違いして脅えるのも無理はない。

浅見も同様に恐怖を感じたというが、久能は逆に、現場での十日間で銃声に不感症になり脅えることとさえしなくなっている自分にハッとした。夢中になると身の危険など感じなくなるところがあるのだ。

NHK山荘に向かう道路の、浅間山荘からは直接見えない場所に、大きな布製の簡易水槽が四基置かれ、水が一杯に張られている。全部で二十五トン。この水は突入部隊を掩護するための放水用として下から運び上げたものだ。氷点下とあって厚い氷に覆われている。この日の行動開始が午前十時に設定された理由の一つには、氷が溶けないと放水作戦がとれないこともあった。

◆紙面は米中会談

中継車にいったん戻った久能は、そこで朝刊の早版《はやばん》を見て驚いた。各紙とも一面は〈米中、平和五原則で合意〉の大見出しで、米中会談で埋め尽くされている。

報道協定でも、新聞だけは朝刊から強行突入の記事は解禁になっていただけに、〈今朝、浅間山荘に突入!〉の見出しが一面に躍るものと、久能は予想していたのだ。

確かに浅間山荘事件は大事件とはいえ、国内問題であり、米中会談は世界を揺るがす大ニュースだったのだ。それまで中国に対して徹底した敵視政策を取り、台湾を擁護してきたアメリカが、ついに中国は一つであることを事実上認めたのである。ニクソン大統領と周恩来首相の数回にわたる会談の後、共同声明が発表された。アメリカが平和五原則を認めたことは台湾が中国の一部であることを受け入れ、台湾を見放すことを意味している。この大ニュースは、それまで日本が取ってきた政経分離方式以上のことをアメリカがするはずがない、と説明してきた佐藤政権に深刻な打撃となった。北京から杭州に向かう特別機の中でお茶で乾杯するニクソンと周恩来のにこやかな写真は米中共存時代の幕開けを告げ、時代が大きく変わったことを如実に語っている。

まさにその日、武力革命によって共産主義社会を目論んだ連合赤軍による浅間山荘事件が最後の時を迎えようとしていたのである。

◆その朝、突入以前

警備陣の幕僚たちは高原ホテルで、突入部隊は軽井沢スケートセンターでそれぞれの朝を迎えた。突入直前の短い時間だ。

軽井沢スケートセンターで、一階から山荘に突入する警視庁第九機動隊の大久保伊勢男隊長は、三階正面から攻撃する警視庁第二機動隊の内田尚孝隊長に、「危ないから気をつけろよ」と声をかけ、二人で山荘内の情況を話し合いながら早めの朝食を摂った。

高原ホテルでは、幕僚の一人佐々淳行が、情報収集を担当させるために東京から呼び寄せた視察班の宇田川信一に声を掛けた。

「宇田川君、各隊長からの現場情報への期待は大きい。しっかり頼む。防弾チョッキは着たほうがいいよ」

肩を叩かれた宇田川は、

「佐々警視正、ご自分こそ気をつけてくださいよ、防弾チョッキなしで現場を飛び廻るんですから。佐々さんの伝令として防護をかねて後田《うしろだ》巡査をつけましたから」と答えた。

それを聞いて「俺の伝令に後田君をか」と、佐々はちょっと困惑した。しかし、後田成美は一児の父になったばかりであり、万一のことがあってはと思ったのだ。しかし、宇田川から佐々付きの伝令を申し渡された後田は「私に任せてください。お願いします」と、二人のやりとりを笑みを浮かべて聞いている。後田は佐々に心酔しており、長女が生まれると一字をもらって淳子と命名したほどだ。佐々と行動を共にできることは大きな喜びであり誇りだった。

結局、三人は防弾チョッキも着けず現場に向かったが、後田はもう余分の服がなく、私用のコートを上から着込んだ。制服の中では目立つ服装だった。

当日の伝令には大きく分けて二つの任務があった。一つは各隊長からの情報や傍にいる佐々の指示を警備本部に伝える役であり、もう一つは警備本部の指示を各隊長に伝達する役である。その上、部隊間の通信も聞かなくてはならないので、後田は合わせて三個の無線機を背負って佐々と行動を共にし、現場の騒音の中で正確に三つの無線を聞き分けなくてはならない。後日、その点を尋ねると後田は、馴れですよ、とこともなげに言った。

そのころ山荘前では黒いヤッケ姿の牟田郁男が最後の呼びかけをしていた。

「泰子、もう少しの辛抱だ。頑張ってくれよ。今からでも遅くない。私の家内を返して皆さんも出てきてください」

妻に向かってといえども、部隊突入が近いことを直接言うわけにはいかない。あとは警察を信じて祈るしかなかった、と郁男は言う。

午前七時、二機、九機の主力部隊がスケートセンターの駐車場から山荘に向けて出発した。途中、雪道のため車がスリップしてなかなか進めず、各部隊が所定の位置に着いたのは午前八時ごろだった。朝まで降り続いた雪も上がり薄日も射して天気はどうやら持ちこたえそうだ。

NHK山荘近くに集結した二機の隊員に隊長の内田尚孝は訓示した。

「犯人は暗い室内から明るい屋外を狙っているのだから、奴らにはこちらの行動が丸見えだということを決して忘れるな。楯を効果的に使え。内部に飛び込んだら絶対に下がるな。

浅間山荘・警備部隊配置略図

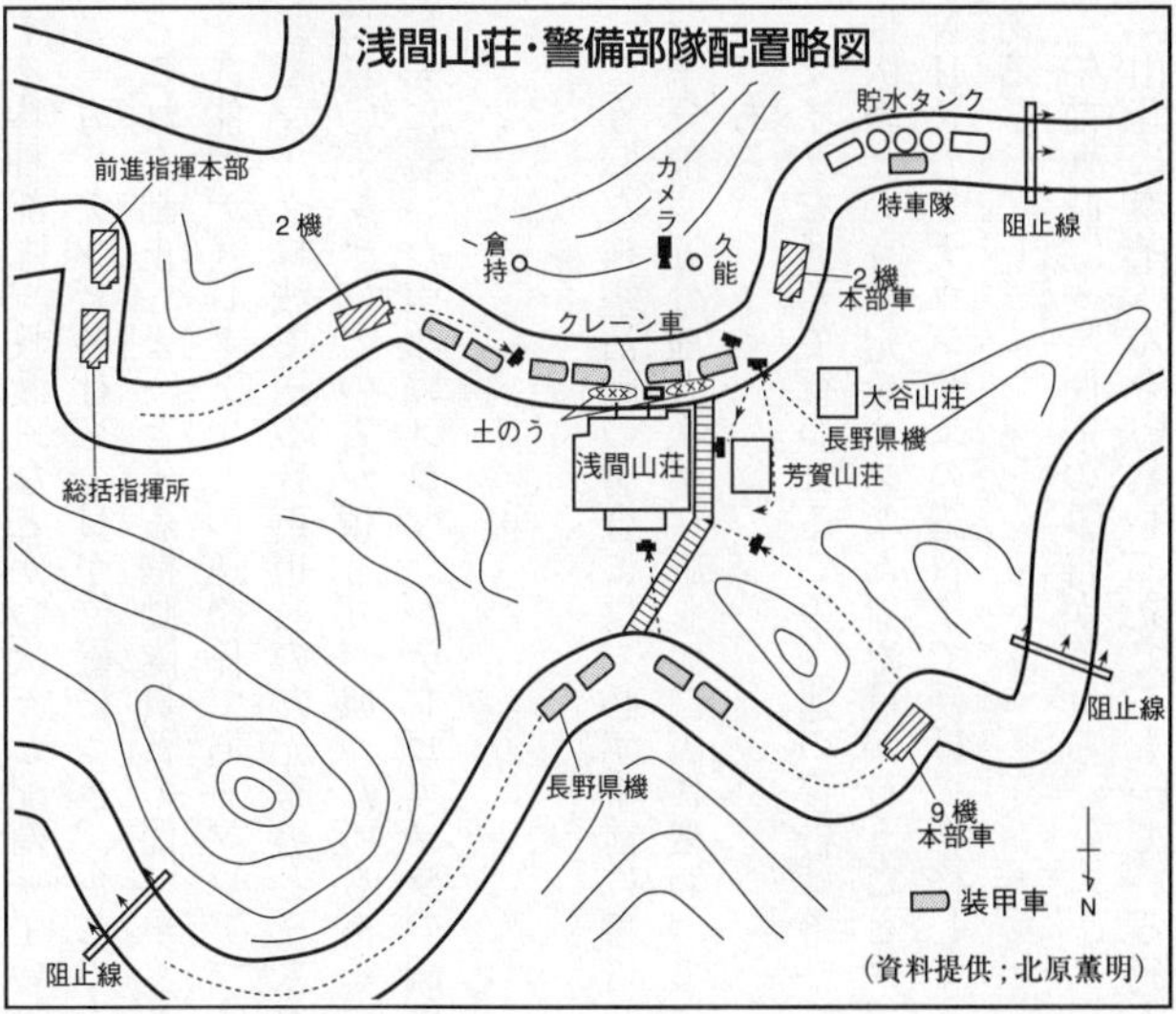

(資料提供；北原薫明)

けがをした犯人でも気を許してはならない。負傷者のふりをして突然攻撃してくるかもしれないからだ」

　銃撃戦の経験がない隊員だけにあらゆる場面を想定して注意を喚起しておく必要があった。

　ちょうどそのころ、最高前進指揮所が設置され、山荘玄関の向かって右手の山陰に置かれた本部車に総指揮官の野中本部長が入り、中央の席に着いた。その位置からは正面の防弾ガラス越しに山荘の屋根の部分だけが見える。

　幕僚たちも所定の位置につき、突入する警視庁第二、第九、長野県警機動隊の百二十五人のほか、ライフル班、放水やガス弾で掩護する特科部隊、救護班などから次々と配備完了の無線連絡が入った。

一方、テレビ各社も全員が位置につき、少しでも前へ出ようとする記者やカメラマンとこれを制止しようとする機動隊員との間で早くも押し問答が始まっていた。

久能はディレクターとの連絡係であるフロアマネジャーの加川敬、久能の声を中継車までマイクロ波で送る音声担当の友光秀男と三人で山荘を見下ろす地点に立った。一面に三〇センチほどの雪が積もり、凍った所もある。座る場所はない。その脇には、ひと足先に着いた南譲カメラマンがテレビカメラの調整を終えて待機している。

◆警告

こうした検挙活動の場合には、必ず事前に警告を発しなければならない。一時間前、三十分前、五分前と次第に厳しい口調に変わっていくが、五分前の警告はいわば最後通《つう》牒《ちょう》である。

マイクを通して行われるこの一連の警告は警察官なら誰でもできるわけではない。警備広報という検定をパスした者だけが行うことができる。素質ありと見込まれた隊員がNHKのアナウンサーの講習まで受けて合格してきているだけにさすがによく通る声である。

午前九時、一時間前の警告が流れる。

「山荘に泰子さんを監禁して立てこもっている犯人たちに告げる。……　君たちは『人民のために闘っている』と言っているが、泰子さんを監禁していることは凶悪犯と何ら変わらないではないか。この過ちを反省して泰子さんを解放しなさい。……　警察はもはやこれ以上待つことはできない。……　今からでも遅くない。これ以上罪を重ねることなく、泰子さんを解放し、銃を捨てて出てきなさい。……　また話し合う気があるのなら、泰子さんを連れて白い布を持ち、玄関でも、窓でも、バルコニーでも警察官の見える所に立ちなさい」

警告のおよそ十分後、山荘二階の「しらかばの間」のカーテンが揺れ、犯人の一人が外の様子を窺っている姿が確認されたが発砲はしてこない。何らかの意思表示かとマスコミ陣に一瞬ざわめきが起きたが、それ以上の動きはない。

午前九時半、決行三十分前の警告が周囲の山にこだました。

「山荘の犯人に告げる。君たちに反省の機会を与えようとする我々の警告にもかかわらず君たちは何の反応も示さない。……　今こそ君たちの将来を決する時だ。銃で撃つのをただちに止めなさい。銃を捨てて出てきなさい。話があるのなら銃を捨てて、白い布を持って警察官の見える所に立ちなさい」

これらの警告を山荘内の彼らはどう受け止めていたのだろう。坂口弘は自著で次のように書き記している。

「九時二六分、

『白旗を持って、警察官に見えるように立ちなさい』

という勧告があった。これを聞いてようやく今日、警察が強行突入する気でいることが分かった。

だが、どういう手段を使ってくるかは見当もつかなかった。

私は急いで朝食を作った。二日前に二升ばかり研いでおいた白米を野沢菜などの野菜と一緒に水を入れた鍋に入れ、その後醤油を注いでガスストーブにかけ、雑炊を作った。

われわれが朝食を摂っている間、牟田夫人もベッドルームに置いてあった蜜柑一個を食べ、コーラを一本飲んだ。バナナとリンゴが一個ずつ残っていたがこれらには手をつけなかった。

朝食が終わると、私は、四人のメンバーに向かって、

『今日は総力戦だ。ヤマになるだろう。頑張っていこう』

と言った。四人は頷いた」（坂口弘著『あさま山荘　一九七二』）

この後、犯人たち全員に坂東から爆弾とマッチが一個ずつ手渡されたという。

◆特別番組放送開始

普段より一時間早く登庁した警察庁長官後藤田正晴は現地からの報告を受けていた。

テレビ各局は相次いで特別番組に入った。久能も正午までの約二時間余りと聞かされて九時五十五分に喋り始めた。この程度の時間ならこれまでも東大事件などでしばしば経験しているので充分やれる自信はある。

特別な放送では、冒頭の言葉と最後の締めの言葉が肝心で、本来なら、「事件発生以来十日、あらゆる手を尽くした警察がついに我慢の限界もここまでと、泰子さん救出のためにまもなく実力行使に入ろうとしています」ぐらいのことは言って放送を始めたいのだが、その時点では報道協定がまだ生きており、強行突入に触れることはできない。

「群馬県から山越えで南軽井沢に入った武装グループが河合楽器の浅間山荘に立てこもって十日目。人質牟田泰子さんが肉体的、精神的に限界と見た警察の動きが今朝からにわかに慌ただしくなっており、山荘周辺はこれまでとはまったく違った緊張感に包まれております」

これが報道協定を守りつつ、警察突入近しを匂わせる久能の精一杯の喋り出しであった。

◆攻撃開始

事件発生から十日間の経過を説明している間に最後通牒ともいうべき警告が始まった。マイクを握ったのは警備広報の資格をもつ高橋好一である。

「山荘の犯人にふたたび告げる。……　間もなく部隊は泰子さん救出のため、君らに対して実力を行使する。君たちが銃をもって抵抗すれば、警察はやむを得ず必要な措置をとる。もう一度機会を与える。今こそ君たちの将来を決める時だ。射撃をただちに止めなさい。話があるのなら銃を捨てて、白い布を持って警察官の見える所に立ちなさい。泰子さんを解放しなさい」

久能の目の下で行われたこの警告はそのまま放送に乗った。

午前十時、ついに野中本部長から無線を通して攻撃開始命令が発せられた。

〈各部隊は現時点をもって既定方針通り所定の行動を開始せよ〉

同時に、

「ただ今から実力をもって牟田泰子さんを救出する。無駄な抵抗はただちに止めなさい」

という警告が繰り返し流れる中、各部隊が一斉に行動を開始した。

この時点で報道協定は一部解除され、警察の動きや作戦を自由に喋れるようになった。

天気は回復し、土嚢の陰で動く機動隊員のヘルメットや楯が朝の陽光にきらきらと輝いている。隊長の指揮する声、放水車のエンジン音、上空のヘリコプターの音など現場は騒然とした空気に一変した。ヘリコプター八機が規則通り右回りで旋回している。

◆上空からの取材

そのうちの一機に搭乗していたのが、日本テレビのカメラマン佐藤佳之輔である。この日は軽井沢プリンスホテル脇の臨時ヘリポートから一時間間隔ぐらいに飛び立っては、暗くなるまで上空から現場を撮り続けた。


「三階の雨戸が開いて二人が首を出し、そのうち一人がライフルを撃ってきたのが今でも強烈な印象として残っている。私は操縦士に『大丈夫か』と聞いたのだが、『タンクを撃たれなければ大丈夫だ。それに仮にタンクを撃たれても浮力があるし、私さえ撃たれなければ』と呑気なことを言い、どんどん高度を下げていった。犯人の表情まで見えるようになる。後で写真を見るとライフルを構えていたのは坂東だったように思うが、さすがに『やめてくれ、おれは死にたくないんだ』と叫んだのを覚えている」

佐藤はその時、婚約していた。婚約相手の彼女は大阪の実家で佐藤の身を案じていた。

◆モンケン出動

午前十時七分、山荘内からこの日最初の発砲があり、前進する二機の隊員の大楯に当たる。それが合図のように山荘の北側から一斉にガス弾が発射され、一発が二階浴室のガラス窓を破って中に飛び込んだ。山荘の三階正面玄関付近の銃眼に向けて二台の放水車からの放水も始まった。

その間隙《かんげき》をぬうようにして、突然、山陰から、大きな鉄球を後方に吊り下げた奇妙な大型クレーン車が山荘西側の道路に姿を現した。これは前夜の記者会見でも明らかにされていなかっただけに、実況を続ける久能も一瞬、

「何だ、これは」と言葉に詰まった。モンケンというこの大鉄球のことを知ったのは後

のことであり、その時は何の知識もなかった。このクレーン車には運転席のほかに、モンケンを操作するためのもう一つの操縦席が後方についている。クレーン車を運転するのは例の信州建設の白田社長、モンケンの操縦席は社長の義弟の白田五郎である。

　クレーン車の出現には山荘内の犯人たちも度肝を抜かれたらしい。激しい銃撃を浴びせてきた。

「山荘に向かって進んで行くと運転席めがけて撃ってきた。一発目は私の左目の前の防弾ガラスに命中した。後は数え切れない。賑やかにガンガン、ガンガン当たるから」

　白田は何事もなかったように振り返るが、爆弾だけは投げられたらお仕舞いだ、とそれだけが怖かったという。

　モンケンは、本来、一本のロープで鉄球を吊り下げ、横殴りにぶつけて建物を破壊する。前々日の作戦会議の席上、白田はその手順を説明し、モンケンの操縦席が前になるようクレーン車を玄関の東側からバックで入れさせてくれと頼んだ。しかし認めてもらえず、やむなく西側からの進入となった。しかも山荘前の道路に延びる電線が作業の邪魔になるのであらかじめ切っておいてくれと頼んだが、これも実施されていなかった。そのためモンケンを横殴りではなく、数本のロープで吊るし、一度手前に引きつけて、振り子のように山荘にぶつけるという高度の技術が必要となった。

　警察は、初め自前で操作しようと、ある建設会社から大鉄球だけを借りて隊員に練習させたのだが、うまくいかない。そこで専門家である白田兄弟に頼むことにしたが、民間人のままではまずいと思ったのか、白田たちはその時だけ警官用のジャンパーを着せられた。社長は愉快そうに語る。

「裏に赤いビロードがついた立派なものだった。階級によってジャンパーが違うらしく周囲の警官がみんな直立不動で私に敬礼するのでいい気分だった。記念にくれと頼んだが駄目だった」

クレーン車本体が大変な重量で、山荘のベランダでも踏み抜いたりすれば斜面を転落してしまう。そのため慎重に前進する。山荘前で道路が西から東へ大きくカーブしている上、運転席には小さな覗き窓しかない。しかもモンケンを吊るしたアームを電線に引っかけないようにするのに時間がかかる。わずかな距離を十分もかけて移動した。

しかし、さすがにベテランの仕事だ。衝撃があっても下に落ちないよう、タイヤ半分がベランダにかかるぎりぎり一杯まで出て、作業しやすい所に停めた。

十時四十七分、大鉄球の第一打が打ちつけられた。グシャという音とともに玄関右上に直径一メートルほどの穴が開く。ドカン、という大きな音を想像していた久能には意外な感じに聞こえたが、それだけ三階部分の構造がもろかったのだろう。

犯人たちは、今度は鉄球を吊り下げているワイヤーを狙って撃ってきたが、ピアノ線のような鋼製のワイヤーそのものが動いているのだから当たるはずがない。続いて第二打、第三打が玄関の周りに打ちつけられ、そのたびに玄関付近の破壊は進み、三階から二階へ降りる階段部分が大きく壊れた。三階と二階を分断し、犯人たちが行き来できなくするのが第一目標であった。

はっきり見分けることは無理だが、久能の位置からも玄関内にバリケードとして積み上げられた箱状のものが見えてきた。開けられた穴に向かって、今度は猛烈な勢いで放水が行われるが、バリケードはクギで留めてあるのか、ビクともしない。

この時の山荘内の様子はどうだったのか。坂口弘の本を見てみよう。

「壁にモンケンがぶつかる度に床が大きく傾《かし》いで、立っていられない。この時ようやく、警察は、強行突入してわれわれを逮捕する気でいることを悟った。

玄関横の壁は、わずか五分で破られた。間髪を入れず、穴めがけて放水が行われた。

放水中もモンケンを使った破壊作業は続行された。玄関横の壁はほとんど壊された。

放水の水は、容赦なくベッドルームに侵入して来た。くるぶしから脛へとみるみるうちに嵩を増した。足元で鍋、箱、花瓶などが、ぷかぷか浮かび始めた。山腹の山荘で何とも奇妙な光景であった。

十一時六分、モンケンは壁から屋根の破壊作業に移った。これがまた凄まじく、落下する度にバリッ、バリッという音がして、数分のうちに青空が覗くようになった。破壊口の向こうにモンケンが姿を見せた。直径五十センチ程の鉄玉だった。
威力の割には小さいな、と思った」（坂口弘著『あさま山荘　一九七二』）
外から見ていた以上にモンケンは山荘内の彼らに衝撃を与えていた。

◆突入開始

〈各隊は隊長の判断で突入せよ〉
午前十一時十分、突入命令が出た。警視庁二機、九機、長野県機の突入部隊百二十五人が一斉に行動を開始した。もっとも早く突入したのは山荘一階の制圧を命ぜられた大久保伊勢男隊長、長田幹雄中隊長指揮する九機である。
久能「今、一階に機動隊が入った模様ですが、下から山荘を見上げている芦沢さん、そちらから見てどうですか」
芦沢「はい。一階の窓から旗が振られています。突入に成功したようです。今、雨戸が一階から下の崖に落とされました。一階は制圧されました」
久能「どういう経路で入ったのか見ていて判りましたか」
芦沢「はっきりしたことは判りません。ただ、私の位置からも五、六人が縁の下に入るのが見えたのですが、その後、光が見えました。何の光だろうと思っている間にもう部屋に隊員の姿が見えました。コンクリートに穴を開けてもぐり込んだのかもしれませんが、確認はとれません」

久能「今日の作戦にはドリルも用意されていますので、その方法も考えられますね」

芦沢「アッ、一階の左側の部屋も雨戸が開け放たれました。一階は三部屋とも機動隊が占拠したようです。どうやら一階には誰もいないようです」

久能「犯人も下から攻めてくるとは思わず全員が上の階の守りについているのではないでしょうか」

芦沢「こうなると三階か二階にかたまっている可能性が高まってきました」

芦沢アナは双眼鏡をのぞきながら、久能との掛け合いの中で一階制圧の模様を伝えたが、九機の小隊長仲田康喜は振り返って語る。

「一階部分を担当することが決まってから九機の突入隊員は同じような傾斜の所で、雪の斜面を走って登る訓練を何回も繰り返した。事件発生当初は一階からも撃ってきていたので、山荘に取り付くまでの間に上から撃たれる場合を想定して大楯の使い方も訓練した。

また山荘の図面をもらってどの部屋から突入するかも研究した。その結果、壁を壊して押入れにまず入り、そこから部屋に飛び込むことにした。幸い斜面を上がる際、上から撃ってこなかったので比較的簡単に山荘の一階通用口に入ることができた。

壁は予想以上に強固だったが、カッターやハンマー、掛け矢などで人一人がやっと入れる穴が開いたので、そこから次々と押入れの中に入った。そして襖を開けると同時に、あらかじめ石ころを包んでいた風呂敷包みを投げ、次いで他の隊員が部屋の中を明るくする現示弾を投げた。現示弾というのは一種の照明弾だが、明るいのは一瞬でふたたび闇に戻った。しかし一発も撃ってこなかったので思い切って襖をいっぱいに開け、一斉に部屋の中になだれ込んだ。

私が真っすぐに窓辺に行き、雨戸を開けると、さっと光が差し込んだが、犯人は見当たらなかった。ただちに隣の部屋も押入れもすべて検索したが、誰もいなかったので、私の後に続いていた中隊長付き伝令の宮崎隊員に制圧したことを示す中隊旗を窓から振らせた。

通用口から廊下には畳などでバリケードが築かれ、たくさんの薬莢が落ちていたが誰もいなかったことにホッとする反面、少し拍子抜けの感じさえした」

◆特科車両隊中隊長被弾

芦沢アナが一瞬見た光は、この時投げられた現示弾だった。

九機の一階制圧は十一時三十分と記録されているが、その直前の二十七分、正面玄関前で惨劇が起きていた。指揮官の一人が狙撃されたのだ。

久能の位置からは土嚢の陰になってその瞬間は見えなかったが、撃たれた指揮官はのけぞるように後ろに倒れたという。ちょうどヘリコプターで上空を旋回していた佐藤カメラマンも、玄関前で右往左往する隊員の動きから何か起きたらしいとは思ったが、高度があり過ぎて確認できなかった。

やがて久能の目の下を大楯に乗せられた隊員が運ばれてきた。指揮官を示す白線の入ったヘルメットをかぶっている。あるいは瞬間的に弾を避けようとしたのであろうか、右手は顔を隠すようにしたままだが、その顔は真っ赤に染まっている。大楯からはみ出すほどの大柄な身体で、左手はだらりと垂れ、両足も大の字に開いたままピクリとも動かなかった。

「中隊長、しっかり！」

「しっかりしてください！」

大楯に結びつけたザイルを引っ張る隊員たちの声がきれぎれに聞こえてくる。土嚢の陰で見送る隊員の中には泣いているのであろうか、目頭をこする姿も見える。六、七人で引く大楯はあっという間に久能の視界から消えた。そこにはこうした事態に備えて日赤の医師と看護婦が待機していたが、ひと目で重傷と判ったため、ただちに救急車で病院に向かった。

久能はすぐに軽井沢署にいる浅見アナに呼びかけた。

久能「そちらに負傷した隊員の情報は入っていませんか」

浅見「今ちょうどそのことだと思いますが、警察の発表が行われますのでそのままお

被弾しタンカで運び出される特科隊中隊長高見繁光、殉職（2月28日、提供／読売新聞社）

聞きください」

菊岡広報〈十一時三十七分発表。負傷したのは警視庁特科車両隊の中隊長高見繁光警部です。高見警部は上田の小林脳外科に収容する予定です。まだ収容されたという連絡は入っておりません。また、けがの程度も現在のところは判りません〉

浅見「小林脳外科は先日、玄関先で銃撃を受けた民間人が入院しているところだということです」

高見が撃たれた瞬間を、二メートルの至近距離から目撃したのは二機第四中隊長の上原勉だ。

特科隊隊長の小林茂之がモンケンを操作するクレーン車に乗ったため、高見は放水を任されていた。放水は山荘の前の道路に配置した放水車の屋根に取り付けた放水筒で行われていたが、水圧が高いためにどうしても筒先が上を向いてしまう。高見は、土嚢の陰から放水車の方を向きながら、

「筒先を下げろ」「もっと銃眼の方を狙え」と指揮棒で目標をさし示しながら指揮していたのだが、頭がわずかに土嚢から出てしまった。その時、

「ドーン」という音とともに高見が仰向けに倒れた。あっという間に白い雪が真っ赤に染まっていく。ピクッとも動かない。助け出そうにも、大柄な上に重い防弾チョッキ、鉄のヘルメットを着けており、一人や二人で運び出せるものではなかった。担架もない。急遽、大楯に乗せて後方に運び出した。

高見が指揮していた場所はもともとあった銃眼からは死角になっていて、狙われる恐れはなかったのだが、皮肉にもモンケンの破壊でできた新しい穴が格好の銃眼となり、撃たれてしまったのだ。

目の前で高見が撃たれただけに上原も心穏やかではなかったが、ひるんではいられない。上原は三階の管理人室に突入した先遣隊員たちが大楯で銃撃を防ぎながらバリケードを撤去して作った厨房の入口から中に入ることに成功した。

ところが厨房の中は真っ暗で視界はゼロ。しかもガス弾で息もできない。幸い厨房にはバリケードがなかったので、光を入れることが先決だと、上原は隊員と一緒に厨房の

雨戸を蹴落とした。

その途端、上原は一瞬、血の気が引いた。すぐ向かいの芳賀山荘から三人の長野県機の隊員が拳銃をこちらに向けてまさに引き金を引かんばかりの体勢に入っている。彼らは厨房から犯人が逃げた場合に備えていたのだ。上原たちはガス除けのため覆面をしており、犯人か警官か区別がすぐにはつかなかったのだろう。上原は夢中で叫んでいた。

「しっかりしろ！　俺たちだぞ！」

彼らはハッと気がついて拳銃を下ろした。


久能「今、玄関脇から一人隊員が中に入りました。壊れた部分からついに隊員が三階にも入りました。続いてもう一人。次々に機動隊のヘルメットが動いています。警察側ではチャンスがあれば、どこからでも、またできるだけの人数を中に送り込むと語っておりましたが、すでに十人ほどの隊員が中に入りました。しかし中では犯人たちが激しく発砲しているものと思われ、ここから見る限り隊員たちもそれほど中まで踏み込んだ様子はありません。

すでに屋根は大きくはがれ、屋根裏が見えてきましたが、犯人の姿はまったく見えません。肝心の泰子さんの姿も確認されておりません。

放水のために屋根の雪がすっかり溶けて、キラキラと輝いていますが、芦沢さん、そちらから見て、他の階に変化はありませんか」

芦沢「今のところ、二階、三階に変化はありません。ただ未確認ですが、爆弾らしい音がしたという情報が入っています」

久能「えっ、爆弾ですか。倉持さんの方にはその情報入っていますか」

倉持「はい、倉持ですが、入っていません。私は山荘の東側、前線本部を見下ろす所にいるのですが、ここにいる救急隊が、今、救急車の中から担架を四つ運び出してきました。救急隊の周囲は報道陣でいっぱいです」

久能「誰かそちらにもケガ人が出たんですか」

倉持「いいえ、負傷者の姿はまったく見えないのですが、担架だけが四つ並べられています」

久能「未確認とはいえ、爆弾という情報もありますし、気掛かりな動きではあります。今、先程のケガをした隊員は散弾銃によるものらしいという情報が入りました。また警察側から第二地点と第三地点では爆弾に対する注意を促してきました。第二地点とは玄関の左側、つまり私の立っている側。第三地点はベランダ側の斜面を下った左手です。とくに第三地点には二階あるいは三階の戸を開けて、そこから爆弾を投げ落とされる危険性がまだあるということです。爆弾は、この事件の発端となったさつき山荘でもすでに発見されており、中で持っている可能性は充分考えられます」

芦沢「あっ、今、三階の右の窓から旗が振られています。雨戸が完全に破られました」

久能「三階ですね」

芦沢「はい、これで三階にある厨房も機動隊が占拠したことになります。続いて今度は北側の窓が開け放たれ、二機の黄色い旗が振られています。最初に芳賀山荘側の雨戸が、続いて北側の雨戸が開けられました。

それから、今、こちらにまた一人負傷者が出たという情報が入りました」

芦沢アナからの情報とほとんど同時に、久能の目の下をその負傷者がまた大楯に乗せられて後方に運ばれて行った。

二機の突入部隊の中隊長付き伝令、大津高幸巡査であった。

伝令は本部や隊長からの命令を中隊長に伝える役なので常に中隊長のそばについていなければいけないのだが、大津は高見の救出を手伝っていたため、三階に突入した部隊に遅れをとってはいけないと土嚢を乗り越えて後を追おうとして撃たれたのだ。大津は猟銃の散弾で左眼球および左側頭部貫通銃創の重傷であった。

◆二階制圧

二人目の負傷者が出てしまったが、作戦行動はそのまま継続された。

ちょうどそのころ、二階の制圧に向かっていた長野県警機動隊が突破口を開いた。

一階は縁の下という隊員たちの身を隠す場所があったが、二階は固いコンクリート壁ばかりであった。取っ掛かりになるような窓もなく、常に三階部分の銃眼に身を晒すきわめて危険な場所である。そのため、当初は三階の管理人室と厨房を制圧して、上から狙われる危険がなくなってから突入を図ることにしていたが、三階への突入が思うように進まないため危険を承知で行動に移ったのである。

突破口を切り開く任務を負ったのが破壊工作班で、班長は箱山好猷である。

「人質も犯人も二階にいる可能性が高いと言われていたので、朝、水盃を交わして現場に向かった。隣の芳賀山荘との間の狭い石段を降りて二階に取っ掛かることにしたが、銃眼からの狙撃をどうやって防ぐかが最初に問題になった。そこでいろいろ考えた末、丸太の先端を削って銃眼に突っ込み、穴をふさいでしまった。

そうしておいてから壁の破壊に取りかかった。あらかじめ浅間山荘を手掛けた建設会社の現場監督から聞いていたので、鉄柱が二〇センチから二五センチ間隔で入っていることは判っていた。そこで鉄のハンマーでコンクリートを壊し、出てきた鉄柱はカッターで切って穴を開けた。

すでに九機が一階を制圧したことは知っていたので、そのまま中から九機に二階まで制圧されては、長野県警の名誉はどうなるかと、正直言って気が気ではなかった。しかし、壁は予想以上に固く、ガス弾を撃ち込みながら作業を続け、十一時四十分ごろにやっと人一人入れるほどに穴が拡がった」

破壊工作班の開けた穴から突入した隊員の一人に永原尚哉がいた。和美峠での夜間の検問で稜線に点滅する光を目撃したあの永原である。

「穴が開いた時点で、中から撃たれては大変だというので、まず模擬爆弾を投げ込もうとした。爆弾といっても殺傷力はなく、県警が訓練の時に使う花火玉だ。打ち上げ花火の玉の部分にわずかの火薬とあとは大豆がしっかり詰められている。

点火して六秒ぐらいで爆発するが、穴から中に入れようとしたら、まだ穴が小さくて入らない。もう火はついているし、仕方がないので下の崖の方へ投げた。それが爆弾を投げられたという騒ぎになってしまった。やっと人が入れるぐらいに大きくなったと思ったら、今度は撃ち込んでいたガス弾のガスが穴から猛烈な勢いで噴き出してきた。中に飛び込んだ時には、かなりガスに馴れてきていたとはいえ、涙や鼻汁がどんどん出て、とても目を開けていられる状態ではなかった。中は月明かりよりは少し暗い程度だっただろうか。

気持を奮い立たせて手探りで風呂場の方へ突進した。そして楯でガラスを叩き割って中に入ったが誰もいなかった。そのころには突入する時の恐怖心は消え、夢中で隣の洗濯室にも踏み込んだが、そこも空だったので次々と雨戸を外して崖下に落とした」

芦沢アナが、爆弾が投げられたらしいと伝えてきたのは、時間的にみても、軽井沢署に何一つ情報が入っていないことからみても、どうやら永原が投げ捨てた模擬爆弾だった可能性が高い。また用意された四台の担架は二階での激しい攻防を予想してのものだったらしい。

芦沢「一階部分では、依然として中を検索する数人の隊員の姿が見られます。これまでの大量の放水で下の階にはかなりの水が溜まっているのではないかと思ったのですが、見た限りではそういうことはなさそうです。というのも、一階から下に水が流れ落ちるとか、機動隊員がびしょ濡れになっているといった風には見えないからです」

久能「この建物はコンクリートでしっかり築かれていますので、放水された水がどこへいったのか不思議ですが、二階はどんな様子ですか」

芦沢「先程、浴室の左側の雨戸も二枚開けられ、崖下に落とされました。双眼鏡で見ながらお伝えしているのですが、そこは前々から隙間があり、時々、外の様子を窺う犯人の姿が見られた所で、フランス人形らしいかわいい人形が置いてありました」

久能「泰子さんは二階にいるのではと言われていましたが、そのような様子はありませんか」

芦沢「二、三人の機動隊員の姿が見えるだけで、泰子さんが見つかって喜ぶ表情とか救出の慌ただしさなどは見られません」

久能「しかし、これで一階から三階まで機動隊員が入ったことになりますね」

芦沢「一、二階は完全制圧、三階は西側の部屋だけですが、曲がりなりにも一階から三階まで通ったことになります」

◆二機隊長被弾

二機隊長内田尚孝は、一、二階の制圧を知って多少焦りの気持もあったのだろうか、もう少しベッドルーム寄りの所を壊してくれ」

「犯人の居場所はもう三階しかなくなったので、もう少しベッドルーム寄りの所を壊してくれ」

とややいらだった口調で無線連絡すると玄関東側の土嚢の方へ移動した。

そこでは宇田川信一が神田のカメラ店で借りてきた潜望鏡を覗いていた。それを見た内田が宇田川に声を掛けてきた。

「宇田川さん、いいものを持ってきましたね。これなら撃たれないや」

顔を出さずに周囲の様子が見える潜望鏡に内田も興味をそそられたらしく、自分でもしきりに覗いていた。年齢は内田が上だったが、警視庁の剣道仲間で同じ六段とあって気心の知れた宇田川は、

「あんたね、これ使うべきだよ。これで指揮を執らなきゃ。そしたら絶対に撃たれないから」と、その潜望鏡を使うことを盛んに勧めた。しかし、内田は、

「隊員に進めと言っておきながら、俺が安全な場所で潜望鏡を覗いていたのでは部隊指揮はできない」

とその申し出をきっぱりと断った。

宇田川には、内田についてもう一つ、気になることがある。内田がジャンパーの袖を

まくって指揮を執っていることだ。ジャンパーは、表は黒だが、裏地が赤だ。腕まくりすると白い雪の中でその赤がひと際目立ってしまう。宇田川が、

「隊長、それだけはやめた方がいいよ。狙われるよ」と言うと、

「宇田川さん、忠告はありがたいが、これはやめられない」という答えだ。

「隊員に隊長がどこにいるか、常に判るようにしておかなければならない。全員が黒い服を着ているのだから、後ろから見たら判らない。帽子には白い線が三本入っているが、他にも三本線の人はいる。指揮棒を持っていてもそれだけでは駄目だ。隊員のためにも目立つ色は必要なんだ。これで私は狙われるかもしれないが、それでも満足だ。絶対にやめない」と言う。内田の言葉には隊長としての気概と責任感が溢れており、宇田川も頷くしかない。


内田は「大津は大丈夫かな」と負傷して病院に運ばれたばかりの部下の大津を心配している。


それから十分ほど、二人はそのままの位置で玄関先の二機の動きを見守っていた。内田のいるちょうどその前にモンケンの操作を続けているクレーン車の運転席が位置していた。警備会議ですでに何回も顔を合わせていた社長が、

「隊長、狙われているから気をつけて」と声をかける。

「やあ、ありがとう」と内田は答えて、また前方を見つめている。


それから数分後、一瞬静かになった。十一時五十四分、内田と宇田川がそっと土嚢か

（左）二階を制圧し、窓から隊旗を振る長野県機（2月28日、提供／北原薫明）
（下）突入前の指示を与える二機隊長内田尚孝。四時間後に被弾、殉職（2月28日、提供／読売新聞社）

ら顔を覗かせた瞬間、一発の銃声が響いた。宇田川はパッと顔を引っ込める。隣にいた内田は、

「ウワッ」と声を上げてしゃがみこむ。

しかし、それはしゃがんだのではなく、顔面を撃ち抜かれて身体が崩れ落ちたのだ。宇田川が見ると額のあたりから、ピュッピュッと血が噴き出している。内田は一生懸命、自分で首に巻いたマフラーをはずそうとしている。急いで取ってやると、しきりに宇田川に話しかけようとする。が、言葉にならない。そのうちにヘルメットの中に血が溜まり始める。

「担架、大急ぎだ！」宇田川は、叫びながら内田のヘルメットを取りはずし、止血のために自分のマフラーを内田の頭にぐるぐる巻きつけた。

一瞬の出来事であった。近くにいた佐々も駆けつけ、「しっかりしろ」と声をかけながら沈痛な表情で担架の内田を見送った。内田はそのまま本部車の隣に停めてあった大型救急車の救護所に運び込まれた。そこで最初に内田を診たのは軽井沢病院の医師、前田弘である。前田の専門は産婦人科だが、内科も外科もやる。現場で負傷者をどの病院に搬送するかを判断する医師を派遣してほしいという軽井沢病院への要請でこの日の朝七時、迎えにきた警察の車で現地入りしていた。

前田が診ると、内田はいびきをかいており、意識がまったくない。ひと目みて、もう駄目かもしれないと前田は思った。

「顔が血だらけだったので全部拭きとった。しかし、頭を撃たれているはずなのに弾の入った跡が見つからない。そこで左の眉毛の所に残っていた血をもう一度丁寧に拭いたら、ポコッとへこんだ。ちょっと押してみると指がズボッと入ってしまった。眉毛に隠れて見えなかったが、そこから弾が撃ち込まれていた」

前田の指示で、内田はただちに小林脳外科に搬送された。左前額部盲貫銃創である。軽井沢病院にも外科の専門医、原久弥が待機していたが、内田は頭部を撃たれ、しかも重篤である。前田は、事前に決められていた通り、直接小林脳外科に搬送することにしたのである。

この日の救出行動に際して、ベッドは軽井沢病院の十床をはじめ、近隣の八病院に七十八床が用意されたが、警察側が革新色の病院を敬遠したため、予想外に調整に手間取ったという。

◆相次ぐ被弾者

内田が救急車で病院に向かってすぐ、また現場無線が至急報を伝えた。

「至急、至急！　現場1から統括！」

「現場1、どうぞ」

「二機四中隊長上原勉警部、散弾銃で顔を撃たれた。隊員に抱えられ、後方に脱出中。なお二機四中、管理人室と厨房を確保したが、犯人の抵抗激しく膠着《こうちゃく》状態。以上、どうぞ」

十一時五十六分、今度は、占拠した厨房の中で指揮をとっていた中隊長上原勉が談話室の方向から至近弾で顔面を撃たれ、頭部および顔面盲貫銃創の重傷を負った。上原は二枚重ねの大楯の小さな覗き窓から内部の様子を探っていたが、二枚重ねといっても二枚の大楯を針金で結わえただけであり、いつの間にか二枚がずれてしまった。急に覗き窓が見えなくなったため、前を見ようとちょっと頭を楯から出した瞬間を狙われたのだ。

上原は、その瞬間を野球のバットで顔をバチッと殴られたような衝撃だったと言うが、それでも銃弾に当たったという実感はまったくなかった。傍らにいた伝令の猪川慶次郎に、

「中隊長、顔から血が出ています」と言われて下を向いた途端、血が噴き出した。散弾粒六発を両眼の縁に浴びたのだが、散弾の本体は上原の顔から三〇センチほどの所を抜け、その先に置いてあったジュラルミンの盆を貫通していた。この本体が当たっていたら即死だったことは間違いない。この時のけがが治った後も、上原の視力は〇・五ぐらいに衰えたままだという。

わずか三十分の間に四人の負傷者が出た。いずれも玄関周辺で撃たれている。このことからも三階に立てこもる犯人たちの抵抗の凄まじさが判る。

この時の山荘内部の様子を坂口は、次のように記している。

「ラジオが、

『警視が撃たれました。重体です』と放送した。

すると牟田夫人がベッドから身を乗り出して、

『銃を発砲しないで下さい。人を殺したりしないで下さい。私を盾にしてでも外に出て行って下さい』と叫んだ。必死の叫びであった。

私は、胸をグサリと突き刺された気がした。しかし、すぐ元に戻って、

『出られない』と答えた。そして、洗面所側と屋根裏のメンバーに向かって、それぞれ、

『おーい、上の方をやったぞ』と伝えた」　（坂口弘著『あさま山荘　一九七二』）

上の方とは、もちろん二機隊長内田尚孝のことである。

そのころ東京ではどのデパートも開店と同時に電気製品売り場のテレビの前が黒山の人だかりになっていた。軽井沢駅では駅員が到着した列車の乗客からその後の経過を尋ねられる有り様

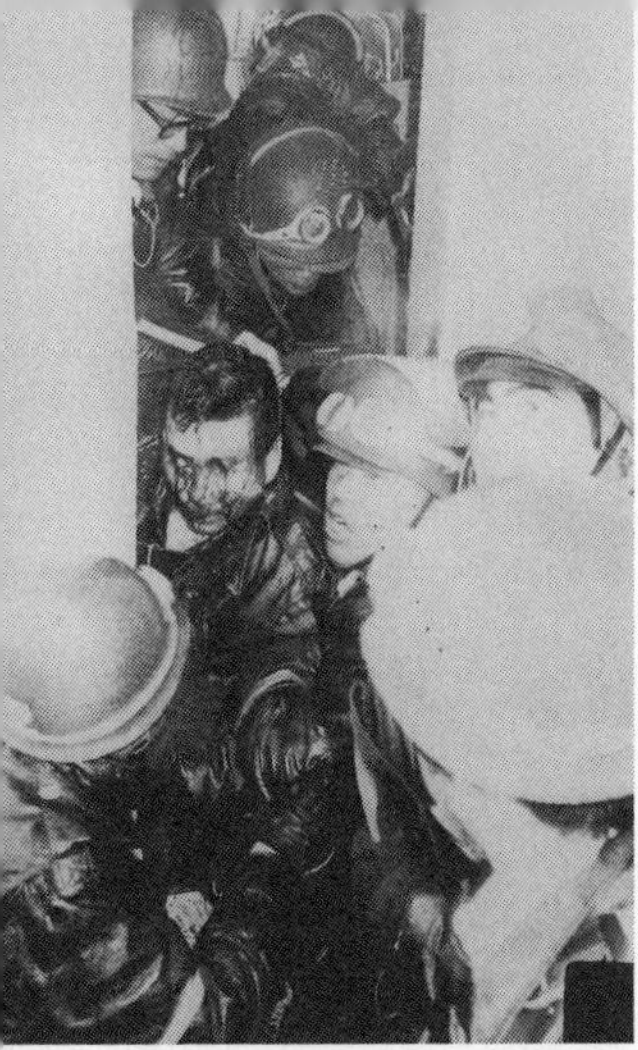

山荘内で被弾し救出された二機中隊長上原勉（2月28日、提供／上原勉）

であった。国会では委員会から委員会へと移動する佐藤栄作首相が記者団に「どうなったかね」と尋ねるなど、全国の耳目は軽井沢に向けられていた。

◆水をくれ

久能「今、鉄球が、先程から銃口が覗いていた庇の下の換気口を狙っているようです」

芦沢「久能さん、今、一階で銃撃でもあったのか、火花が散りました。すでに制圧された所なので、ちょっと判断しかねるのですが、かなり激しい光です。一階の、ちょうど浴室の下の部屋。一番最初に警察が制圧した場所です」

久能「すでに十分、室内は検索し尽くされているはずですが、どこかから隠れていた犯人が逃げ込んででもきたのでしょうか」

芦沢「考えにくいのですが、もし、そうだとすると、この高い崖の方へ飛び降りてくるかもしれません。しかし、それにしては、その辺の機動隊員の動きが落ち着いています。いや、ちょっと待ってください。どうやら、先程の光は鑑識課員のフラッシュだったようです」

久能「それなら判ります。今、正面玄関の所から一斉に放水が始まりました。何回も銃口が覗いていた所です。その屋根裏に鉄球で大きな穴が開き、そこへ向けて二つの方向から激しい放水が続いています。今のところ、犯人が潜んでいる可能性のもっとも高い所です。

水は、この十日間、寒い軽井沢にあって警察が一番頭を悩ませた点ですが、今日は強行救出に当たって十二分に用意されています。

鉄球が、また一部壊れた換気口のあたりに向けられています」

倉持「正面玄関左側ですが、銃を構えていた数人の隊員が、今、一斉に銃を降ろしました。かなり長期戦になりそうです。それから雨戸は、先程一枚だけちょっと開いてすぐ閉まってしまい、今は二枚とも閉まったままです。

今、鉄球が屋根の中央部分をぶち抜きました。大きな穴が開きましたが、中は真っ暗で人影はまったく見えません」

久能「そちら側の窓が開いてまた閉まったということは、犯人がそこにいることになりますね」

倉持「一度開いたのですから、そこに人がいることは間違いありません。そのため機動隊員が崖の上と下から二面作戦で攻め立てようとしているようです」

この雨戸の開閉について坂口は著書の中で、メンバーの一人が爆弾の火種を作ろうとして新聞紙や段ボールを燃やしたところ炎が天井近くまで達した。慌てて消し止めベッド下東側(倉持アナ側)の小窓を開けて煙を出した、と記述している。雨戸と小窓の違いはあるものの時間的には倉持アナの報告と一致する。

芦沢「今、警察から入った情報によると、犯人はやはり屋根裏に逃げ込んだことが確認されたようです」

久能「現在までに一階と二階、それに三階も一部が制圧されていますので、考えられるのは、今、放水が行われている屋根裏と倉持アナウンサーから報告のあった雨戸がピタリと閉ざされている建物の右側の二部屋だけになりました」

芦沢「先程撃たれた第二機動隊長内田尚孝さんが危篤だということです」

久能「私の目の前で、つい先程まで白い指揮棒を持って指揮を執っていた姿が目に焼きついているだけに、なんとも胸の痛む思いが致します」

倉持「雨戸はまだ閉まったままですが、機動隊員が銃を構え直しました。ジュラルミンの楯を前にして銃を構えています。

　崖の下の方では白いヘルメット姿の隊員が数名、二階の雨戸を見つめていますが、あまり激しい動きではありません」

久能「今、未確認ですが、三階にある談話室の所にバリケードが築かれているということです。しかし、そこに犯人が立てこもって抵抗しているかどうか、まだ確認はとれていません」

芦沢「こちらには談話室で犯人一人を確認したという情報が入りました。バリケードの中に一人いるということです」

倉持「玄関の右側ですが、鉄球がかなり下の方まで下がりました。今、芦沢さんの言ったあたりをぶち抜くのではないかと思います。その下は崖になっていて、ここからははっきり見えませんが、真っ白い壁になっています」

久能「鉄球に打ち抜かれた屋根の庇の下の壁はほとんどそがれたように落ちています。しかし玄関脇の土嚢の陰では、今までと違った隊員たちのややほっとした表情が見られますので、あるいはそのあたりに向けられていた銃眼がすべて破壊されたのかもしれません」

芦沢「バルコニー側にいる私のそばを、今、消防車が走って行きましたが、そちらで火災でも起きたのですか」

久能「いえ、何も起きていません。ただ、中で爆弾を持っている可能性が非常に高く、最後のあがきを見せる犯人たちがどのような手段に訴えるか判らないために火災などに備えているのかもしれません」

久能はこう推測して伝えたが、実はそうではなかった。

それより二十分ほど前、軽井沢署の警備本部にいる吉江利彦署長のもとに現場から「水をくれ」という無線連絡が入った。飲み水が不足したのかと思ってありったけの水筒に水を入れて現場に送ったのだが、飲み水ではなくて、放水用の水だという。昼ごろまでと予想して用意してあった水も、解決の目途《めど》が立たなくなって放水に支障が出そうになったのである。

現場からの要求をこなすのも署長の仕事だ。近隣の消防署に連絡すると、相手はテレビで現場の状況を見ているので飲み込みは早い。十数分後には小諸、佐久などから十台を超す消防車が現場に到着した。そしてすべての消防車のホースを継ぎ合わせ、山荘下の「ひょうたん池」から簡易水槽まで水を送った。池から水槽までの距離は直線にして四〇〇メートル、標高差は一二〇メートルもあった。

芦沢アナが見たのはその消防車だった。

◆高見警部殉職

倉持「鉄球がふたたび動き始めました。かなり大きな穴が開き、この位置からも部屋の内部がわずかですが見えます。なんだかはっきり分かりませんが、ブルーの板状のものが見えています。もう一発いきます。ドスンという大きな音がして、さらにはっきりしてきましたが、何だろう」

久能「そのブルーのものは動くのですか」

倉持「動きません。鉄球がもう一回叩けば少しはっきりするのではないかと思います。部屋の中は真っ暗です。鉄球がまた反動をつけています。あっ、今ブルーの板状のものが少し動きました。しかし、まだ何だか判りません」

モンケンを操作した白田五郎は、前の晩、警察側から山荘の正面を描いたワラ半紙を渡された。そこには壊す順番が記入されており、くれぐれも中にいる人を傷つけないようにして壊してくれ、という注文をつけられていた。
クレーン車の運転席に白田社長と無線機を持った隊員が一人、モンケンの操縦席に五郎のほかすぐ後ろにやはり無線機を持った隊員と小林茂之特科隊長が乗り、小林が破壊個所を指示した。本来、モンケンは一人で座って操作する。したがって他の人が入るスペースはない。そこへ二人の警官が入ったのだから作業は非常にやりづらかったが、熟練の技で指示された個所を的確に破壊していった。

久能「警察の方には何か新しい情報はありませんか」
菊岡広報〈発表します。先程の大津巡査は軽井沢病院に〇時十一分収容されました〉
浅見「今、お聞きのような発表がありましたが、先程、談話室で確認された一名の犯人は猟銃を持っているということです。もしこちらが進入すると屋根裏から狙撃される恐れがあるので現在動きがとれないということです。鉄球で壊れた屋根裏にも一名いて、やはり銃を持っているそうです」
久能「倉持さん、今の情報で屋根裏に一人いるようですが、銃口は倉持さんの方向になると思いますので充分気をつけてください」
倉持「はい、判りました」
久能「中に踏み込んだ隊員たちが持っているのはピストルだけですが、それを警察側から発砲したという情報はありません。したがって楯だけを持ってほとんど丸腰の状態で踏み込んでいるわけですが、犯人はまだ逮捕には至っておりません」

倉持「右側の壁に大きな穴が開き、今度は白いものが見えています。人ではないでしょう」

久能「こちらからもちょっとだけ見えますが動きません。さっきブルーのものが見えるといいました」

倉持「連中の築いたバリケードでしょう。その右側に白いものが見えています。下の方は赤色が、それもまだそのままです。何か判りません」

久能「こちらから、開けられたばかりの穴に向かって一斉放水が始まりました」

倉持「すごい勢いで水が入っていきます。壁が崩れかけています」

久能「今日は、今までと違って水圧を上げておりますが、鉄球による破壊と放水が交互に行われています。

今、最初に負傷して私の前を通過した高見警部が死亡したという情報が入りました」

浅見「こちらにも、〇時二十六分上田市の小林脳外科病院で死亡、殉職の情報が入りました」

久能「ついに警察側に犠牲者が出てしまいました。また第二機動隊の内田隊長も依然として危篤状態が続いています」

芦沢「高見警部の殉職が全機動隊員に伝えられたため、大変暗く沈んだムードに包ま

モンケンと放水で破壊された山荘玄関周辺（2月28日、提供／読売新聞社）

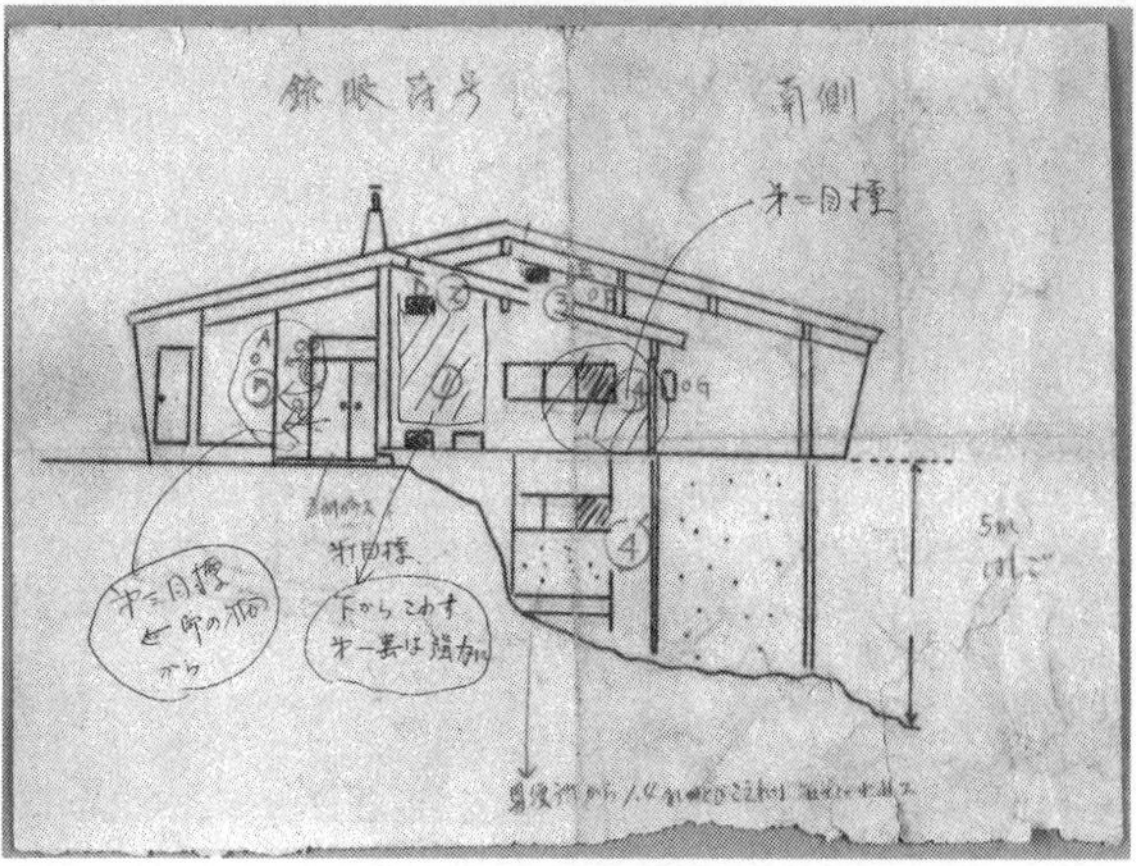

事前にモンケン操縦者に渡された破壊目標を指示した山荘南側の図。数字が破壊目標、アルファベットが銃眼の位置（2月28日、提供／白田五郎）

れている模様です」
久能「今日の作戦行動でかなりの怪我人が出るということは予想されていたし、警察側もある程度の覚悟はしていたとは思うのですが、やはり死者が出るということは……」
芦沢「とにかく犠牲者だけは出てほしくなかったですね。何とも悲しいことです」

この悲報に本部車の中は一瞬静まり返った。誰もが大きなショックを受けたが、日本テレビのカメラマン久保田竜雄もその一人だ。

久保田は事件発生以来、ほとんど毎日、NHK山荘周辺の取材を任されており、そこに特科隊のたまり場があったため、焚き火にあたったりしながら高見とも自然と口をきくようになった。二人とも同い年の四十二歳である。久保田は、高見を偲《しの》びながら語る。

「高見さんは目が大きく、顔はやや角張っていたが身体つきはすらっとしていた。バンカラなところがあり、部下たちから非常に信頼されているようだった。ひと言でいえば気さくでおもしろい人で『いいよなあ、お前たちは。こうやってても手当もらえるんだろう。俺たちなどは一晩中ここにいたって、千円ぐらいにしかならねえ』などと、軽口をたたき合ったりしていたので、死が信じられなかった」

高見の殉職がきっかけとなって、隊長や中隊長らの帽子の白線を取ることになった。内田の帽子には三本、高見のには二本半の白線が入っていたが、それだけで相手からも指揮官と判ってしまう。隊の統率を乱すために犯人たちが指揮官を狙ってくるだろうという点に迂闊《うかつ》にも充分な配慮がなかったのだ。相次いで指揮官が狙われ、ようやく気がついたのである。もともと白線はテープで貼ってあるだけだったから、それを剝がし帽子の後ろにリボンを着けることになった。

◆狙われた取材陣

倉持「鉄球でぶち抜かれた右側の穴がさらに大きくなりました。こちらで撮影している田口カメラマンに聞いたところ、見えている白や赤のものは布団のようだということです。布団がバリケードとして積み重ねてあるようです」

久能「今入った情報ですが、十二時三十八分、中に入っている機動隊に対して拳銃を使用して犯人を逮捕せよとの命令が下されました。お伝えしたように警官に死者が出たため、〈突入部隊は射撃角を考慮して拳銃を適正に使用して制圧検挙せよ〉との使用命令が出されました」

浅見「続いて、〈ガス、放水は屋根裏を狙え〉〈二機部隊はベッドルーム、食堂の中で移動する犯人を釘づけにするよう拳銃を使用せよ〉と次々と命令が出され、四十分に対象が一人決められました。散弾銃を持っているようです」

倉持「一分ほど前に、三階のベランダ側の部屋の雨戸が一枚落ちました。しかしその後の様子を見ていると鉄球の衝撃で自然に落ちたようです」

久能「十二時四十六分、今度はライフルの使用が許可されました」

倉持「すでにライフル隊は正面玄関前の山の上で銃を構えています」

久能「ついにライフルまで使用許可になりましたが、ライフルはかつてシージャック事件の時に使用したことがあり、犯人は射殺されております。

雑然とした屋根裏の様子がこちらからもかなり判るようになりましたが、倉持さんの方からはどうですか」

倉持「人の姿はまったく見えません。材木状の物がバラバラに置かれていますが、鉄球の勢いでそうなったようです。大変奥行きのある客室です」

久能「今度は腰に赤い紐をつけた隊員たちが玄関の方に進もうとしています。何のための紐かは判りませんが、レンジャー部隊かもしれません。

今、私の頭の上で小枝の折れるような音がしました。周囲の騒音で発射音は聞こえませんでしたが、明らかにこちらに向けて撃ってきたようです。私の周囲のカメラマンたちの動きが慌ただしくなってきました。少し浮足だっている感じです」

倉持「こちらでも弾が取材陣の頭の上を通り越していきました。全員寒いのでスキー帽をかぶっているのですが、赤いものをかぶっていた人が驚いて取ったところです」

「私は外の様子を見てみようと、先程修復した破壊口から布団などを除いて向こう側に出て見た。向こう側は、崩れた屋根裏の柱や鉄骨、ブロックの塊などで被われていた。

わずかな隙間を見つけ、そこから体をネジ曲げて道路方向を見た。目に映ったのは、道路上の向かって右側小高い山だった。山の斜面には黄、橙、青、赤といった色とりどりの防寒着やヤッケを纏《まと》った報道陣が大勢いた。その数は百〜二百名。或いはもっと多くいたかもしれない。山の稜線をはるかに下って、その先端は、山荘と目と鼻の間の距離ほどの近さに接近していた。その大半は、三脚にカメラを据え、望遠レンズで山荘を窺っているではないか。

私は、人が命懸けで闘っている時に何ということだ、とこれまでの報道に怒っていたこともあって、彼等に激しく腹を立てた。それで、彼等を背後の稜線後方に退かせる積もりで、斜面に向け拳銃を一発やみくもに発射した。
一、二分してから反応が現われ、三脚を畳んで大勢の報道関係者がぞろぞろと斜面を登って行った。
それを確認してから、今度は、左側斜面を見てみた。こちらは正面の山のでっぱりが左に張り出しているため、見通しがずっと悪かった。距離も遠く、人数も少なかった。それでも右側斜面同様、少なからぬ望遠レンズで山荘を窺っていた。

私は山荘の破壊口から身体をグッと左側にネジ曲げて左側斜面を見、そこで不安定な姿勢のまま拳銃を二発発射した。こちらの反応は鈍く、三、四分してからようやく背後の稜線に退いて行った」

（坂口弘著『あさま山荘 一九七二』）

坂口は著書の中でこう書いている。坂口にすれば、自分たちの考え方や理想がまったく理解されず、人質をとって山荘に立てこもった憎むべき凶悪犯という把らえ方でしかテレビ、ラジオが報道しないことにいらだちと怒りを禁じえなかったのであろう。

◆カメラマン被弾

坂口が最初に発砲した右斜面は久能たちが放送している場所だが、初めから威嚇目的だったために頭上の木に当たっただけなのだろう。しかし、左斜面に対しては無理な姿勢で撃ったことも影響したのか、威嚇では終わらずとんでもない結果を生むことになる。

取材中の信越放送カメラマン小林忠治に当たったのだ。十二時五十分ごろである。すぐそばにいた顔見知りのNHKの松川アナウンサーのマイクを通してカメラマン負傷の一報が全国に流れた。撃たれた時の様子を小林に聞いた。

——自分の方に向けられた銃身は見えたのか？

「ちょうど鉄球で壊れた窓から中が見えるというので三百ミリの望遠レンズで撮影していたが、撃たれた瞬間には暗い中から煙のようなものが上がったのは確認している。ただ自分の方に向けられた銃身までは記憶にない」

——木の陰に隠れて撮影していたのか？

「いつ撃たれてもおかしくないほど危険な場所だったので、少しでもけがをしないように鋼鉄の楯をカメラの前に立てていた」

——ということは身体のどこかが楯から出てしまったのか？

「カメラを構える時は、しゃがんで踏ん張るので身体の一部が楯からはみ出してしまったのだろう」

——どこをやられたのか？

「右足の関節の下を突き抜けた」

——貫通か？

「貫通だ」

——その瞬間はやられたという感じだったか？

「膝を鉄板で叩かれたような気がした。二発ぐらいきたような気がする。というのも、後で見たら楯の鉄板に銃弾の跡があり、鉄板がえぐられていたからだ」

——撃たれた瞬間に意識はなくなったか？

「いいえ、足が寒さでしびれて何も感じないような状態だった。そのため、撃たれた時は判らず、フィルムを交換しようとカメラを持って立ち上がろうとして、初めて自分が撃たれたことに気づいた。足がしびれてまったく動かないので手をやったらヌルッとする。おかしいと思って見ると血が手についていたので、もう一度触ってみたら指がズボッと入ってしまった。そこで初めて撃たれたんだと思った。

警官に抱き抱えられて病院に運ばれたが、フィルムの置いてある場所まで歩けたのだし、そんなに重いけがだとは思わなかった」

小林は撃たれた時の模様をこう語った。山荘下にいた日本テレビの芦沢アナも、「毛布にくるまれた小林カメラマンを乗せたパトカーが中継車の前で停止し、付き添っている信越放送の人が何か本社に連絡しているくらいなので、それほど重いけがではないと思う」とリポートしている。

病院での診断結果は、全治三か月の重傷であった。治療のために長期間固定していた小林の足は曲がらなくなり、苦しいリハビリを経て、ようやく職場に復帰した。ところが不運にも、一九九〇年（平成二）一月の豪雪取材中、小林が乗っていたヘリコプターが墜落、今度は脊椎粉砕骨折という重傷を負った。一か月半も意識不明の状態が続き、奇跡的に命はとりとめたもののその後、車椅子の生活を余儀なくされている。

◆モンケン停止

浅見「十二時五十四分、談話室から厨房に向けて発砲があるため、談話室に進入できないようです。今、また発表です」
菊岡広報〈十二時五十五分に上原警部、小林脳外科に収容されました。意識不明です〉
浅見「この時間になって、こちらではめっきり発表が少なくなっていますが、顔面に負傷した二機の上原警部も意識不明だそうです」
久能「機動隊は全員、防弾チョッキを着ているし、頭には硬いヘルメットをかぶっていますので、そこに当たってもそれほどのケガはしないと思いますが、顔を狙われるとどうしようもありませんね」
浅見「こちらで発表された四人はいずれも顔面です」
久能「正面玄関では鉄球がすっかり動きを止めてしまいました。しかし鉄球で壊された玄関は跡形もないほど崩れ落ちています。屋根も半分落ち、積もっていた雪もほとんど洗い流されてしまいました。鉄球による破壊計画はこれで全部終了したのでしょうか。上空はまた曇って、風が冷たくなってきました」

この時、久能の手元にクレーン車のエンジンに放水の水が入って動かなくなったらしいという警察情報が入ってきた。この警察情報について、後日の取材の際、クレーン車を運転した白田弘之社長とモンケンを操作した義弟の五郎は「いい加減にも程がある」と憤懣《ふんまん》やるかたない面持ちで次のような事情を明かしてくれた。

「クレーン車は雨の中で作業もするわけだから、水が入って故障してしまうような構造にはなっていない。確かにしぶきは浴びたが、放水の水が直接かかったことは一度もない。原因は水ではない。

もともと狭いモンケンの操縦席に他の人が入ること自体が無茶なのだが、指示をするからということで隊員が乗り込んだ。しかし居場所がなくて、バッテリーの上に立っていた隊員が何かのはずみでバッテリーのターミナルを蹴とばしたらしくて、コードがはずれてしまった。その時、小林隊長は作戦会議に出席するため、すでに車を離れており、操縦席には私とその隊員しかいなかった。

コードがはずれては鉄球は動かせない。もちろん隊員がどいてくれれば修理できるのだが、わずか数メートル先から銃で狙われており、隊員も動くことができなかった。それに鉄球で壊すという最初の目的はもうほとんど達成していたので修理をあきらめ、そこで作業を中止することにしただけだ。事件が解決した後には、クレーンを畳んでちゃんと帰ってきているのを見ても、運転席に異常などなかったことが判るだろう。警官がクレーン車をどけてくれ、というならいつでも移動できた」と言う。また、社長、五郎のいずれのところにも故障の原因を直接聞きにきた警察関係者は一人もいなかった。

なぜ、エンジンに水が入って動かなくなったという情報になったのだろう。五郎は、「水が入ったことにしておこう」という警察側の無線でのやりとりを今でもはっきりと覚えているという。どうやらこのあたりが誤報源らしい。浅間山荘事件のもっとも象徴的な場面で活躍したモンケンについての警察の記録には今でも、水が入ったため、と記されている。また、あの大鉄球を警察に貸し出した建設会社は、事件後に返却された大鉄球が現場で使われたと思い込み、記念の銘を入れて飾っていたという。

◆取材陣後退

久能「このまま日が暮れると、警察側にとってはきわめて不利になってきます。中では依然として犯人たちが激しい抵抗を続けていますが、泰子さんのご主人、郁男さんの様子を小早川アナウンサーが取材してきました」

小早川「郁男さんは隣のNHK山荘におります。山荘の中では家族や親戚十四、五人が集まってテレビを見ていますが、郁男さんだけは河合楽器の同僚八人と六畳の部屋でテレビを見ています。しかし、見ているといっても画面には目が行かず、ただ音声を聞いているだけだそうです。また、近いといっても郁男さんのいる部屋から現場を見ることはできません。

警官が撃たれて死亡したというニュースが入った時には顔面蒼白《そうはく》になったそうで、テレビの放送が始まってからひと言も話をしないということです」

久能「今朝の最後の呼びかけでも次第に涙声になっていたほどですから、とてもテレビを正視する気にはなれないのでしょう。

しかし、泰子さんは依然として判りません。現場はますます冷え込んできました。山荘にも外気が直接流れ込むようになったため、泰子さんの安否が心配です。表の動きはまったく止まってしまいました」

芦沢「ベランダ側も今は人影は見られません。先程まで床下にいた二人の機動隊員の姿も見えなくなりました。表からの攻撃に合わせて裏から進入する構えをみせていた稜線の林の中の機動隊員も全員引き上げてしまいました。どうやら正面からの攻撃に絞られたようです」

久能「今、二発、鋭い銃声がしました。私の前の木の幹でピシッと音がして取材陣が一斉に身を伏せています。私も今、しゃがみました。発砲してきた位置は、はっきりしませんが、玄関脇の屋根裏あたりかと思われます。ここもきわめて危険な状態になってきましたが、芦沢さん、そちらはどうですか」

芦沢「こちらの動きはまったくありません。そちらではその場所で伝えるのが無理になったということですか」

久能「大丈夫です。ただ当初、警察側も銃眼の方向からみて、こちらには弾がこないだろうとみていたのですが、玄関口が鉄球で破壊されたため、どこからでも撃てるようになり、危険になってきてしまったのです。今、中継カメラマンもカメラをそのままにして離れました」

大丈夫と答えたものの、実はその時、取材現場には後方に退がるよう警察から強い要請があった。信越放送の小林カメラマンが撃たれたことからこれ以上の負傷者を出さないための当然の要請だったが、久能は拒否した。

現在の位置からわずかでも後退すれば、浅間山荘の玄関付近がまったく見えなくなる。久能の所にはテレビモニターも置いてないので、現場が見えなくなれば実況もできなくなる。メインのアナウンサーの立場からも退くわけにはいかなかった。自分には当たるはずがないという妙な過信と、当たったらそれはそれで仕方ないという開き直りに似た気持が交錯していた。

しかし最大限の注意は払わなくてはならない。立っていれば目立って標的になりやすい。傍らにあったカメラのレンズを入れるカメラボックスに腰掛けて足を投げ出して喋ることにした。さらにヘルメットもかぶった。久能の脇にはフロアマネジャーの加川敬と声を中継車に送る送信機を凍らないように抱えた音声技術の友光秀男が並んで座った。こんな格好で喋るのは初の経験だ。

久能と反対の位置からやはり山荘の様子を伝えていた倉持アナも警察の退去命令を無視して喋り続けた。どうしても立ち退かないと判ると、機動隊員が楯で守ってくれた。倉持が少しでも前に出ようとすると、隊員は倉持のズボンのベルトをつかんで離さなかった。

テレビカメラだけはレンズを正面玄関付近に向けて固定し、南カメラマンは後方に退いた。そのためそれ以降、テレビの画面では同じ映像が続くことになった。隣のフジテレビもカメラを固定してカメラマンは後退した。民放だけではない。稜線の反対側に中継カメラを置いたNHKも無人になった。

NHKの梅村耕一は、現場で放送全般の指揮を執ったが、人質の安否を伝えることが最大の任務ではあるが、記者、カメラマンの命も大切だと、前夜、全員にこう言い渡した。

「危険だと判断したら、カメラをそのままにして後退して構わないし身を隠してもいい。お前たち、死んだって何の得にもならないぞ。威張れることじゃないんだから、無理して勇敢にやろうとするな」

このように釘を刺しておかなければならないほど、カメラマンも記者も、我を忘れて現場に飛び込もうとするところがある。

◆カメラマンの性根

浅間山荘に一歩でも近づこうとするカメラマンや記者とこれを阻止しようとする機動隊員の押し問答は、事件発生当初から絶え間なく繰り返されていた。それは、少しでもいい場面を撮りたい、いい情報をモノにしたいというカメラマン魂や記者魂ともいうべきものの発露なのだが、他社には負けたくないという思いも強くある。

それまでも、街頭闘争や東大事件、成田闘争で火炎瓶や石が激しく飛ぶ中、取材を続けたカメラマンの何人が負傷したことだろう。また後年、長崎の普賢岳の火砕流発生の時、何人のマスコミの仲間が命を落としたことだろう。何が彼らをそこまで駆り立てるのか。記者以上に危険な場所に立たざるをえないカメラマンに恐怖心はないのだろうか。撃たれた小林忠治とは稜線を挟んでいたとはいえ、やはり至近距離から山荘の玄関付近の動きを最後まで撮り続けた日本テレビの田口紘カメラマンは、後退しなかった理由を次のように説明する。

「カメラマンというのはいい位置を確保して初めて仕事になる。だからいつ何時でも被写体に近づこうとする。しかもファインダーを覗いていると、そのフレームの中に写る

危険を承知でシャッターチャンスを狙うカメラマン（2月21日、提供／読売新聞社）

ものしか見えないから恐怖心はまったくない。だから仮にヘリコプターが落ちても、ファインダーを覗いている最中なら、ああ地面が近づいてくる、ぐらいにしか思わないだろう。

　まして浅間山荘事件では、うなりを上げる鉄球、発砲、負傷する警官、激しい放水など、おもしろいと言っては誠に申し訳ないが、カメラマン冥利《みょうり》に尽きる場面が続いているのだから、逃げるなんてまったく考えなかった。カメラマンは、皆一蓮托生《いちれんたくしょう》だと思っている。あいつらも同じ状況にいるんだと思っているから。ただファインダーを覗いていなかったらおそらく恐ろしいと思うだろうし、後で振り返って鳥肌が立つぐらいゾッとすることはよくある。浅間山荘事件もその一つかもしれない」

　テレビカメラやビデオ技術、望遠レンズが発達した現在ならまだしも、当時、取材カメラマンが使用するカメラといえば普通のフィルムを使ういわゆるムービーカメラであり、フィルムの長さは一巻一〇〇フィート、時間にして三分間しか撮れない時代である。しかも厳しい寒さでカメラが動かなくなる心配もしなくてはならなかった。

後退の要請が出て、久能の周辺から取材陣の数は大幅に減ったが、木陰に身を隠すような位置に移動するだけで、後退しないカメラマンもかなりの数にのぼった。

◆CM抜き、自動延長

午後一時を過ぎたころから急に犯人側からの発砲がなくなり、モンケンが動きを止めたこともあって現場周辺には、それまでとは打って変わって静けさが訪れた。土嚢の陰の機動隊員も楯だけは前面に立てているが、何となくくつろいだ様子が目につき始めた。完全に双方が対峙したままの状態に入ったが、放送開始からほぼ三時間半、この静けさで少し気が緩んだのか、久能は尿意を催し始めていた。それまで夢中で喋ってきたのだが、ふと気がつくと一度もコマーシャルが入っていない。久能は「トイレに行きたいのでCMを入れてくれ」と走り書きして傍らの加川に渡した。加川はヘッドホーンを通して中継車にいるディレクターの鈴木良明としばらく話し合っていたが、「もう少し我慢。がんばれ」と書いた紙が手元に戻ってきた。トイレだけは頑張りようがない。CMの間に済ませればいいという当初の考えが甘かったらしい。

日本テレビに入社して十二年余、広告収入で成り立っている民放がCMなしで放送することなど考えたこともなかった。ところがこの日、放送開始前に東京の本社にいる本部長の松本幸輝久《さちぎく》から現場を統括する鈴木良明のもとに電話で、CM抜きでいくことが知らされていた。

久能はそのことを知る由もなかったが、大英断ともいうべきこの決断を誰がしたのだろう。

すでに他界した松本は当時、編成、報道、制作の三局を束ねる本部長として大きな権限をもっていたこと、スポンサーとの折衝窓口である業務局長の高木盛久が前夜に松本からCM抜きでいきたいという相談を受けた記憶があると語っていることから、松本の決断だったことはほぼ間違いない。しかし、松本の頭にあったのは、放送開始の午前九時五十五分から正午までのおよそ二時間の特別番組だけだったらしい。というのも、警察側では遅くとも昼ごろまでには解決すると踏んでいたからで、NHKはじめ各局ともほぼその心づもりで特別番組を組んでいたからだ。そのため午後一時を過ぎても解決の目途がつかないと判って、各局の編成はその対応に大わらわとなった。

日本テレビでは、解決が正午を過ぎることが確実になった段階で、編成局次長の北川信が第二スタジオのサブコン（調整室）に呼び出された。部屋に入った途端に「この後どうするのか」「どこまで放送を延長するのか。すぐ決めてくれ」と報道や営業の担当者から決断を求められた。中には「山荘の画しか映っていないのだから、もうやめましょう」と主張する者もいる。

「もうこれは片がつくまで行くしかない。だから絶対に画は切るな。特別番組は無限延長だ」

興奮しながら北川は叫んでいた。

午後は、青島幸男、八代英太、中山千夏の一時間の『お昼のワイドショー』以外、ほとんどがドラマや映画の再放送枠が続いていたので比較的編成替えはやりやすかった。

北川は番組表をにらみながら、

「次の一時間はとばしだ」「ここまでとばしちゃえ」と指示を出していったが、とても気持が良かった、と言う。

北川は楽しいだろうが、ネット局の担当者はそれどころではない。

「当時の地方局は日本テレビの番組だけを放送する完全ネット局は少なくて、ある時間帯は日本テレビを、次の時間帯はTBSやフジテレビなどの番組をもらうというクロスネット局が大半を占めていたから、時間延長をキー局だけで勝手に決めるわけにはいかなかった。北川が延長を決めるたびにネット局との調整のため電話をかけ通しだった」

と第一連絡部の井本義巳がその大変さを明かす。マイクロ回線の手配を担当した出沢克彦も、

「日本テレビの放送をとるためには東京からその地方局に向けてのマイクロ回線が用意されていなければならない。その手配のための電電公社への回線申請でほとんどテレビを見る暇がなかった」と語っている。

また、延長のたびにスポンサーの了解を得なければならなかったが「そのCMをとばされては困ります」という営業からの申し入れは一件もなかった。あの異常な事態の中でどうしてもCMを入れろというスポンサーも当然のことだがなかったのだ。こうしてCM抜きの放送が最後まで続くことになるのだが、放送されなかったCMについては、事件解決後、料金を払い戻したり、別の時間枠で放送するなどの処置を取ったため、トラブルは一件もなかった。

切実な問題に迫られたのは厳寒の中で実況中継を担当するアナウンサーであり、事前にそうした動きを知っていたなら「トイレタイムをどうしてくれる」と叫んでいたかもしれない。

CM抜き放送は日本テレビだけでなく民放各局も同じであった。当時、現場の指揮をとったNHKの梅村耕一は驚きの色を隠さない。

「なかなかやるものだと思った。報道機関としては当然の措置だが、民放にはスポンサーとのことがあるので大英断だったと思う」

◆国会中継がとんだ

NHKにも別の意味での大英断があった。この日、国会では久しぶりに衆議院予算委員会が再開され、公明党の矢野絢也が質問に立つことになっていた。国会は四次防予算を巡って大もめにもめ、十七日間にわたる野党の審議拒否の末、ようやくこの日の午後一時からの再開にこぎつけたのである。

ＮＨＫはそれまでも予算委員会での質疑を生中継していたが、とりわけこの日は米中首脳会談によって大きく変わろうとしている世界情勢に対して佐藤首相がどのような見解を示すか、注目されていた。それだけに政治部は、軽井沢からの中継を打ち切って、早く国会中継をやるべきだと主張した。その意を受けた川原報道局長から現場の梅村のもとに、「どこかで切れないか」と何回も電話がかかってきたという。しかし、梅村は拒否し続けた。

「私は現在進行中のものを最優先すべきだという考え方だった。いろいろ批判はあるだろうが、国会は自分たちが気に入らなければ審議拒否だってするわけだから、どうしてもその時間でなければならないということはないはずだ。場合によっては事件が解決してから委員会審議を始めてもいい訳だが、浅間山荘ではいつどんな動きが出てくるか判らない。そこで川原さんには、『現場中継を切ったら、あなたの首が飛ぶだけでは済みませんよ。これは全国民の関心事だから、国会だろうと何だろうと駄目です。現在進行形で進んでいるものを長引いたから途中でやめますと言えますか。その間にもし突入したらどうするんですか。現場を預かる人間として中継をやめるとは、口が裂けても言えない。もし東京で勝手に中継を切っても責任は持たない』とまで言った。何度聞かれても同じ返事しかしなかったので、ついに東京も諦《あきら》めたようだ」

梅村は、当時の東京と現地との激しいやりとりを述懐しているが、国会議員には国会が軽視されたと映ったのだろうか。事件解決後、国会の委員会で「国会中継を優先すべきではなかったか」という質問が飛び出した。これに対して、当時の前田義徳NHK会長は、

「法秩序を無視する暴挙に対する国民の関心はきわめて高かったのだから、放送するのは当然である。だから私は当然の措置だと思っている」と答弁している。

また作家の三好徹は、現場からのテレビ中継を見ながらの『読売新聞』(二月二十九日付)の対談の中で、次のように喝破している。

「国民はテレビの前にクギづけになって関心を示しているが、関心を示さないのは政治家だけだ。一味の行動の善悪ははっきりしているが、彼らをこの行動に駆り立てたものが問題だ。はっきり言えば自民党政権に対するイライラがあったと思う。日本の政治はすべて国民から遊離したところでやっている。そこで一味は『オレたちが目を覚まさせてやる』と行動を起こしたとも考えられる」

当時のテレビ、ラジオのニュース番組のトップには常に政治ネタがきていたことを考え合わせると、国会中継をとばしたことはNHKにとっては大英断であった。結局、NHKは中国を訪問していたニクソン大統領が歴史的会談を終えて帰国したニュースを中

継の途中で五分間挿入しただけで、十時間四十分というもっとも長い時間を浅間山荘事件の報道に費やした。

◆喋ることがない

午後一時二十九分、現場には〈各隊は攻撃を一時中止し、現場を確保せよ〉との命令が出された。そのため三階の厨房まで進んでいた二機の十数人が大楯を構えてその場を確保する一方、一、二階を制圧した九機と長野県機は十五人の確保要員を残して山荘外へ撤退しようとしていた。

一時三十分ごろから本部車で野中本部長以下、幕僚や部隊指揮官らが集まって作戦会議が始まった。

殉職者や多数の負傷者が出たことから会議ではそれまでの作戦行動の分析と態勢をどう立て直すかに主眼が置かれた。会議に出席した宇田川信一によると、いったん撤収して翌日やり直すべきだという意見と、あくまでもその日のうちに決着をつけるべきだとする意見が激しく対立したという。

会議はその後、一時間余りも続くことになったが、その間まったく動きのなくなってしまった現場の状況に各局のアナウンサーは喋ることがなくなり四苦八苦していた。

信越放送の伊藤隆徳は、後でテープを聞いてみると、「膠着状態が続いています」という言葉が恥ずかしいぐらい何回も出てくると語っている。ＮＨＫ山荘で中継する平田悦朗も事件発生以来十日間、現場を踏んだ経験を生かし、事件経過を振り返る形で時間を稼ぐしかなかったが、ふたたび雪が舞い、薄暗くなり始めた窓外を眺めながら、「今日中の解決はないかもしれない」と思ったという。

久能は各地点のアナウンサーの助けを借りながら事件経過を中心に伝えたが、現場に動きがなくなった以上、そんなに長くもたせられるものではない。同じことの繰り返しが多くなった。そこへ警視庁公安担当記者の北沢和基が隣にきた。

「あの時は報道部長から時間を無制限にやるから喋りたいだけ喋れと言われて久能さんの所へ行った。大学ノートにはいろいろと極左グループの資料が書き込んであったが、隅から隅まで全部喋った。あんなに長い時間喋ったのは最初で最後だった」

北沢がそう言うくらいだからよほど長時間もたせてくれたのだろうが、喋り終わって帰ろうとした北沢を久能は袖を引っ張って引き留めた。現場に動きがない以上、彼に行かれては困るのだ。間を持たせるために重箱の隅をつつくような細かいことまで質問するのには北沢もかなり辟易《へきえき》としたらしい。

この空き時間をうまく利用したのはフジテレビの露木茂アナと長谷川恵一アナだ。露木が一人で喋っている間に長谷川が、長谷川が間をもたせている間に露木がうまく時間を調整して、いったん後方に退がり、食事とトイレを済ませていた。日本テレビにはそういう才覚の人はいなかったらしい。銃弾の飛び交う現場には最後まで弁当も水も届かなかった。

現場が動かなければ軽井沢署にも情報が入るはずがない。発表もないので、軽井沢署に詰めている浅見源司郎は署の便所に入った。

「大の方に入った二人の隊員が、『おい、五百円貸してくれないか』『五百円、いいけど、俺も一日か二日で終わると言われてきたから、あまり金がないんだよなあ』と話しているのが耳に入ってきた。

僕が二時間で終わるからと言われて社を出てきて一日になってしまったのと、時間の長さこそ違うが似ているなあ。機動隊も大変なんだと思った」

警察発表を待つしかない軽井沢署に一日中詰めていた浅見にはこの会話が鮮明に残っているという。

◆二機は九機と交替せよ

それぞれが時間を持てあまし始めていた午後二時五十分、作戦会議はその日のうちに強行救出作戦を終了する方針を打ち出してようやく終わった。

作戦継続の理由としては、すでに大量の放水で山荘内が水浸しになっており、モンケンによる破壊で外気が山荘内に流れ込んでいるため、このまま中止すると人質も犯人たちも凍死してしまう恐れがあること、犯人側に態勢を立て直す余裕を与えてしまうこと、翌日もう一度機動隊員の士気を高め直すことは難しいこと、などであった。

ただ、作戦再開にあたって、三階の厨房付近まで入っている二機については、隊長、中隊長を負傷で欠き、副隊長の指揮だけでは作戦遂行に不安が残るとして、すでに一階を制圧している九機と交替させることになった。「隊長、中隊長の敵」とはやる二機隊員の気持が凶と出ることを懸念しての苦渋の決断であった。

その決定が二機と九機にそれぞれ伝えられた直後、会議の終了を待たずひと足先に本部車を出て現場に向かった宇田川は、いきなり二人の二機隊員に殴られた。

「あんただろう。交替するように進言したのは。どういう訳で交替するんですか」

二メートル近くも飛ばされた宇田川がよろよろと立ち上がりながら、

「君たちはよくやった。気持はよくわかる」と言うと、二人は、

「やらせてください。お願いします」とボロボロ涙を流している。

宇田川は、殴られたことに怒るどころか突然出された交替命令に対する二機隊員の無念さが判るだけに、その時が一番辛かった、と言う。

一方、交替を命ぜられた九機の隊員の方では、どっと喚声が上がる一方で、「もういいじゃないか。一階制圧という任務は終わっているんだから」という不満の声もあったという。一階制圧を命じられ決死の覚悟で一階に踏み込み、結果的には犯人たちが誰もいなかったが任務を完遂した九機の隊員たちの気持を推しはかれば、久能には、この不満の声の方が自然な感情の発露に思われた。だが、組織の中の命令は非情で絶対である。もう一度気持を引き締めると九機の隊員たちは午後三時半に開始予定の三階突入への準備に入った。

その時、山荘の内部で、今まで聞いたことのない腹に響くドーンという鈍い音がした。

久能「中でまた負傷者が出たのではないでしょうか。今、急いで担架が前の方に運ばれています。叫び声がして玄関前の土嚢のあたりが急に騒がしくなってきました。やはりケガ人が出たようです。今、山荘の中から一人、隊員が運び出され、担架に乗せられました。これから後方に運び出そうとしていますが、狙撃される恐れがあるため、楯を持った機動隊員たちが懸命に掩護しています。

一時間余りも動きがなく、膠着状態の続いていた山荘は一気に緊張が高まってまいりました。

十人ほどの隊員たちに担がれて担架が今、後方に下がり私の視界から消えて行きました。屋根裏に向かってふたたび放水が始まりました。先程の鈍い音は爆弾でも投げられたのでしょうか」

浅見「十四時五十一分に相手の投げた手投げ爆弾が爆発して、数人のけが人が出た模様であると発表されました。爆弾は浅間山荘と芳賀山荘の間で爆発したようだということです。

それから午前中に撃たれた大津巡査のその後ですが、左の目の下に弾が入っており、強力な磁石でも摘出できず、左目失明の恐れがあると発表されました」

久能「また大きな音がしました。山荘の屋根裏に向けて激しい放水が続いています」

倉持「前線本部の前にいた新しい装甲車が山荘に向けて前進を始めました。装甲車の中には担架が四つ運び込まれています。今、取材していた清水記者がきてくれました」

清水「今、前線本部で発表があったのですが、三階にいた第二機動隊の分隊長中村巡査部長が爆弾らしいもので右腕を負傷した模様だということです。それから二時五十七分ごろにも爆弾が爆発したような音が聞こえましたが、やはり三階のようです。赤軍が爆弾を持っているのではないかということは前々から言われていましたが、これが本当の爆弾だとするとさらに危険が増したことになります」

◆爆弾

情報収集の任務を帯びて私服で九機と行動をともにしていた警視庁警備一課の星川栄治は、その時一階にいたが、「爆弾が投げられた瞬間、建物全体が振動した」と衝撃の凄さを語っている。

一方、二階にいた長野県警機動隊は撤収命令が出されたため隊員たちが一人ずつ突入した穴から外に出ている最中に爆発が起きた。その時点ではまだ数人しか外に出ておらず、その場で待機するよう命令が出されたため、ほとんどの隊員が二階に居残る形になった。

この爆弾が投げられた時の山荘内の状況を坂口の著書で見てみよう。

「作戦停止時間が長かったので、ベッドルーム突入は明日に延期されたかもしれない、などと甘い観測をしたのは覚えている。

二時四十分頃、洗面所側の廊下で、厨房の機動隊の動静を探っていた吉野君が私の所に来て、『今、厨房に機動隊がたむろしている。爆弾を投げるチャンスだ』と言った。いつもの彼に似ず興奮していた。

坂東君は、ウイスキーの空き瓶にストーブの灯油を注ぎ入れ、それが終わると、一部を外に出した布切れで上端を塞いで簡単な火炎瓶を造った。それが終わると、ポケットからマッチ棒を一本取り出して擦ったが、湿っていて火が点かない。そこで五、六本束ねて擦ったところ、四、五回目にようやく火が点いて、火炎瓶の芯に点火した。

私は、この着火火炎瓶を右手に、鉄パイプ爆弾を左手にそれぞれ持ってベッドルームを出た。バリケードの残骸を縫って廊下を歩き、ホールの入口をすり抜けた。ホールに入ると、四、五米先の配膳窓のカウンターを目指した。

ホールの中は、椅子やベニヤ板、ソファーなどが散乱していて、足の踏み場もなかった。これらに放水の水が凍りついていて、一歩歩くたびにミシッ、ミシッと鳴った。すると、

『オッ、誰かこちらに近づいて来るぞ。拳銃、拳銃を取れ』という慌ただしい声が

管理人室の中から聞こえた。

私は、構わずカウンターに向かった。着くとすぐ、火炎瓶と鉄パイプ爆弾をカウンターの上に置いた。配膳窓にはジュラルミンの大楯が立て掛けてあった。勿論、正面の防護のためである。その大楯の先端と配膳窓との間には、幅十五ないし二十センチくらいの隙間があった。そこから鉄パイプ爆弾を投擲しようかと思った。ところがよく見ると、大楯の先端と厨房奥の戸棚との間にはジュラルミンの楯が渡してあって、爆弾の防護処置がなされていたのである。どうしようか、と思って、しばらく考えた。何気なくふと上を見ると、厨房の天井に穴が開けてあった。他に投げ込む所がないので、一か八かこの穴に投擲することにした。鉄パイプ爆弾の芯に火炎瓶の種火を点火すると、それを胸の前に持って来た。そして所持した右手の手のひらを外側に向け、下から上へホイと投げ込んだ。終わると、火炎瓶を残したまま一目散に引き返した。

ホールを抜けて、ベッドルームのドア跡付近に来ると、カラン、カラカラという勢いのよい落下音が聞こえた。ちょっと意外に思った。屋根裏に落ちたにしては、落下の勢いが良すぎると思ったのだ。次いで
『ウヒャーッ!』

『爆弾だ!』という悲鳴や叫び声が聞こえた。

私は、ドア跡付近に居た坂東君と吉野君の二人を突き飛ばしてベッドルームの中

に走り込んだ。二人は、入り口で万一の時に備え援護射撃する積もりで立っていたのである。

ベッドルームの冷蔵庫手前まで来ると、

『ズドーン!』という低くて腹に響く爆発音が聞こえた。私は坂東君らに、

『意外に低い音だなあ』と言った。

その時は屋根裏で爆発したものと思っていた。ところが、しばらくしてからラジオが、

『只今、厨房の中に爆弾のような物が投げ込まれ、負傷した警察官が担架で救出されています』と放送したのを聴いて驚いた。

厨房の中で爆発したのである。どうして厨房の中に落下したのか見当もつかなかった。

後に法廷で知ったが、手前の穴から投げ込んだ爆弾は、天井で放物線を描いて向こう側の穴に落ち、そのまま下の食器棚に落下してそこで爆発した」

(坂口弘著『あさま山荘　一九七二』)

この記述から、爆弾は警察発表にあった浅間山荘とその隣にある芳賀山荘の間ではなく、厨房の中で爆発したこと、しかもその厨房も直接狙ったものではなかったことが判る。しかし意外なのは爆弾の投擲から爆発までに、かなりの時間があったことである。

厨房からベッドルームといっても、ほんの数メートルの距離であるが、爆弾が下から天井裏に向けて、放り上げるように投げられたため、放物線を描いている分だけ時間がかかったのかもしれない。

この爆弾で五人が負傷した。とくにけがが重かったのは二機の中村欣正で、警察発表通り右前腕裂創などの重傷を負い、後々、後遺症に悩まされることになる。久能の前を担架で運ばれて行ったのはその中村だった。

犯人たちは予想されていたように山荘の中でラジオを通じて自分たちの行動が逐一放送されるのを聞き、外の様子を承知していたのだ。

倉持「こちらの機動隊の動きが大分激しくなってきました。数人の隊員が銃を構えながら右側の方へ廻り込んでいます」

久能「こちらも動きが慌ただしくなってきました。天井裏からだと思いますが、また二発銃声がありました。あっ、また銃声です。しかしどちらに向けて発砲しているのか、まったく判りません。ベランダ側の芦沢さん」

芦沢「こちらにはとくに動きはありません」

久能「やはり発砲は玄関脇からのようです。先程から不気味な音が続いています。また二発、音がしました。必ず二発連続して発砲してくるのですが、二連発の猟銃を持っていることは判っていますので、あるいはその猟銃かもしれません。

私のいる所から玄関までわずか三〇メートル余り。さすがに気持の良いものではありません。音がするたびに取材班も一斉に身を伏せています。また発砲があって屋根の雪がパッと散りました。今日一日の作戦行動の中で、もっとも激しい発砲が続いています。連続した発射音です」

倉持「激しい放水で、山荘の正面側はほとんど潰れ、中の様子が判るようになりましたが、水しぶきのために中に何があるのかまでは判りません」

久能「先程の爆発音を境にしてにわかに慌ただしくなっていますが、風が東から西へ吹き抜けているため、機動隊の撃ったガス弾のガスが私のいる稜線あたりまで立ち込めてきました。目が染みるように痛くなってきましたが、これだけ離れていても痛いのですから山荘の中は大変だろうと思います。

激しい放水とガス弾によって泰子さんの安否がますます気遣われる状態になってきました。

天井裏でガス弾の白く弾けるような煙が上がっています。わずかに炎のようなものが見えましたが、すぐに水がかけられました」

倉持「水圧が上がったようです。完全に壁をぶち抜いたので、犯人が潜んでいると見られる右側の客室に直接勢いよく水がかかっているようです。まだ雨戸は開いていません。あるいは追い詰められて開けるかもしれません」

久能「放水車による放水は、東大事件の時にも威力を発揮し、学生が立てこもった安田講堂の窓ガラスが水圧でいっぺんに叩き割られるところを私も現場で目撃していますが、こちらから見ても確かに水圧は上がっているようです」

芦沢「二階の風呂場の左側の部屋に、大分たくさんの機動隊員がいます。先程は畳のような物があって中がよく判らなかったのですが、表と裏の両面作戦のようです」

久能「今入った情報でどうやら中で犯人たちと睨み合っていた二機が全員、外に出たようです」

命令にもかかわらず九機との交替を渋っていた二機隊員も爆弾によってさらに負傷者が出たため、ついに涙を呑んで三階から退かざるをえなかった。撤収完了は午後三時十五分だった。

そして「ご苦労さん」と声をかけて二機の制圧していた厨房と管理人室をそっくりそのまま引き継いだのは副隊長西海《にしうみ》弘が指揮する八人の九機隊員だったが、そこで隊員たちが見たのは、爆弾が爆発した直後の血糊のついた二機と書かれた多数の楯であった。

◆決死隊

その日の内に決着をつけるべく午後三時三十分に強行救出作戦は再開されたが、それに先立って、九機から二人、長野県機から二人、計四人の決死隊が選出された。四人の任務は突入の先頭に立ち、文字通り死を覚悟しなければならないもっとも苛酷なものである。

九機の小隊長仲田康喜は大久保伊勢男隊長に呼ばれて、「バリケードが厳しくて大勢では入れない。ついては君の小隊から二人出してほしい。そして長野県機の二人と力を合わせて突破口を開いてほしい」と命令されると、すぐに自らその一人に志願した。

「今なら果たしてそんな危険な任務を志願したかどうかは判らない」という仲田だが、その時には彼の気持を駆り立てる事情があった。仲田が東京から軽井沢に着いて浅間山荘周辺の様子を調べている時、犬に肉をやりながら泣いている男を見かけた。その男こそわずか一〇〇メートル先で妻が人質になっていながら、どうすることもできない牟田郁男だった。

「俺が絶対に助けてやるから」と、仲田は郁男に約束していたのである。

その約束を果たす時がきた、という熱い想いが仲田の中で燃え上がったからなのだが、それ以上に部下だけを死地に赴かせる訳にはいかないという小隊長としての立場もあった。後の一人について、仲田は日ごろから「元気のいい奴だ」と目をつけていた巡査部長の目黒成行を指名した。目黒は躊躇《ちゆうちよ》することなく受けた。九機から出す二人は決まった。

一方、長野県機から穐澤正夫と永原尚哉の二人が決死隊に選ばれた。二階を制圧した長野県機は撤収の途中で爆弾が投げられてそのまま待機命令に変更されたため、すでに撤収を終えていた数人の中から決死隊を選ばなければならなかった。
隊長の原宣義から「稙澤君、行ってくれるか」と手を握りしめながら言われた時、一瞬、逡巡《しゆんじゆん》してから、「行きます」と稙澤は答えた。その時の気持を次のように記している。

「爆弾が投げられる前までは、少しも恐怖を感じなかったし、自ら進んで行きたい気持だったが、爆弾が破裂した直後でもあり、爆弾をあやうくのがれて、助かったと思ってホッとしたときに突然言われたので、私自身に本能的にとまどいがよぎり、即座に『行きます』とは声が出ず、大きく一呼吸おいてから返事をすることになったのだった。……略……

それは決死突撃隊員の四人に〝栄光ある死〟の場が与えられたような気がし、『死んでこい』と言われたと同じ気持だった。

非常に恥ずかしいことだが私は、後方で見守る県機隊長の顔を何回も何回もふり返っては見た。ふり返るな、と自分に言いきかせても、無意識にふり返っているのだ。

『ああ、もうこれで隊長の顔を見るのも最後になるんだなあ』

そう思うとともに『私が殉職してもあとは隊長が八方手をつくしてくださるので、自分は幸せ者だ。安心しろ』と、自分の心に言い聞かせたりした。

隊長が立つ付近に、長野管機（管区機動隊）の隊員が阻止線を守って勤務していた。こんどは彼らの顔を一人ずつ見た。ふり返ればなつかしい顔ばかりだった。『管機小隊の仲間とも、もう二度と会えないかもしれない。彼らは私のこれからの任務を知っているのだろうか。もし私が殉職したら、出発前に私がふり返って見たことを、何と話すだろうか』などとも思ってみた。

しかし結局、サイは投げられたのだ。『もう自分には与えられた使命——死しかないので、まっすぐに突き進んで行くしか道はないのだ。これが自分の生きる道につながるのだ』と自分を納得させたが、やはり手は小きざみにふるえていた」

（長野県警編『旭の友』）

その時、穐澤と永原の間で、こんな会話が交わされた。

「おめえ、かあちゃんいるからダメだ。子供もいるじゃねえか」

「バカ言っちゃいけない。おまえが行くんなら俺も一緒に行く」

独身だった穐澤が、生後九か月の長男がいた永原のことを思いやっての言葉だ。

仲田班として新たに結成された四人の決死隊が水盃を交わした時には、永原も「俺、こんなことをしていいんかなあという感じはあった」と言う。

「片足、片手は吹っ飛んでしまってもいいけれど、死ぬのだけは怖いなあと思った。それにそれまでの死傷者がみんな顔面をやられているので、顔だけは楯で守ろうと考えていた」

勢いよく手を挙げたのだが、決死隊に与えられた任務を思えば、死の恐怖がちらつくのは無理からぬことであった。

四人の決死隊に最初に与えられた突入命令は、玄関脇の駐車場から便所の窓に梯子をかけてそこから入れ、というものである。その際には狙撃隊が支援する、ということだったが、山荘内からはモンケンによって大きな穴が開いた屋根裏から間断なく撃ってくる。どうやってみても無理だった。そのため、今度は正面玄関からの突入を試みたが、銃弾を浴びながら彼らが作った固いバリケードを四人だけで撤去することは不可能だった。やむなく、管理人室の入口から入り、すでに管理人室と厨房に入っている九機と合流し、そこから先頭を切るということになった。

◆揺れ続ける気持

そのころ、NHK山荘の一室にこもって、まったく姿を見せない牟田郁男の様子を、河合楽器の総務部長が記者団に説明していた。

――牟田さんの表情はどうか？

「表情を見る限りそれほど変わっていないが、ほとんど喋らない。頭を抱えていることが多い」

――テレビは見ているか？

「最初のうちは見ていたが、二時ごろからはまったく見なくなった。当然音だけは耳に入っているが、とても見ていられないという感じだ」

――部屋の中は郁男さんだけか？

「河合楽器の社員たちが一緒にいる。親戚は別の部屋にいるが、また攻撃が再開されたようなので、皆座り直してテレビの画面に見入っている。やはり張り詰めた空気だ」

――郁男さんは食事を摂っているのか？

「朝は多少食べたようだが、その後は食欲がないようだ。何とか少しでも食事をさせようと思っているのだが……」

予想以上に難航する救出作戦に、食事も喉を通らないという郁男の気持は想像に難くない。郁男本人はどんな心境だったのだろう。

「それまで第三者としてしかテレビを見ていなかったが、自分が思いもかけず見られる立場に立たされた途端、何がなんだか判らなくなってしまった。えらいことになったというのが正直な気持だった。

とくにいよいよ決行させていただきたいと了解を求めにこられた時からは、みっともないことだけはしてはいけないという気持が強くなった。そのため状況を知ろうと時々チラッとテレビを見ただけで、こういう場面に遭遇したら、他の人ならどんなことを考えるだろうと、まるで別の方へ想いが行ってしまっていた。

激しい攻防が妻の救出のためにまだ続いているというのに、この後、関係者にはどうやってお礼をして廻ればいいのだろうとか、どういう風にすれば格好いいのか、ヒステリックになった方がいいのか、それとも泣きわめかなければいけないものなのか、どういう風なことをすればみっともないのかなあ、などおよそ当事者らしくないことを考えていた。

あの時は居ても立ってもいられないような状況が何日も続いていたのに、NHK山荘で待機している間に、なぜか気持の上で空白な時があり、強い孤独感を感じた。その時、これは泰子のためのことではなく、戦争だなとフッと想えて、これは何なのだと憤懣やるかたない気持でいっぱいになった。

とにかく頭の中は大混乱で、一つのことを集中して考えられる状態ではなかった」

事件後二十数年を経ているにもかかわらず、郁男は渦中にあったその時の、自分でさえ把えようのなかった気持を、まるで昨日のことのように率直に話してくれた。

久能は実況中継で郁男の心中を推測して喋ったが、それとは違って思いもかけない方向に郁男の想いは行っていたのだ。

◆やっとトイレに

久能「今、また玄関の上の屋根裏に向かって激しい放水が始まりました。いよいよ本格的に作戦が再開されたようです」

倉持「中畑記者がこちらに戻ってきましたので報告してもらいます」

中畑「これからの作戦ですが、今、行われているようにガス弾と放水を大量にぶっつけて犯人を制圧する方針だそうです。それでも駄目な場合は拳銃も使用することになりました。初めは原則としては使わないと言っていたのですが、抵抗があまりにも激しいため、場合によっては拳銃使用もありうると警察では言っています。

ただし、人質がいると見られているベッドルームでは慎重に行動しなければならない。ガス弾や放水をするにもそれなりの配慮が必要だろうということで、まずは人質がいないだろうと思われる部分を第一にやりたいということです。

拳銃の使用については一応前に許可は出ているのですが、使わないで済むものなら使いたくないという姿勢です」

久能「土嚢の、こちらから見て右の端にレンジャー部隊が待機していますが、長い赤い紐を持っています」

倉持「また、かなりのガス弾が山荘に撃ち込まれました。放水もかなりやっていますが気温も下がってきており、そろそろ凍り始める時間です」

久能「これまでも何度も放水しているのですが、機動隊がなかなか中に踏み込めない理由の一つに放水の水が凍って思うように活動できないということがあります。また放水が始まりましたが、非常に強い水圧にもかかわらず、なかなか壁を崩すことができません。

今、日本テレビのスタジオに心理学者の宮城音弥さんにきていただきました。宮城さん、現在の状況をどうご覧になっていますか」

宮城「泰子さんの生命を考えると、まどろこしいが仕方がないのではないでしょうか」

久能「こうも負傷者が出ると、そう簡単には踏み込めないと思うのですが」

宮城「先程は爆弾も投げられているし、いよいよ追い詰められると最後は自爆も考えられなくはないので、警察としても慎重にならざるをえないと思います」

久能「それではこの後、スタジオで、もう少し本多アナウンサーと対談を続けていただきます」

本多「心理学者として途中、軽井沢へ行って警察にアドバイスされた時、犯人グループは何を考えていると推測されましたか」

宮城「考えは今までの彼らの行動で大体判っているのですが、問題はこれをいったいどう処置したらいいかということです。ある程度、反応してこないと説得などできないので、血を見ないで解決するにしても彼らが何らかの反応を示すように、多少強引な方法も必要なのではないかと言ったんです」

本多「今日一日の動きを見て、犯人が取り乱しているようなところはありますか」

宮城「本来、浅間山荘に逃げ込んだ時が、彼らのもっとも取り乱した場面だったんじゃないでしょうか」

本多「いろいろな説得にも応ずる態度を見せなかった犯人たちは追い詰められた気持でいることは間違いないのでしょうか」

宮城「追い詰められ、危機に直面しているということは考えていると思います。ただ、政治的確信犯だし、自分たちは社会のためにやっているのだという現代の爆弾三勇士のつもりなのだと思う。そして、その部分が一部の人たちの支持を受けていることも間違いないことです」

本多「そうすると追い詰められていても、かなり冷静に動きを見ているということですか」

宮城「そう思います。ただし、本当に冷静でいてくれるなら、彼らの考え方からして泰子さんという人民に危害を加えることはないと思います。ですから、もしそうなら警察が積極的にこれに立ち向かって行っても大丈夫なのですが、はっきりそうだと断定できないところが問題なのです」

本多「最後の一発まで抵抗してくるでしょうか」

宮城「そう思います」

本多「手を挙げて出てくることは」

宮城「安田講堂の時、最後には手を挙げて出てきたことから、今回も手を挙げるだろうという人は確かにいます。しかし、先程も触れたように、すべてもろともに自爆してしまうなどということが絶対ないとは言えません。

日本人というのは元来ヒステリックな傾向があるのです。ヒステリーというのは病気で、平穏な時には寄生虫みたいで良くないと言われたりするのですが、政治が腐敗して世の中がどうにもならない時にはヒステリックな人間が世の中を良くするために役立つという見方もあるのです。

良いか悪いかは別問題ですが、彼らは今ヒステリックです。その上、彼らが武器を持っているから非常に危険なのです。頭に来ているから何をやるか判らない状態なのだと思います」

本多「それにしても今回は死傷者が多すぎるように思うのですが」

宮城「アメリカなら少し犠牲が出てもバーンとやってしまう。しかし日本の場合は世論を考えればこうならざるをえないのです。世論に対して気兼ねし過ぎるという人もいますが、警察国家になるのにブレーキをかけている点でプラスとも言えるのではないでしょうか」

スタジオでの対談はわずか五、六分だったが、久能にはようやくきた救いの時である。我慢し続けた尿意は限界にきている。スタジオに切り替えると同時に、後ろを向いて雪の上に思いっきり放尿する。倉持は我慢し切れずたれ流してしまったという。喋り通しでない彼には用を足すだけの時間はあったはずだ。後で尋ねると、寒さで手がかじかんでしまいズボンの上に重ねてはいた厚手のズボンの前がどうしても開けられなかった、という。

確かに作戦が再開されたころから急速に気温が下がり、ズボンも靴下も二枚重ねにしているのだが、足下から容赦なく寒さが上へ上へと忍び寄ってくる。久能はついに届かなかった弁当と飲み水の代わりに口いっぱいに雪を頰ばって元気を取り戻した。ちょうどそこへスタジオからマイクが戻ってきた。

◆警察情報が混乱

浅見「先程から軽井沢署の前に待機していた機動隊員の動きがにわかに激しくなってきました。一機と九機の交替などもあり、長時間にわたった最終打ち合わせを受けての動きと思われます」

久能「その最終打ち合わせ、作戦会議についてそちらで具体的な発表はありましたか」

浅見「それについては何一つ発表はありません。むしろ現場から入ってくる警察情報のミスが多くなり、現場の方でかなり焦りや疲労が見られるという感じです」

久能「昼ごろまではきわめて順調に行っている感じだったのに……」

浅見「確かに昼ごろまでは正確でした。しかし午後に入ってから爆弾で五人負傷したのに、初めは一人と発表されたし、爆弾も二発と発表されたが、実は一発だったという風で、当然、訂正も増えています。そういう未確認な情報まで正しいものとして伝えられ、我々もその通りに受け止めざるをえないだけに気掛かりです」

未確認情報が流れ、情報が錯綜《さくそう》したことは、軽井沢署で逐一発表をしていた広報担当の菊岡平八郎も認める。

「報道センターの報道対策室が現場にいる警視庁機動隊、長野県警機動隊、各部隊間の無線交信をすべて傍受してメモにし、私の手元に届けてくれる。それを記者の皆さんに発表していた。それは報道協定を結んだ時の約束で、どんな細かいことも入ってきた情報はすべて発表することになっていたからだ。

ところが昼前に内田さん、高見さんが相次いで撃たれたころから現場が混乱して、どうなっているのか、さっぱり判らなくなってしまった。

部隊間の交信も錯綜し、私の手元に届くメモにも一貫性を欠くものが出てきた。しかし、軽井沢署にはテレビが設置してないし、現場も見えないだけに、それを確かめようがない。結果として不正確な情報も出てしまった」

このように警察側は、報道協定に基づいて情報は断片的なものまですべて発表した。不正確さを覚悟の上でその発表をそのまま使って臨場感を出そうという日本テレビの中継は訂正を加えながらの放送にならざるをえない。一方、情報をデスクの元で整理し、確実にウラの取れたものしか流さないNHKやTBSの方式は正確になるが、速報性には欠けるうらみはある。いずれが望ましいか議論の分かれるところではある。

玄関からの突入を断念した決死隊の四人が、管理人室の非常口から山荘内に入ったのは午後四時である。室内はガスが充満し目を開けていられる状態ではない。しかも犯人からの間断ない発砲が続き、楯に当たる散弾の音や壁に当たって跳ね返る音に包まれて、釘づけ状態となった。しばらく様子を見ざるをえなくなった。この山荘内での凄まじい銃撃音は、放水とガス弾の発射音にかき消されて久能の所までは聞こえなかった。

◆内田二機隊長殉職

ちょうどその時、小林脳外科病院で手当を受けていた二機隊長内田尚孝が、午後四時一分、息を引き取ったという悲報が無線で全部隊に伝えられた。二人目の殉職者である。

現場は一瞬、静まり返った。

情報視察班の宇田川信一は、内田が撃たれた時、すぐ隣に居ただけに大きな衝撃を受けた。助かってほしいと願いながらも昏睡状態が続いているという情報にある程度覚悟していたのだが、あらためて犯人に対する恨みと怒りが込み上げて、悔し涙が止まらなかった。二機隊員はもとより、周辺にいた九機隊員からも「チクショウ!」という叫び声が上がった。しかし、救出作戦が再開された直後であり、二人の殉職者が出たことが隊員たちの闘志に火をつけたことは間違いない。

それから約三十分、にわかに動きが出てきた。

◆人質確認

浅見「拳銃を適切に使用するようにという命令が出されました」

菊岡広報〈十六時三十二分命令、ガスを使用、発射せよ〉

浅見「それから先程の作戦会議の内容がようやく確認されました。やはり当初の作戦を変更せずに続行するという結論です。軽井沢署の方から現地の本部に電話してやっと確認が取れました」

久能「こちらではガス弾が今度は左右両方向から猛烈な勢いで撃ち込まれています。ガス弾が当たって跳ね返る時に出る火花と、もうもうたる煙でまるで火事のようです。今、発射音が三発聞こえましたが、倉持さんの方はどうですか」

倉持「正面右側です。かなり大勢の隊員が一斉に動き始めました。大きな穴の開いた正面の壁のあたりには白い硝煙が立ち昇っています。

私も今、前線本部まで行って聞いてきたのですが、この総攻撃は犯人を捕まえるまで暗くなっても、闇夜になってもやる、ということです。こちらには警察犬も用意されているのですが、中に入れるとガスでやられてしまうので使えないそうです。そのため現在は四拠点で待機中です。

それからそのガス弾ですが、現在までに百五十発以上撃ち込まれているそうです」

芦沢「久能さん、今、三階の左の部屋の窓が開きました。中に一人見えます」

久能「開けられたのは一枚だけですか」

芦沢「一枚だけです。雨戸が落とされ、窓の上の部分だけが開けられたような感じで、下の部分には畳のようなものが置いてあります。中にいるのは間違いなく犯人です。機動隊員の青い戦闘服ではありません。黄色っぽい服を着ています。両手を挙げているようです」

久能「今も間断なくガス弾が撃ち込まれていますが、このガスにたまりかねた犯人があるいは手を挙げたのでしょうか」

芦沢「山荘の東側を覆っている猛烈な煙を通して見ているのですが、どうやら二人いるようです。

今、もう一枚雨戸が落ちました」

久能「私の手元に女性の姿が見えるという未確認情報が入ってきたのですが、軽井沢署の方はどうですか」

浅見「十六時三十八分、女性の顔らしいものが見えると伝わっています」

菊岡広報〈十六時四十分、一人、三階から下に降りようとしている〉

久能「二人のうち一人が女性ということですか」

浅見「こちらでは女性の顔が見える。女性が降りようとしているとしか言っていません」

久能「今のところ、犯人の中に女性が含まれているという情報はありませんので、その女性というのは泰子さんということも考えられますね」

浅見「こちらではそう受け取って色めき立っています」

芦沢「先程、一枚雨戸が落ち、完全に大きな空間ができたように見えます。そこに二人いるのは判るのですが、私の双眼鏡では男女の別までは確認できません。今、ガラスを破っているようです。下に降りようとしているような動きが見えます」
菊岡広報〈十六時四十二分現在、内部は男二名、女一名である〉
菊岡広報〈十六時四十三分、三階の窓から男二名が顔を出し、ガスの煙を避けている〉
菊岡広報〈十六時四十三分、命令。拳銃の使用にあたっては人質の安全を確保せよ〉
菊岡広報〈十六時四十三分、情報。男二名、女一名については銃らしきものを所持している。二連銃を向けている。誰が向けているのかは判らない。どちらに向けられているのかも判らない〉
久能「先程からの一連の発表を聞いていると、銃を持っているという点は引っ掛かりますが、女性が泰子さんである可能性がありますね」
浅見「人質に注意しろという言葉が初めて使われましたし、泰子さんの可能性は大きいと思います」
芦沢「こちらでは、先程と同じように、窓にへばりつくようにして二人の男がガスを避けています」
久能「窓は完全に開いているのですか」
芦沢「そこまでは判りません。右の方だけが破られているようにも見えるのですが、窓にへばりついているだけなのかもしれません。今度は三階に向けてこちら側からもガス弾が入っているようです」
久能「今入った情報によりますと、さらにガス弾をどんどん使用せよとの命令が出たようです。今までにない大量のガス弾が撃ち込まれています」

芦沢「二人の姿が見えなくなりました」

久能「風がこちらに向かって吹いており、私の方からは煙に包まれて山荘はまったく見えませんが、そちらも煙に包まれているのですか」

芦沢「こちらも煙がいっぱいです。ただ山荘が見えなくはありません。左の窓にまた男の姿が見えるようになりました。カーキ色の服を着ています。二十二日にちらっと姿を見せたうちの一人もカーキ色の服を着ていましたので、あるいは同一人物かもしれません」

浅見「十六時五十二分に、現場指揮官の判断で、ガスをどんどん使って逮捕せよという命令が出ました」

久能「まだ、中に踏み込んではいないようですね」

浅見「逮捕という命令が出たのは初めてなので、逮捕に踏み切れる状態になったのでしょう」

久能「まもなく救出作戦開始から七時間になろうとしていますが、十日間にわたった事件もいよいよ大詰めを迎えようとしています」

浅見「十六時五十分、九機の確認した人数は三人だそうです」

菊岡広報　〈十六時五十一分、三人は人質を連れてベッドルームで苦しそうにしている〉

久能「どうやら泰子さんの生存は確認されたようです」

芦沢「三階左のベッドルームからは依然として白い煙が出ています。犯人は時々、顔を出しますが、今また引っ込みました」

久能「正面玄関は放水に替わりました。激しいガス弾作戦が功を奏し、ついに中にいる犯人たちも呼吸ができなくなったようです」

菊岡広報〈十六時五十二分、ガス弾のため火災発生の恐れあり。放水の準備されたし〉

浅見「放水に替わった理由はこれでした」

芦沢「放水の勢いが強いらしく、三階の窓からも水がほとばしり出ています」

菊岡広報〈十六時五十四分、放水開始〉

菊岡広報〈十六時五十五分、ベッドルームの奥の屋根裏に人影が二人ぐらい見える。さっきの三人と同じかは確認できない〉

久能「ガス弾の後、玄関前から激しい放水が続いていますが、犯人は全員逮捕の可能性が出てきました」

倉持「正面右側では最後通告の呼びかけが始まりました。玄関付近にいる男にすぐ出て来いと呼びかけているようです」

菊岡広報〈ベッドルームの上の天井裏を人影が二人ぐらい行ったり来たりしている〉

倉持「最後通告が大声で続けられています。周囲の騒音で一部かき消されて聞き取れなかったのですが、玄関にいる男にではなくて、玄関から白い布を持ってただちに出て来いという呼びかけでした」

浅見「五十八分に、三階の窓から女性がハンカチを振っているという情報がありました。また、五十五分に、中に入っている機動隊員から、もし犯人が銃を向けてきたら撃ってもいいかと許可を求めてきたということです」
久能「ハンカチを振っているという女性は牟田泰子さんに間違いないのではないでしょうか。芦沢さんからは見えますか」
芦沢「ハンカチの件ですが、こちらの窓からは確認できません」
久能「それではもう少し新しい情報を待ってみることにしましょう」

軽井沢署での発表が頻繁に行われるようになった、その時間帯に山荘内の動きはどうだったのか。坂口の著書を引用する。

「四時三十分ごろ、また催涙ガス弾が撃ち込まれる。今度は猛烈で百〜二百発は撃ち込まれたと思う。ベッドルームはたちまち橙色や白色の煙に包まれていった。
天井の板が溜まっていた水で抜け落ち、水が滝のように注ぎ込まれる。すると、そこからもガス弾が多数落下してきた。水溜まりに落ちたガス弾は、水中でシュルシュルと音を立てて暴れ回ったかと思うと、飛び魚のように勢いよく空中で飛び跳ねて大量のガスを噴射した。これが五、六発立て続けに起こるのだ。
苦しくて窒息死するのではないかと、思った瞬間、放水が行われた。放水中、ガス弾の発射は控えられた。水の勢いによってガスが拡散されてゆき、われわれはようやく息をすることが出来た。水は冷たかったが、救われる思いがした。

牟田夫人にも大変な苦痛を味わわせてしまい罪深いことをしてしまったと、心から思わずにはいられない。

四時三十五分、警察側は、われわれが催涙ガスに苦しんでいる間、屋根裏のE、F二つの銃眼及びベッドルーム上方に向け拳銃を連続六発発射した。事件発生以来初めての拳銃使用である。

この発砲も、われわれの一部が屋根裏に潜んでいると想定して行ったものである。これをわれわれはラジオで確認した。現場が騒然としていたため、発射音は全く聴いていない。放送を聴いて、われわれは緊張したが、威嚇射撃ということなので、射殺の恐怖はそれほど感じなかった。

威嚇射撃の後、またもや猛烈な催涙ガス弾を撃ち込まれた。

坂東君が、

『牟田さんを保護しなければならない』と言って、夫人を北側端の下段ベッドに連れて行き、左手上の窓を開けて夫人に外気を吸わせた。私と吉野君も、しばらくして窓に駆け寄り、外に顔を突き出して息を吸った。この時、警察側は、男二人と女一人の顔をキャッチしている。女性は当然、牟田夫人のはずである。

この催涙ガス攻撃の間、例によって機動隊の増援部隊が管理人室に突入している。

当時われわれは、催涙ガスで抵抗能力を奪った間に部隊を突入させるという警察側の作戦を知る由もなかった。

四時五十二分、もの凄い数の催涙ガス弾が撃ち込まれ、呼吸が全く出来なくなった。

やむなく私は、北側端の上段ベッドから素手で窓ガラスをぶち割った。そして、破れた所から顔を出して外気を吸い込んだ。空気がこんなにも尊いものであったかと強烈に知らされた。

ふとここで飛び降りてしまえば、すべての苦しみは終わるな、と思った。が、すぐ、いやこれは敗北的な考えだ、許されないことだ、と思って強く否定した。

前方を見たら、浅間山が正面に聳えていた。円錐を途中で水平に切り取った感じの雄大な山で、噴煙を上げていた。山荘侵入後十日目にして初めて見る浅間山の山容だった。

そうか、だからあさま山荘と呼ぶんだな、とその時、ようやく得心した次第だった」

（坂口弘著『あさま山荘 一九七二』）

この記述から芦沢アナが見た三階窓際の二人は坂口と吉野であり、警察発表にあった女性は牟田泰子だったことが判るが、この時点では警察もまだ泰子本人だと確認はしていない。

また浅間山が見えたのはこの日だけではない。事件発生以来何回も姿を見せているのだが、それを見る余裕が坂口にはなかったのに違いない。

◆残るはベッドルーム

ガス弾攻めの間に決死隊の四人は厨房から食堂に突入した。と言っても管理人室のドアの所にもバリケードが築かれており、突入できる場所は厨房と食堂の間に開けられている配膳棚の部分しかない。中は息もできないほどガスが充満していたが、まず仲田が棚のわずかな隙間から楯を投げ入れた後、身体を横にしてすり抜けて食堂に入った。残る三人も同じようにして食堂に入り、さらに、その時までに十五人に増えていた副隊長西海弘以下の九機の隊員が続いた。

激しい銃撃をかいくぐって突入した隊員は楯を構えて態勢を立て直した。そんな中で決死隊の一人永原は、こんな想いが頭をよぎったと苦笑しながら述懐した。

「俺が死んだらおふくろ泣くだろうなあとか、おやじなんつうかなとかね。血のつながりというのか、子供どうしたらいいんかなあということも。でもどういうわけか女房のことは思い浮かばなかったので事件後そのことを漏らしたら、お父さんとは退職離婚だと言われてしまいました」

弾が当たるたびに衝撃で倒れそうになる楯を懸命に支えながら、少しずつバリケードを撤去した九機はついに食堂を制圧した。残るは犯人たちの立てこもるベッドルームだけだ。「いちょうの間」と名のついたベッドルームは厚い壁の向こう側にあり、玄関ホールにつながる廊下の方から廻り込む入口からしか入ることができない。

仲田ら決死隊の四人はその入口からの突入を試みたが、バリケードとして入口に持ち込まれた冷蔵庫が邪魔しており、わずかに開いた冷蔵庫の脇は木材でがっちりと固められている。それを目黒が鳶口《とびぐち》で一本一本崩していく。しかし犯人側が猛烈な勢いで撃ってくることもあって、そこで行く手を阻まれてしまった。事件解決後に調べると冷蔵庫の縁は凹み、防護の楯には二十発もの弾痕があった。結果的にバリケードの冷蔵庫が四人の命を救ったことになる。

一方、西海弘が指揮する九機本隊は食堂からベッドルームの壁を掛け矢で打ち壊し始め、やがて二〇センチ四方の穴が開いた。ところがその穴が銃眼になり、そこから狙われる破目になってしまった。

もっと大勢の隊員を中に入れるしかないと判断した西海は、自ら先頭に立って玄関の内側からバリケードの撤去作業を始めた。バリケードは食堂のテーブルや椅子を積み上げて作られていたが、そこは天井裏からもベッドルームからも死角になっており、狙撃されることなく比較的順調に作業は進んだ。

菊岡広報〈十七時、水の補給のため放水中止。男二人と女一人が見える〉

芦沢「機動隊員が今、ベランダに出てきました。ベランダに溜まっていた水が一層大

（上）機動隊員はベッドルームの窓から数メートルの至近距離で突入の機をうかがった（2月28日、提供／読売新聞社）
（左）食堂とベッドルームの間の壁の穴、最後の突入口となった（2月28日、提供／読売新聞社）

きく滝のように落ちています。食堂の扉は完全に両脇に開けられ、そこから三人の機動隊員が見えています。これで残っているのはベッドルームだけとなりました」

久能「見えているのは機動隊員だけですか」

芦沢「そうです。ベランダの壁が高いので、何をやっているのか判りませんが、頭だけが見えています。ベッドルームの情況に変化はありません」

久能「表玄関の方では、またガス弾の準備ができたようです」

芦沢「左の窓から人影が見えた途端に、ガス弾が撃ち込まれました。しかし、ベランダから撃ったものか、下から撃ったものかは判りませんが、人影はすぐ引っ込みました」

久能「作戦を再開してからの集中的なガス弾は非常に効果があったようです」

芦沢「あれだけ強く抵抗していた犯人をここまで追い込んだのがガス弾と水であることは間違いありません」

菊岡広報〈十七時二分、未確認情報だが、白い布を振っている。人数は不明〉

菊岡広報〈ガスをふんだんに使用して一挙に制圧、占拠されたい〉

芦沢「三階には数え切れないほどの機動隊員が入って、盛んにガス弾を撃っています」

久能「山荘周辺の機動隊員がめっきり減りました。おそらく中に入ったためではないかと思われます。最後になって、人質の泰子さんを楯にしているという情報もあります」

浅見「今、発表がありました。ベッドルームに女性の姿が見えるが、全然動いていないということです」
倉持「人質をすぐ放せと呼びかけの言葉が変わりました。同時にガスも発射されています」
久能「今、正面の所でまた放水が始まりました」
芦沢「三階左側のベッドルームの白い壁ですが、窓の下が今、グリーンになりました。これは放水による水がいっぱいになって、中の着色されたものが落ちてきたものかもしれません」
久能「警察側は、今日の作戦で着色弾を使うこともあるとは言っていたのですが、こちらから見た限りでは使用した様子はありませんので、何か緑のものが中から落ちてきたのかもしれません」
芦沢「それがすぐに消えて、また白くなりました。水がどんどん流れているからかもしれません」
久能「放水はずっと続いています」
浅見「会見場の動きも慌ただしくなってきました。ざっと八十人ぐらいの人がいます」
倉持「前線本部の前に大型の救急車が到着しました。もうすでにエンジンをふかしています。真新しい担架とピンクのタオルケット二枚、真っ白い枕が外に出されています。これが泰子さん用のものかもしれません。
前線本部前にロープが張られ、機動隊員が報道陣に整列するように指示しています。こちらは準備万端整いました」
久能「夕闇が迫ってきて、泰子さん救出の時が待たれます。一時後方に下がっていた取材陣もこちらに向けての発砲の心配が少なくなったため、ずっと前へ出てきました」
芦沢「ベッドルームのカーテンらしい物が外側に出ました。窓が開いて、裾の方が外に飛び出しています。水で押し出されたようです」
久能「その放水、玄関前からまだ続いています。今日は今までの強行偵察では見られなかったほどの強い水圧で、水の量もこれまでの比ではありません。牟田郁男さんの情報が入ってきました。テレビも見ず、ラジオも聞かず、一人で横になっているということです」
菊岡広報〈十七時十三分、放水をどんどん続けるように〉

◆日没間近

放水の水圧を上げればそれだけ水も必要になる。予想を遥かに超える長時間の攻防になり、救出作戦用に浅間山荘の下にある池から汲み上げて貯めていた水も底をつき、レイクニュータウンの別荘の飲料水用貯水槽の水にまで手をつけざるをえなくなった。レイクニュータウンの管理責任者だった篠原宣彦の怒りは今も収まっていない。

篠原の話によれば、二十五トンほど入る貯水タンクが別荘地の山の上までに全部で四つあり、冬季に下の水源池から地下パイプを通してポンプで汲み上げ、夏季の需要期に飲料水が足りなくなるとこの貯水タンクから補充していた。事件が起きた時には四つのタンクとも満杯だった。浅間山荘の西方にあるNHK山荘の手前、日本テレビの小型中継車を停めていた場所の脇にコンクリートの四角な建築物があり、それが三号貯水タンクだが、放水にそれが使われてしまった。ポンプで汲み上げる分、ふつうの水道の四、五倍の料金を取っても合わないほど貴重な水だけに、緊急事態とはいえ、レイクニュータウンの水道責任者は青くなった。

久能「ガス弾の煙がこのあたりまで漂ってきて、また目が痛くなってきました。山荘周辺では指揮官でしょうか、激しい声が飛び交っています」
芦沢「犯人たちがベランダに築いた畳のバリケードを機動隊員が逆に利用して相手の様子を伺っています。そのベランダからは依然として滝のように水が流れ落ちています」
浅見「中にいる機動隊員から放水をどんどん続けてほしいという要請があったそうです」
菊岡広報〈十七時十五分、詳細は不明だが隊員が散弾で負傷した。左側のベッドルームに女性がぐったりしているのが見える〉
浅見「この女性は泰子さんではないかと思われますが、十日間の疲労とガス弾とで大分参っているのではないでしょうか」
芦沢「ベランダにいた機動隊員が全員、中に入りました。ベランダは誰もいなくなりました」
久能「放水が終わって、今度はまたガス弾です。指揮官の白い棒が振られています」
倉持「正面右側、装甲車が一台増えて四台になりました」
久能「担架はまだそのままですか」
倉持「そのままです。救急車もエンジンをふかしたままです」
久能「あたりは薄暗くなり、寒さが一段と厳しくなってきました。今日の予報では夕方は氷点下十度ぐらいに下がるだろうということですが、融けた雪がふたたび凍り始め、非常に滑りやすくなっています」
菊岡広報〈十七時十八分、放水中止〉
倉持「大型装甲車がさらに一台増えて五台になりました」
浅見「天井のところに銃らしい物を発見したので気をつけろという命令がありました」
菊岡広報〈十七時二十一分、天井裏で銃らしきものを向けている男に対して放水開始。ガス弾を発射せよ〉
芦沢「ここからもガス弾が右に左にと火花を散らしているのが見えます。それだけ薄暗くなっているのですが、ガス弾を至近距離から発射しているようです」
久能「玄関側からは放水が続いています。表と裏からガスと水で攻めているようです」

警察警告〈抵抗をやめて、すぐ出てこい〉

久能「今、玄関前の放水が終わりました。泰子さんらしい人影が見え、警察の発表にも人質という言葉がはっきり出るようになってからもう三十分以上が経過しています」

菊岡広報〈十七時二十三分、天井裏の対象に対してガス弾を発射せよ。特車は突入している九機を支援せよ。

十七時二十六分、ベッドルームの中にガス弾発射〉

久能「芦沢アナウンサーの報告でも至近距離からガス弾が撃たれているようですが、天井裏に潜んでいる犯人に対しては玄関の両サイドからガス弾が撃ち込まれています。

先ほど浅見アナウンサーが今日の日没時間は十七時三十八分と知らせてくれましたが、それまでもう十分を切ってしまいました。すっかり薄暗くなった上空ではヘリコプターも十数機から今は三機に減ってしまいました」

倉持「相変わらずガス弾が激しく撃ち込まれています。先程、前線本部で聞いた話では、これだけのガス弾が撃ち込まれれば、あの狭い山荘内では明朝までガスが充満しているだろうということです」

久能「しかしまだ犯人が逮捕されたという情報は入ってきていません。中では依然として頑強な抵抗が続いています」

菊岡広報〈十七時三十分、拳銃一発発射〉
浅見「どちら側の拳銃かは判りません」
久能「犯人があくまでも激しく抵抗する場合には拳銃を使用しても良いということになっているのでは……」
浅見「ただ、犯人が銃を向けてきたら拳銃を発射していいかという先程の問い合わせに対しては、まだいいとも悪いとも何の命令も下されていません」
菊岡広報〈十七時三十二分、犯人が拳銃を発砲している。充分注意せよ〉
浅見「先程発表の発砲というのは犯人側のようです。今、中にいる九機から前線本部に対して延長放水の要請がありました。激しいガスによる火災の恐れがかなりあるのではないでしょうか」

◆延長放水

放水は玄関前に停めた放水車の屋根に取りつけた筒先から行われてきたが、延長放水というのはホースを持った隊員が対象物の前まで前進し、直接目標に向けて放水することだ。当然のことだが大変な危険が伴う。

九機が延長放水を要請したのは、ベッドルームと食堂の間の壁に掛け矢で開けた二〇センチ四方の穴では隊員が突入できず、強力な放水でその穴を拡げる以外にないと考えたからであった。しかしその実施にはホースの筒先を持った隊員が丸腰で山荘内に突入しなければならない。

この延長放水をめぐって九機隊長の大久保と、放水を指揮する特科車両隊隊長小林茂之との間で激しい口論となった。そばにいた佐々淳行がたまりかねて装甲車の陰に両隊長を呼び、

「隊員たちの前で喧嘩するのは止めろ」とたしなめるほどの激しさだった。

ちょうどその時、正面付近のバリケードの撤去が終わったため、大久保は小林との論争をいったん中止して、指揮を執るべく玄関から初めて山荘の中に入った。現場に入って壁に開けられた二〇センチ四方ぐらいの穴を確認した大久保は、ベッドルーム突入のためにはこの小さな穴を隊員が通り抜けられる大きさに拡大するしかないし、それには延長放水で一気にやるしかないとあらためて確認した。大久保は傍らにいた副隊長の西海弘に、特科車両隊隊長の小林を説得してくるように命じた。ガスの充満した山荘から血相を変えて飛び出した西海は、

「中の隊員が息ができないと言っている。ガスを止めて、どうしても延長放水をしてほしい」と激しく迫った。小林はなおも抵抗したが、なぜ小林はそれほどまでに延長放水に反対したのだろう。後日、その理由を小林は次のように説明してくれた。

「理由は二つあった。連中はライフルを持っている。爆弾も持っている。丸腰の隊員はそれを防ぎようがない。高見が殉職した以上、もう部下から一人たりとも死傷者を出したくないというのが一つ。もう一つは、ベッドルームの壁はブロックだという無線を聞

いていたので、せいぜい十分間しかもたない放水では破れないと思ったからだ。破れないものなら、まったく無駄になってしまうし、隊員を敢えてそんな危険な目に遭わせるわけにはいかない。

それにガスと放水の両用作戦には、私は反対だった。東大事件の時には千六百発ものガス弾を撃ち込み、最後は彼らも手を挙げたが、ガスで苦しんでいるところに放水したら、新鮮な空気も一緒に送り込まれて彼らを楽にしてしまうだけだ。苦しくなって三階の窓から顔を出さざるをえなくなっている彼らが、その後の放水で救われたことは坂口の本を見ても明らかで、徹底的にガス攻めにするべきなんだ。隊員も苦しいだろうが、犯人たちだって苦しいはずだ。

しかも、前日に、三階の攻略法について二機の内田隊長はじめ、中隊長以上が集まって開いた作戦会議の結論と話が違い過ぎた。

内田さんは、会議の際、図面を拡げて指し示しながらモンケンで壁を徹底的に破壊し、それから催涙ガスをどんどん撃ち込んで苦しくなって出てきたところを捕まえよう。建物の中での勝負はやめたいと自分の計画を説明した。さらに、長引いて暗くなった場合は、恐らく犯人は銃を構え、人質を抱いて出てくるだろうからその時は警察犬を使えばいい。警察犬は銃を持っている腕に嚙みつくように訓練されているから、と長時間になることまで想定していたフシがある。

犯人を殺していいのなら別だが、生かして捕まえるには確かに建物の中で闘うべきで

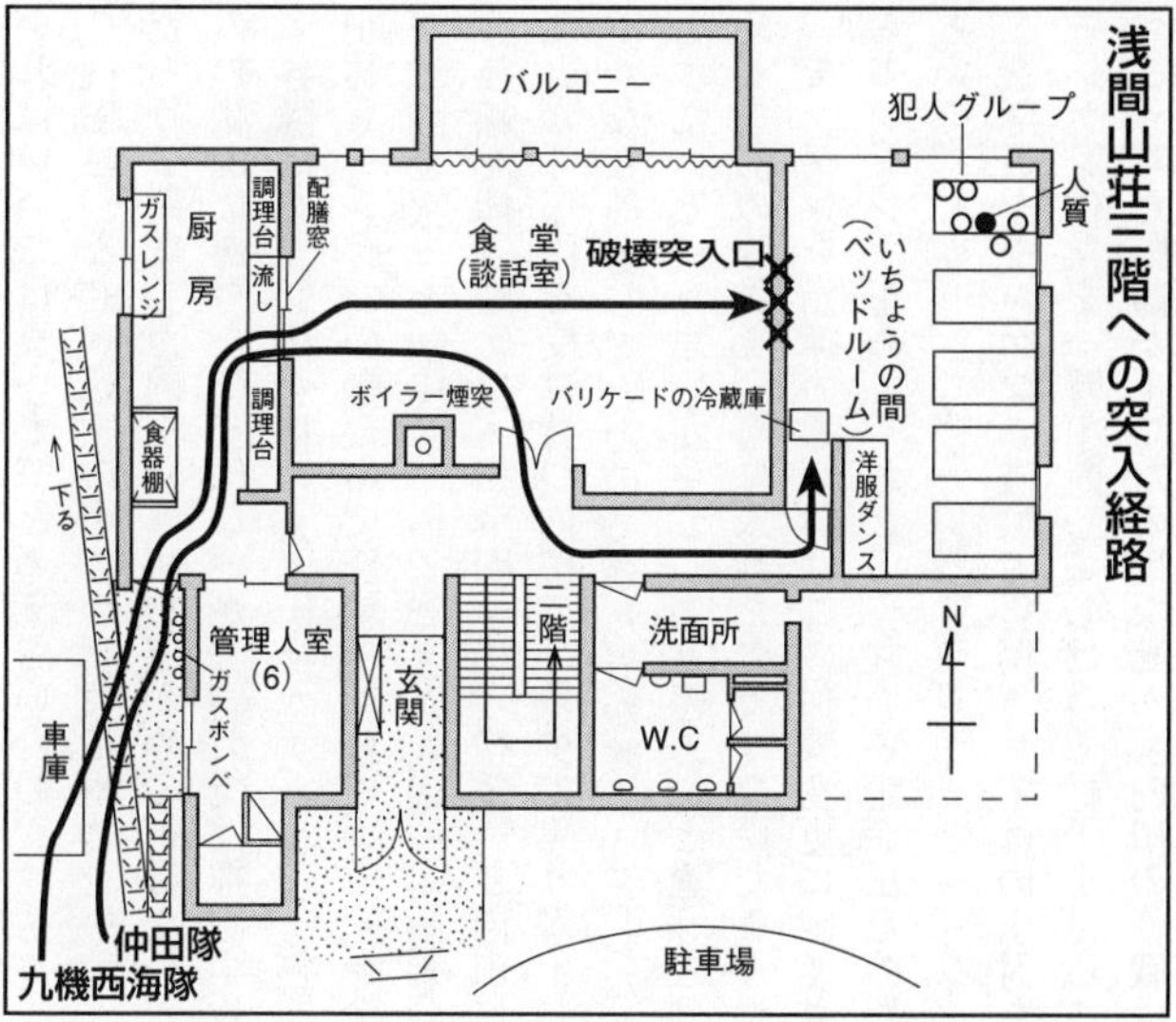

浅間山荘三階への突入経路

はないと思ったのでその作戦に賛成した。

当日、私はモンケンの操縦席に入ってしまったので、部下の高見が撃たれたことも、内田さんが撃たれたことも無線でしか知らなかったが、まだ数発しかモンケンを使っていない段階で、もう二機の一部が三階に突入したのはどうしても納得できなかった。今でも『話が違うんじゃないか。どうして入ってしまったんだ』と内田さんに聞いてみたい心境だ」

小林が延長放水に頑強に反対した背景には、戦術面で納得できなかったからだ。隊員がガスで苦しいなら外に出て待機していればいいではないか、と考えていたのだ。

内田は、なぜ「建物の中での勝負はやめたい」という自ら説明した作戦を変更したのだろう。殉職した内田に真相を確かめる術はないが、焦りと上からの命令との間で板挟みの状況にあったのではないかと、久能は推測する。

〈各隊はチャンスを把らえて中に突入せよ〉〈橋頭堡を築け〉という前線本部の命令を小林もモンケンの操縦席で無線で聞いている。命令に基づいて九機が一階を、長野県機が二階を次々と制圧していく。また九機が一階を制圧した時、「かつらの間占拠」という無線を聞き違えて、伝令が「桂、検挙」と内田に伝えたという証言もある。こうしたことから三階を受け持つ内田には多少の焦りが生じたのではないか。佐々淳行は、内田がかなり興奮していたので落ち着かせようとしたと述べているが、内田には、「遅れをとった」という思いが生じ、当初の方針と違うと判っていながら橋頭堡を築くためにあえて一部の隊員を三階に入れたのではないだろうか。

モンケンを指揮する小林はこの作戦変更に困惑させられた。山荘内に突入した隊員からモンケンを止めてくれという強い要請が出たのだ。大地震のようで立っていられないという。しかし、〈破壊活動を続行せよ〉という上からの指令は続いている。山荘内の二機隊員をモンケンの破壊で負傷させては同士討ちになると考えた小林は自分の判断でモンケン作業を一時中断してしばらく様子を見ることにした。

こうした齟齬《そご》が生じたのはなぜか。内田の作戦は上層部に報告されていたのだろうか。

その点について、佐々は「各階の攻略方法はそれぞれの隊に任せてあったのでまったく知らない」と言っている。「山荘内では闘わない」という戦術は二機と特科隊との間だけのものだったらしい。しかも当日、全部隊に通じる無線とは別に、隊内だけに通じる一ワットの隊内無線を各隊ごとに持っていたが、共同作戦をする二機と特科隊は互いの隊内無線を持ち合っている。両隊の間の意思疎通はできていたはずなのだが、それが通じない前線指揮所との間で考え方のずれが生じてしまったとしか考えられない。

そのずれがいくつかの悲劇と最後の段階での大久保と小林の決定的な対立を生んだのだ。とはいえ夕闇は迫り、ことは急がなくてはならない。

佐々は大久保と小林の対立に断を下し、延長放水をすることが決まった。すると西海弘が「ホースだけ貸してくれれば、九機でやるから」と言い出した。しかし十三気圧の高圧放水は四人で筒先をしっかり押さえていなければホースが蛇のようにのたうってしまう。十分な訓練を積まなくてはできない任務だ。それに特科隊としてのプライドもある。

「誰か中に入る者はいないか」と大声で小林が叫ぶと、

「私が行きます」と特科隊の数人がホースに飛びついた。四人が丸腰でホースを持ち、二人が大楯で四人を守りながら突入することになった。

問題は指揮官だ。小林が、傍らにいた放水のやり方に詳しい石原弘之に、

「石原君、行ってくれるか」というと、石原は、

「行きます」と緊張した表情できっぱりと答えた。

「もし何かあったら、構わず拳銃を使え。そのことが後で問題になったら俺が責任をとるから」と言う小林の言葉に石原は頷いた。先導する西海の後に続いて、いつでも撃てるように拳銃を構えた石原とホースを握りしめた隊員は、玄関から山荘内に入った。

この時、天井裏からの銃撃を阻止するため、大久保隊長は命令した。

「誰か上がれ！」

それに応えたのは決死隊の穐澤だ。同僚の永原が支える楯を足場に天井裏に上がり、続いて上がった三人の協力を得てバリケードの畳などを排除しながらベッドルームの上あたりまで進み、天井裏には犯人が一人もいないことを確認した。穐澤の果敢な行動で天井から狙われる心配はなくなり、すべての力をベッドルームに集中できるようになった。

久能「今、天井裏で光るものがありました。ついに十七時三十八分、日没を迎えてしまいました。先程から山頂にかかっていた月がその輝きを増してきました。表の方は動きが止まってしまいましたが、そちらはどうですか」

芦沢「こちらもカーテンが風か水で揺れる程度で動きがありません。あっ、今、光りました。ガス弾でしょうか」

久能「こちらから見ると天井裏が光っています。大きく壊れた天井裏で火花が二つ散っています」
倉持「前線本部の前の大きな救急車は依然、エンジンをふかしたままです。その横には白衣を着た医師らしい人が救急車の外に出て待機しています」
久能「今日、泰子さんが無事救出された時には警視庁の梅沢医師らが診断して病院に運ぶことになっています。また、もしも容体が悪い場合にはヘリコプターで東京へ運ぶことになっていますが、もうヘリコプターの飛べる時間は過ぎています。陽が落ちてから気温が下がり、山荘前はすでに凍っています。下の方はどうですか」
芦沢「こちらも同じぐらいだと思います。シンシンと冷え込んでいます」
久能「すっかり暗くなって、テレビカメラでも把らえにくくなってきました。今、玄関前には長い梯子が持ち出されています。急に屋根裏のところが明るくなりました。どこかから光が当てられているのでしょうか」
倉持「正面右側から、今、投光器で照らし始めたところです」
久能「その照らされた屋根裏で、楯を持った機動隊員が動き回っているのが見えています。表に向けての発砲はなくなったようです。犯人たちはベッドルームの奥へ逃げ込んだのでしょうか」
菊岡広報〈十七時三十六分、九機から延長放水を始めてほしい。日没になる。急いで

ほしい〉
菊岡広報〈十七時四十三分、延長放水準備完了〉
菊岡広報〈十七時四十五分、九機突入部隊が撃たれた。散弾の模様〉
菊岡広報〈十七時四十七分、最後通告せよ〉

山荘内はガスが充満し、ぼんやりとしか見えなかった。

「小池さん、あそこでいいか」と、石原から声をかけられた九機の小池啓太郎が、

「そうだ。あそこの穴の開いているところをやってくれ」と大声で答えるのとほとんど同時に猛烈な勢いで筒先から水がほとばしった。午後五時四十八分、ついに延長放水が始まった。水が尽きるまでの十分間、最後の勝負である。

高圧放水の威力は凄まじい。壁の穴は見る見るうちに大きく拡がる。とても破れないのではという小林の心配は杞憂《きゆう》であった。この放水をまともに受ければ、身体はばらばらになってしまう。身を潜めて放水が終わるのを待っているのか、犯人たちもまったく発砲してこない。

その間に冷蔵庫脇の障害物を取り除いた仲田ら四人の決死隊は、放水の終了と同時にベッドルームに突入しようと待ち構えていた。その中の一人、目黒は目の上を散弾で撃たれ、顔面を血で真っ赤にしながらも引き下がろうとはしなかった。また穐澤も、あれだけ危険だと思っていたのに、いざ突入してみると心が据わっていた。

「ベッドルームに向かって大楯を構え、壁が落ちるのを待っていた。胸が高鳴るような突入を待つ時間だった。ふと母の顔が浮かんだ。両手を合わせて祈る母だった。両手を合わせながらも、その目は『行け』と言っているようだった。私はまぶたの母に頷いた」

（長野県警編『旭の友』）

◆ベッドルームに突入

菊岡広報〈十七時五十二分、延長放水はかなり効果が上がっているので放水は中止されたい。ベッドルーム入口に突入部隊前進中〉

菊岡広報〈十七時五十五分、ベッドルーム左半分にはいない〉

菊岡広報〈十七時五十六分、長野県機、左側の窓を開けている。犯人が見える。人数は不明。

十七時五十六分、ベッドルーム左側の窓を開けて男が一人、外の様子を見ている。

十七時五十八分、未確認だが、ベッドルームから一名逃げたという、中にいる突入隊員の声がしている〉

倉持「先程、雨戸が開き、今そこから煙が出てきました」

久能「その雨戸は長野県機の隊員が開けたようです。中の様子を窺っている隊員から犯人が見えると言っています」

菊岡広報〈突入部隊から報告。十八時五分、ベッドルームの中央付近に頭らしいものが見えるが、何であるかは不明〉

久能「暗くて何も見えません。今はひっきりなしに行われる警察発表を待つしかなくなりました」

午後六時十分、そろそろ水がなくなるという報告で大久保はついに最後の号令を発した。

「全員、突入せよ！」

その声が終わるか終わらないうちに放水で大きく拡がった穴から副隊長伝令の遠藤正裕がベッドルームに真っ先に飛び込んだ。その瞬間、「バーン！」という銃声とともに遠藤は膝から溜まった水の中に倒れ込んだ。冷蔵庫脇から突っ込もうとしていた仲田の目の前で起きたが、この銃撃で遠藤は右目脇から右耳上部に貫通する重傷を負った。

遠藤の勇敢な行動に奮い立った隊員は「遠藤に続け！」と喚声を上げながら、入口側からは仲田ら四人の決死隊を先頭に、正面の穴からは九機隊員が、一斉にベッドルームになだれ込み、部屋の北側隅の盛り上がった布団の山を目がけて殺到した。思いっきり楯を振り下ろす。次々と馬乗りになり、布団の上から押さえ込んだ。布団の上には放水を防ごうとしたのだろうか、ベニヤ板が立て掛けてあったが、そのベニヤ板ごと圧し潰した隊員もいた。

と永原尚哉はその場の状況を振り返っている。犯人たちは激しく抵抗し、しかもまだ銃を持っている。隊員は必死で銃を持った手を払い除けなければならない。

◆人質救出

「あっ、いたぞ！」

「ここにもいるぞ！」

怒号が飛び交い、まるで喧嘩をしている中に飛び込んでしまったような感じだった、

仲田もそのうちの一人に手錠をかけようとして手首をつかんで強く引っ張った。その瞬間、オヤッと思った。いやに手首が細い。その途端、

「私、違います」という女の声が聞こえた。隊員たちが死を賭して救出しようとした牟田泰子本人だ。しかし、多勢で飛びかかっており、永原も泰子の髪の毛を力まかせに引っ張っていた。

「必ず救出してあげるから」と郁男に約束した仲田は、自分の手で泰子を救出したことに因縁めいたものを感じたという。

泰子は、顔面血だらけとなった決死隊の目黒成行に背負われてベッドルームを出た。そして表で待機する救急車に向かおうとしたが、すでに山荘内に入っていた佐々淳行が、

「待て！」と大声でストップをかけた。

妙義山でも、軽井沢駅でも、それまで彼らはすべて女連れで行動してきただけに、

佐々には山荘内に女性兵士が混じっていないとは言い切れない、という思いがあったのだ。まして何人で立てこもったかは最後まで確認できていない。玄関脇には、三百人近い報道陣が所定の位置について待ち構えている。万が一にも泰子ではなく女性兵士だったら大醜態をさらすことになる。

「確認したのか。本当に牟田泰子なのか」と佐々が声を張り上げると、隊員たちも、

「そう言われますと……」と口ごもり顔を見合わせてしまった。誰一人として面識がないのだから無理もない。

薄明かりの中でもはっきり判るほどの髪の長い色白の美しい女性は救出された安堵感からか、ぐったりとして意識も朦朧としているらしい。佐々は、彼女の頬をピタピタと叩きながら、

「泰子さんですか。あなたは牟田泰子さんですか」と大声で尋ねる。すると女性は弱々しいが、はっきりとした声で、

「はい、牟田泰子です」と答えた。

「よし、間違いない。行け！」

佐々自らが最終確認して、泰子を背負った目黒は玄関に向かった。

そのころ前線本部の置かれた多重無線車の中では、「人質救出」の無線が突然途絶えてしまったため野中庸本部長が「どうなんだ。どうしたんだ」と懸命に確認を求め続け

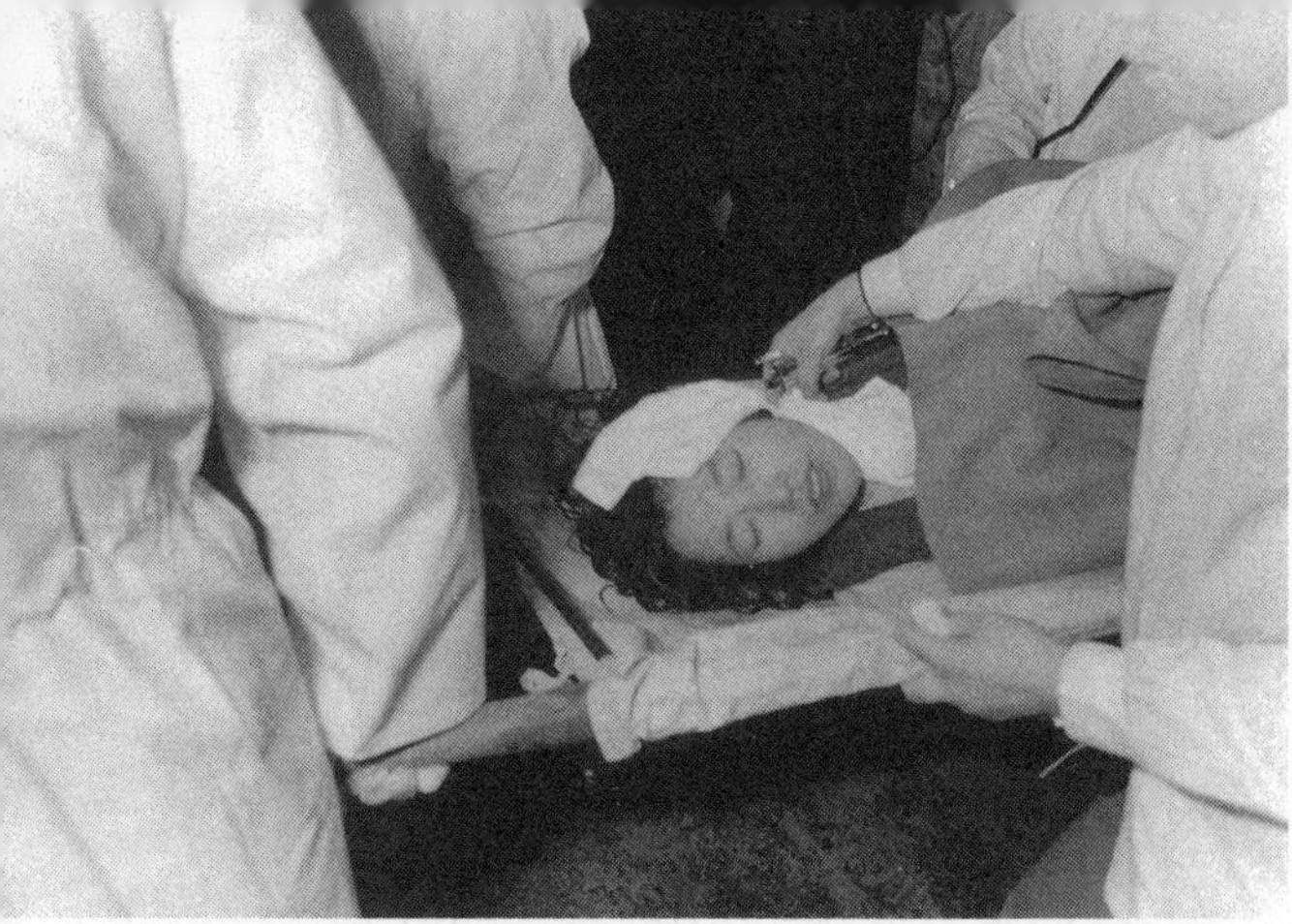

救出され、軽井沢病院に運ばれた牟田泰子（2月28日、提供／読売新聞社）

ていた。しかし、返ってくるのは「ちょっと待て」という言葉だけだ。この空白が佐々の最終確認の時間だった。ごくわずかな時間だったが、待つ身には長く感じられる。そこへ視察班の采女《うねめ》研覚済《けんかくさい》から待望の無線が入った。

「至急、至急！　現場1から統括。人質本人から確認。牟田泰子さんに間違いない。どうぞ」

　連合赤軍が浅間山荘に乱入してから、実に二百十八時間。ついに人質は救出された。

　本部車で無線を聞いた国松孝次広報課長はこれだけはすぐに伝えなければと、本部長の了解を取ると大急ぎで外に飛び出し、車を取り囲んでいた報道陣に無事を告げた。無線を受けた軽井沢署でもほとんど同時に発表された。

菊岡広報　〈十八時十五分、被害者の牟田泰

子さんの身柄を無事確保した〉

その瞬間、軽井沢署の会見場はもちろん、浅間山荘の中でも外でも「ワー」という大歓声が上がった。拍手する者、握手を交わす者、万歳をする者、抱き合って泣いている隊員もいる。

浅見アナは、軽井沢署で記者発表した菊岡平八郎の目に涙が光っていると伝えてきた。

「なにしろ人質の無事救出が最大の目的だったので〝無事〟の二文字を見た途端、熱いものが込み上げてきた。私は涙もろいので……」と、温厚な菊岡は照れ臭そうに当時を振り返る。

「『純粋感動』という言葉があるなら、まさにそれだった」とは、佐々淳行のその瞬間の抑えがたい感情の表現である。

その感動はテレビを通じて全国に伝えられた。牟田泰子救出の瞬間の視聴率はNHK・民放を合わせて八九・七パーセントという驚異的な数字を示した。

山荘玄関から運び出された泰子は待ち構えていた隊員たちによって担架に乗せられ、前線救護所のある大型救急車に運ばれた。そこで最初の診察をしたのは、警視庁の梅沢勉と軽井沢病院から派遣されていた前田弘の二人の医師だ。

「毛布にくるまれていたが、身体が放水の水を被って氷のように冷たかった。ガタガタ震えていたが、目立った外傷もなく、大丈夫ですかと聞いたら、大丈夫です、とはっきり答えた」

前田はその時の泰子の様子をこう説明してくれた。夫の郁男が、気の強い女性だという泰子の勝気な性格が救出直後の虚脱状態からいち早く立ち直らせたようで、別の救急車に移し替えられると、ただちに軽井沢病院に向かった。

人びとの目が牟田泰子に注がれているころ、一人の隊員が山荘から出てきた。延長放水を指揮した石原である。

「隊長、やりましたよ。やりました!」と叫びながら小林の元に駆け寄った石原の手にはまだ拳銃が握られたままだった。

「ご苦労さん、もう拳銃をしまっていいぞ」と小林はねぎらいの言葉を掛けた。が、石原は拳銃を降ろそうとしない。指が拳銃から離れなくなってしまったのだ。

「よし、そのままにしていろ」

小林が一本一本、石原の指を離してやらなければならなかった。極度の緊張、死の恐怖と直面しての任務遂行だった。

◆五人を逮捕

山荘内にはもう犯人しかいない。彼らは激しく抵抗した。ベッドルームに突入した隊員二十八人が総がかりとなった。銃を手からもぎ取ろうと手を押さえ込む者、蹴られながらも足を懸命に押さえる者、首を抱え込む者。犯人たちは手錠をかけられても暴れる。

凄まじいばかりの逮捕劇となった。隊員たちには、同僚を二人も殺された恨み、憎しみもある。気持を抑え切れない隊員たちの激しい拳が飛ぶ。佐々は大声でこれを制した。「君らの隊長や仲間を撃った犯人たちは必ず国が裁いて極刑にする。私的制裁は許さない」

犯人の中には、異臭を放つ長髪を振り乱して狂ったようにもがき、泣き出す者もいたが、ようやく全員に手錠がかけられた。最後まで判らなかった犯人の人数は五人。坂口弘、吉野雅邦、坂東国男、それに十九歳の武藤道夫（仮名）と武藤の弟で十六歳になる高校生だった。高校生までが立てこもっているとは警察側もまったく予想していなかった。公安の刑事でさえ驚きの表情を見せ、氏名の特定にも時間がかかった。

佐々によれば、その十六歳の少年が一番ケロッとしており、白々しいほどの態度であったことが印象に残ったという。また坂東も割合に冷静だった。坂口は興奮の極にあり、吉野は大声で泣き叫び見苦しかったという。その吉野の姿を見ながら「泣くな、この野郎。泣くぐらいならこんな大それたことをするな」と、殴りかかりたい気持を佐々は必死に抑えていた。その日、朝から伝令として佐々と行動をともにした後田は、その時の佐々の形相はそれまでに見たことのないほど厳しかったと語っている。

いよいよ五人の犯人が山荘を出る段になって、佐々は地元の長野県警に栄誉を与えようと、決死隊の一員として吉野を逮捕した穐澤正夫と永原尚哉を先頭に立てることにした。

逮捕、連行される坂口弘（上）と坂東国男（2月28日、提供／北原薫明）

こうして佐々が決めた順で、五人は山荘から引き立てられて行くことになったが、その際、佐々は報道陣の前ではゆっくり歩くように指示した。報道陣は玄関を出て左手の山側に整然と並んでいる。反対側は崖である。犯人たちを急いで歩かせた場合、カメラマンが先を争って崖から落ちでもしたら大変だと思ったのだ。同時に、凶悪な事件を引き起こした犯人たちの姿をしっかりカメラに収めてもらおうという気持もあった。タイミング良く、隊員の中から、

「奴らの顔を見せてやっていいですか」という声が飛んだ。

「いいとも。しっかり見せてやれ」と佐々が答えると、隊員たちは放水でびしょ濡れの犯人の髪の毛を鷲摑《わしづか》みにして顔をグイッと上げさせ、次々と山荘の玄関から出て行った。

その途端、一斉にカメラのフラッシュが焚《た》かれたが、報道陣や周辺にいた機動隊員から、

「人殺し！」

「なんでおめおめ出てきたんだ！」

「死んでしまえ！」と凄まじい罵声《ばせい》が浴びせられた。

「隊長を返せ！」とボロボロ涙を流しながら叫ぶ隊員の姿もある。唾をかける者までおり、連行する隊員が、それだけはやめてくれと制止するほどだった。五人はほぼ一〇メートルの間隔で、佐々の指示通り撮影しやすいようにゆっくりと連行されて行った。放水でずぶ濡れの彼らの体からは湯気が立ち昇っている。すでに雪道はカチカチに凍って

いたが、犯人たちは裸足か、履いていてもびしょびしょの靴下だけである。

TBSの公安担当記者、田近東吾は連行されて行く彼らの名前を無線で放送席に連絡していたが、十六歳の少年だけはどうしても判らなかった。現在は国会議員であるが、当時は警察庁公安一課から派遣されていた亀井静香警視も他の四人はスラスラと名前を挙げたのに、その少年だけは「さあ、判んねえなあ。あいつ誰だろう」としか答えられなかった。それほど意外な人物だったのだ。

田近は、逮捕された五人について、

「あらゆる物を拒絶しているというか、あらゆる物から自分自身を隔離しているというか、何も寄せつけない感じの厳しい顔をしていた。極限を経験すると人間はこんな顔になるのかなあと思った」

とその印象を語っている。ほとんどの記者やカメラマンが激しい罵声を浴びせる中で田近のように冷静に彼らを観察していた記者もいたのである。

一方、その場に居合わせた警察官の思いは複雑であった。つい先程、小躍りして車から飛び出し、人質の無事救出を伝えた国松広報課長は五人が本部車の前を通り過ぎるのを見ながら声を上げて泣いていた。「こちらは隊員を二人も殺されているのに、その犯人の全員が五体満足で出てくるなんてどういうことだ。民主警察とは辛いものだと思うと涙が止まらなかった」という。

◆フジテレビのスクープ

犯人たちがもう少しでパトカーに到着しようとしたその時、突然報道陣の中からある新聞社のカメラマンが飛び出して犯人に飛びかかり、機動隊員に制止された。すると何と報道陣の列には戻らず反対の崖側に廻り込んでパチパチとシャッターを切り始めた。他社のカメラマンから「汚いぞ」という声が上がった。彼が撮った写真は他社にはないアングルとなった。

こうした場面では、必ず一人や二人抜け駆けする者が出てくるものだが、連行される五人の姿をそのまま生中継したのがフジテレビである。その映像がテレビに映し出された途端に、

「やったあ!」という大歓声が、フジテレビ本社で沸き起こった。一方、NHKや他の民放は苦虫を嚙み潰したような表情でその画面を見つめていた。

フジテレビを含めて放送各社は浅間山荘の南側、道路を隔てて山荘を見下ろす山の斜面にテレビカメラを設置していた。明るいうちに決着がつくと思っていた各社は、その下の道路を犯人たちが連行されて行くはずであり、山の上のカメラでその姿を充分撮れると考えて道路近くにカメラを置かなかった。中継ケーブルもそこまでは延ばせなかった。ところがフジテレビだけは犯人たちが連行されてくる道路の脇にあらかじめ小型カメラを用意していたのである。

当時のテレビカメラの性能では、日没後の薄暗くなったその時間では山の上からではまったく映らない。決着が夜にずれ込んだのが他局にとっては大誤算であり、フジテレビにとっては幸いして、まさに大スクープとなった。

スクープをものにしたフジテレビのカメラマン福田勝谿《かつひろ》がその事情を明かしてくれた。

「事前に浅間山荘付近を封鎖して報道陣も入れないという情報をキャッチしたので、当日の午前四時ごろ、警察が道路を封鎖する前に現場に入り、犯人が逮捕されるまでずっと同じ場所で待機していた。

カメラは白黒用だったが、もうカラーの時代に入っていたので、ほとんど使われず会社の倉庫に眠っていたものを何か役に立つかもしれないと持ち出してきたものだ。ハンディカメラとは呼んでいたが、中継カメラと同じで電源が必要だし、そのまま中継の画像を送るにはパラボラアンテナも立てなくてはならない。

パラボラは浅間山荘からおよそ一〇〇メートル離れた地点に立てた。作業中に犯人たちが撃ってくるので匍匐《ほふく》前進しなければならないほど危険だったが、その場所からは下の方に中継車が見えていたので、パラボラさえ立ててしまえば簡単だった。

問題は電源をどこから取るかだ。そばに中継車や電源車があればそこから取ればいいのだが、中継車は遠く離れている。ふと見ると崖の下に小屋があって、そばの電柱から電線が引き込まれている。その電線の被膜を剝いでそこから電気を貰おうとしたがそこは素人の悲しさ、フックを掛けた途端にショートして付近一帯を停電させてしまった。

まもなく現場に飛んできた中部電力の人にはこっぴどく叱られたが、いきさつを説明すると、事情が事情だからと意外にも簡単に了解してくれて、電源が確保できた」

この窮余の一策がフジテレビに幸運をもたらした。

中継態勢はできたが、福田の待機していた場所からは銃声が聞こえるだけで山荘はほとんど見えない。そのうち山荘周辺が落ち着きをみせ、犯人逮捕も知らされたのだが、逮捕されたはずの犯人たちの姿がなかなか現れない。この道で間違いないとは思いつつも、別の道を行ってしまったのではないかと不安になった。しかしここまできたのだから我慢しようと思い始めてしばらく、ついに連行される五人の姿が見えてきた。

福田は足場用にと準備した箱に乗って撮影し始めたが、興奮しているのか足の震えが止まらない。スタッフの一人が膝を抱いてくれて、やっとカメラが安定した。

「周囲を見渡すと生中継しているのは自分しかいない。絶対に失敗は許されない。何としてもきちんと撮らなければと思うと気持が高ぶった」

という福田だが、連行されて行く坂東がテレビカメラを睨みつけた時には、「何だ。この野郎」と、撮影しながら怒鳴りつけるほどの冷静さも持ち合わせていた。全身から顔のアップへと撮り終わると、次の男が連行されて来る。また全身から顔へ、次いでまた全身から顔へと、無我夢中で五人全員を撮り終えた。

大スクープをものにした福田だが、翌日の新聞を見て愕然《がくぜん》とした。五人の顔のアップにばかり気を取られて、ほとんど裸足状態の彼らの足元を映さなかったからだ。福田は、カメラマンとしては失格だと思い、すっかり落ち込んだという。そこにはプロカメラマンの姿がある。

その時、日本テレビの倉持アナも背後から機動隊員にズボンのベルトを握って貰い、崖の上から身を乗り出すようにして目の下の情景を実況していた。

「すごい明かり。すごいフラッシュです。担架に乗せられた泰子さんは大勢の機動隊員に囲まれているため、私からはわずかに隙間から見え隠れしているだけで表情までは判りません。毛布にくるまれ、顔だけ覗いています。眼はつむったままです。しかし、本当によかった。機動隊員も嬉しそうです。

今、泰子さんが救急車に乗せられました。赤いランプは先程から廻ったままです。医師や看護婦に付き添われて、パトカーに先導された救急車が軽井沢病院に向けて山を下り始めました。窓のカーテンが閉められているため、中の様子は判りません。

続いて今度は山荘の玄関から次々と犯人が連行されてきました。

最初の男は裸足です。裸足で出て来ました。吐く息が真っ白です。泣き腫らしたような表情です。

二番目の男はロングコートを着ています。長髪ですが、グリーンのネッカチーフをしています。

次の男が現れました。この男も長髪です。素足ですが、サンダルを履いています。

四番目の男はGパンをはいています。堂々としているようにさえ見えますが、長髪の頭からは湯気が上がっています。かなり暴れたようです。なんとか顔を伏せようとしていますが、そうはさせじと長髪をむしるようにグイッと後ろに引っ張られ、両脇を抱えられて引きずられるようにして連行されて行きました」

倉持の折角の実況放送も、照明灯に浮かび上がった浅間山荘の動きのなくなった画面のバックに流れただけでラジオの実況中継に等しく、フジテレビの迫力ある生中継の画面に敵うはずもなかった。翌朝の新聞各紙でもフジテレビが放送したその場面を彷彿《ほうふつ》とさせるような記事はどこにも見当たらなかった。

それほどテレビの持つ即時性を強烈に印象づけたフジテレビのスクープはまさにテレビ時代の到来を告げる歴史的ひとコマと言っても過言ではなかった。

◆静まり返る山荘内

同じころNHK山荘で妻の救出を待っていた牟田郁男がもみくちゃになりながら玄関に出てきた。

「ありがとうございました。ありがとう」と誰彼となく頭を下げながら、警察の用意した車に乗り込んだ郁男は、幾分、頰を紅潮させながら別の道を通って救急車の後を追うようにして軽井沢病院へと山を降りて行った。

浅間山荘周辺が潮の引いたように静かになり、怒号やパトカーのサイレンの音が次第に下の方へと遠ざかっていくのを聞きながら、佐々淳行は山荘内に立ちつくしていた。

「純粋感動」といった気持はすでに冷め、空しさが胸一杯に拡がっていた。人質の無事救出と犯人の全員逮捕という至上命令を達成しても気持は晴れなかった。二人の警官の殉職が重くのしかかっていた。解散の指令を待つ隊員たちも同じ気持だったのではないだろうか。

山荘内は一転して静まり返り、重苦しい空気に包まれている。ベッドルームにはおびただしい空薬莢が散乱し、まだ五百九十一発の実弾と三個の手製爆弾が転がっていた。これらは放水の水で湿って使い物にならなくなっていたが、もし爆弾がさらに投げられていたならと思うと、佐々はあらためて身の毛がよだつ思いであった。あの時、延長放水を決断して良かった、とつくづく思った。

ベッドの上にはライフル銃一丁、散弾銃四丁、拳銃一丁が残されたままになっていた。後日の取り調べで、ライフル銃は赤軍派メンバーの一人の実兄が所持していたものを関西の実兄宅から実弾四十発とともに盗んだものであり、拳銃はフィリピンからの密輸品を実弾七十発とともに入手したことが明らかになった。彼らの装備は真岡市の銃砲店から奪ったものだけではなかったのである。

◆放送終了

レイクニュータウンを出ると軽井沢署までは広い一本道だ。逮捕された五人を乗せたパトカーは十分ほどで署に到着する。署の前は黒山の人だかりである。手錠をかけられた犯人が一人、また一人と、五〇メートルほど離れた玄関へと消えて行く。その模様を、今度は日本テレビだけが生中継に成功したが、所詮二番煎じの感は免れなかった。

五人が署内に入るのを見届けるとマイクは山の上の久能靖に戻ってきた。もう撃たれる心配はない。ふたたび立ち上がって放送を始めた。

モンケンで打ち壊された浅間山荘の無残な姿が投光器に照らされ、一層凄惨《せいさん》な感じを与えている。軒先からは放水の水が早くも氷柱となって下がり始めている。ふと山荘越しに見ると、浅間山が夜目にもくっきりと黒い山容を浮かび上がらせている。珍しく澄み切った冬空の下で遠く軽井沢の街の灯りがキラキラと輝き、久しぶりに平和な光景を見た思いがした。

フロアマネジャー加川敬が「そろそろ締めて」という合図を出す。久能は現場からのその情景を最後に伝えて午後六時四十五分、九時間にわたる放送を終えた。

九時間という時間が、実感として長かったと感じられなかったのだが、加川が「お疲れさん」と声を掛けてくると、胸が熱くなり、無言で加川と音声の友光秀男の手を握り返した。ところが山の稜線を越えて走り寄って来る倉持の目に光る涙を見た途端、抑えが効かなくなった。久能は「ありがとう。良くやってくれた」と言おうとしたのだが、どうしても言葉にならない。ただ肩を抱き合う。涙が出て止まらなかった。

（上）犯人が最後まで抵抗したベッドルームの一番奥のベッド（2月29日、提供／北原薫明）
（下）三階への突破口となった調理室。左の棚で爆弾が炸裂（2月29日、提供／北原薫明）

◆突然耳が聞こえない

機動隊員たちも恐らく似たような気持ではなかったかと思うのだが、全責任を負い、失敗したら出家しようとまで考えた本部長野中庸にその時の胸の内を聞いた。

「やれやれ、やっと終わったかというホッとした気持とちょっと残念だなという気持があった。肉体的にも精神的にも苦しくてしんどかっただけに、それこそもの凄く長い一日だったが、終わって良かったという気持がある反面、終わってしまって何か腑《ふ》抜《ぬ》けのような気持があった。うまく表現できないけれど、それが虚脱感だったのだと思う。

僕はオーケストラの指揮者のようなものだが、非常に高揚したクライマックスを迎えたところで、突然演奏が終わって静寂が来てしまったような寂寥《せきりょう》感というか、空虚感というか、そんなものを感じたというのが正直なところだ」

この野中の言葉は、九時間も放送しながらまだ何か物足りない、もっと喋っていたいという久能の気持とどこか通じるものがあった。しかし、最高責任者としての野中の精神的、肉体的負担が久能の比でなかったことは言うまでもない。

「人質の無事救出と犯人全員逮捕を警察庁長官室との直通電話で後藤田長官に報告すると『良く頑張ってくれた。明日行くから、皆によろしく伝えてくれ』と言われた。

ところがその後、中村寅太公安委員長と電話を代わるからと言われた途端、どういうわけか突然、耳が聞こえなくなった。『はい、はい』『どうもありがとうございました』

と合わせているのだが、公安委員長が何を言っているのか全然判らない。しばらくしてまた聞こえるようにはなったが、あれは何だったんだろうと思う。

それに爪が引っ込んでくぼみができてしまった。爪が伸びてきて、そのくぼみがなくなるまで一か月ぐらいかかった」

肉体的に変調を来すほどの野中が負った十日間の重圧は久能の想像を遥かに超えたものであった。

一方、犯人逮捕の報にホッとしながらも、ガックリ肩を落とす一人の男がいた。群馬県警警備二課長の中山和夫である。あの時、群馬県内で犯人を逮捕していれば浅間山荘事件は起きなかった、という思いが中山の心に日増しに重くのしかかっていた。榛名湖畔で、迦葉山で、妙義山で彼らを逃し、長野県側に入られてしまったことが悔やまれ、申し訳ない気持で一杯だった。まして二人の殉職者と多数の負傷者を出して決着したことに責任を感じた中山は、事件の処理が一段落したら辞表を出そうと考え、その旨を県警本部長にも伝えた。

◆父親の自殺

前線本部では幕僚たちが互いの労をねぎらいながらも、心の内に何か重いものを感じていた。そこへ思いもかけない情報が入った。犯人の一人坂東国男の父親が自殺したというのである。

坂東の実家は滋賀県大津市で旅館業を営んでいた。この日は朝から表戸を閉め、鍵をかけて家族でテレビを見ていた。父親は「やっぱり息子は山荘の中におるんだろうか」と信じられない様子だったという。午後六時過ぎ、坂東の逮捕が伝えられるとそっと席を立った。

首を吊っているのを家族が発見した時にはこと切れていた。服のポケットからは次のような走り書きした遺書が見つかった。

「人質にされた方には心からおわび致します。死んで許されることではありませんが、死んでおわびします。

後に残った家族を責めないでください。娘を一人残していくのは心残りですが……」

実家にはこの日も朝から嫌がらせや脅迫めいた電話が数回かかっていたというが、父親もまた事件の無惨な犠牲者の一人である。このことも事件を一層重苦しいものにした。

翌朝、係官から父親の死を知らされた坂東は顔色一つ変えず、平然としていたという。

◆対面

ちょうどそのころ、軽井沢病院では泰子が家族との涙の対面を果たしていた。

泰子が病院の一番奥の病室に運ばれたのは午後六時三十九分。すぐにびしょ濡れの衣類を着替えさせられたが、病室には泰子の到着前から母親が涙で顔をくしゃくしゃにして待っていた。

母親の姿にやっと助かったという実感が湧いてきたのか、泰子は、「お母さん、心配かけてごめんね」と、はっきりした口調で話しかけた。母親は「よかったね」と言っただけで泰子のベッドに泣き伏してしまった。

そこへ夫の郁男が入ってきた。すでに軽井沢病院に向かう車の中で、泰子がけがもなく比較的元気だということをラジオで聞いていたが、やはりひと目見るまでは安心できない。その時の気持を、次のように語ってくれた。

「永い時間をかけて解決できなかった上での強行突破行動だから、泰子が無事出てこられる保証はないと感じている一方で、心の中では、多少のけがはしても無事に生還するという自信があった。いや、願望であったかもしれない。こんなにも警察の方たちが無事を願って粘り強く努力してくれてるのだから必ず功を奏すると思っていた。

そして実は、泰子が無事に救出されて出てきたときには玄関口でどうやって迎えようかなどと考えていた。ところが泰子が実際に救出されて病院に駆けつけた時には、なぜか熱が冷めたようになり、恐る恐る病室に入っていった。その時、初めて泰子の姿を見た。治療を受けている姿を見た時、助かったんだなあと実感した」

泰子が目をつぶっていたため、催涙ガスで目が開けられないと思った郁男は、「泰子、判るか」と声を掛けた。頷く泰子に、

「国中の皆さんが大変心配してくださったんだよ」と言うと、泰子は、

「ごめんね。皆に迷惑を掛けてごめんね」と答えるのが精一杯で、後は二人ともしばらく涙にくれていた。二人の様子に貰い泣きしながらも看護婦たちが懸命の手当を続けていた。

泰子の診療に当たった医師の原久弥は次のように話す。

「冷たい水を長時間浴びていたため、凍傷が心配だったが大したことはなかった。ただ催涙ガスで目が充血し、多少皮膚炎のような症状が見られたが、普通の人ならかなりガックリくるだろうに、予想以上に元気だった。栄養低下の症状もなく精神的にタフな人だと思った」

また院長の木戸千元も、

「十日間も拘禁状態に置かれると精神的にやられてしまっているのではないかと心配して専門医にきて貰っていた。その精神科医のいろいろな問診に対してひと言の間違いもなく答えており、何の異常もなかった」と精神的な強さに舌を巻くほどであった。

しかし、冷え切った身体に体温がなかなか戻らない。救出されたのに死なせては大変だと、婦長の柳澤タミをはじめ、七人の看護婦が交代で頭の先から足の先まで懸命のマッサージを続ける。部屋の中にはストーブが焚かれおり、その熱と二時間に及ぶマッサージによってようやく泰子の身体は温まり、顔にも赤みがさしてきた。その間リンゲル注射も打たれ、収容時に最高百五十二、最低百四あった血圧は、午後十時には百二十八―九十に下がり、脈拍も百二十六から八十八へと落ち着いてきた。

だが、どういうわけか泰子は看護婦たちが話しかけても何一つ答えようとはしなかった。

やがて郁男は病室を出ると、泰子の両親とともに軽井沢署での記者会見に臨んだ。

「この度は全国の皆様が親身になって心配してくださったことに対して何とお礼の言葉を申し上げてよいか判りません。今は心からありがとうございましたと申し上げるだけでございます。

しかし、泰子の救出のために二人の警察官が亡くなったことは本当に申し訳なく、おわびのしようもありません。このお二人のためにも泰子は生きて出てくる義務があったのです。妻が救出されたからと言って喜んではいられない。私は今そんな気持で一杯でございます」

薄いサングラスをかけた郁男は丁寧な言葉でお礼を述べた。両脇に座った泰子の両親は「ありがとうございました。ありがとうございました」と頭を下げるばかりだった。

記者から犯人に対する気持を聞かれた郁男は、とくに母親は会見が終わるまでハンカチを目から離すことができなかった。

「一昨日までは何も考える余裕がなかったが、今は虫けらのように警官を殺傷した彼らに憎んでも憎みきれない気持を持っている」と怒りをぶつけ、泰子が犯人から長野の善光寺の御守りを渡されていたことを明らかにした。郁男はその御守りを左手で記者団に見せながら、犯人の一人から「奥さん、御守りとして持っていなさい」と言って渡されたものであると説明したが、「そんなものを渡してくれたからといって感謝の気持などまったくない」と声を荒らげた。この御守りについての発言には深刻な後日談がある。

◆憎い

殉職した二人の警察官、内田尚孝と高見繁光の家族は、二人が入院した上田市の小林脳外科病院に駆けつけていたが、犯人に対する怒りと憎しみは言葉で言い尽くせるものではなかった。

二人の遺体を乗せた車が病院を出発する際、高見繁光の妻久子は「今は何も申し上げることはございません」とハンカチで顔を被い、内田尚孝の妻くらはただひと言だけ「憎い」とつぶやいた。

高見の遺体に付き添う十七歳の長男と十四歳の次男が涙をこらえながら、ぐっと前方を見据える姿に報道陣の中にも目をしばたかせる者があった。

二人の遺体はヘリコプターで東京市ケ谷の自衛隊のヘリポートに運ばれ、内田の遺体は墨田区横川五丁目の第二機動隊の、高見の遺体は新宿区市谷本村町の特科車両隊のそれぞれの隊舎に安置され、留守部隊の隊員たちによって仮通夜が営まれた。警察庁長官後藤田正晴や警視総監本多丕道《ひろみち》らが沈痛な表情で焼香した。

そのころ、目黒区五本木の内田の自宅では七十歳になる母親が、

「心配だからあの子が軽井沢に行ってからずっとテレビを見ていました。耳が遠いので初めはよく判らなかったが、何度か聞くうちに撃たれたということが判りました。でも尚孝はお国のために死んだのです。それがお役目なのです」

と訪ねた記者に毅然とした態度で応対していた。戦後二十七年、「お国のため」という言葉を粛然として言う、押し殺した悲しみをにじませた顔には明治生まれの女性の気概が溢れていた。（二月二十九日付『朝日新聞』）

国家公安委員会は、この夜、同日付で内田尚孝を警視から警視長に、高見繁光を警部から警視正にそれぞれ二階級特進させた。

自らも被弾し重傷を負って入院していた二機中隊長上原勉は、自分の上司である内田の死を知らずにいた。上原が内田の死を知ったのは、東京の警察病院に転院してのちに、見舞客が忘れていった新聞の夕刊からである。誰もが重傷の上原にショックを与えないようにと口をつぐんでいたのだろうが、夕刊の見出しには〈内田警視長、高見警視正の合同葬儀、千日谷会堂〉とある。二人の肩書がそれまでと違っている。二階級特進、これは殉職をさしていた。

二人への焼香を済ませた後藤田警察庁長官は記者会見で次のように述べた。

「計り知れない危険があることは充分予想していたので、あらゆる事態に備えて慎重に

準備を進めてきたが、二人の犠牲者を出してしまったことは誠に申し訳ない。断腸の思いだ。彼らには警官を銃撃する以外に何の目的があったのだろうか。

私は一日中テレビ中継を見ながら作戦室にいたが、一番辛かったのは日没が迫った午後五時からだった。二人の警官が殉職したのに人質の安否が確認できないし、犯人逮捕も見通せなかった。相手を射殺することは簡単だが、人質を撃ってはならないという手足を縛られた上での警察活動で、第一線警察官の厳しさをしみじみ感じた。警官とは辛いものだ」

後藤田が無念さをにじませ、時に絶句しながら会見しているころ、軽井沢署でも本部長の野中庸が記者会見し、

「警官を一人でも多く血祭りに上げ、武器を奪取して革命を起こすことが彼らの目的だと思う。全員逮捕でこの考えを挫《くじ》くことができたが、犠牲者を出したことは誠に残念だ。彼らを凶悪犯として徹底的に追及する必要があるが、一般犯罪人と区別して特別に考えるつもりはない。彼らがこの犯罪に相応しい処罰を受けるよう事後の捜査に努めたい」

と述べて会見を締めくくった。野中の会見が終わるのを待ちかねたように中央紙の記者が長野県警の一人に声を掛けてきた。

「私は今日ほど警察の使命の尊さを感じたことはありません。そして警察をこんなにも頼もしくありがたいと思ったことはありません。実は昨日までは長野県警の作

戦が歯がゆくて、失礼ですが田舎の警察だなあと心の中では思っていたのです。しかし、今はそんな自分が恥ずかしいと思っています。今回の作戦を見て耐えることがいかに大切かということが初めて判りました。粘り強く辛抱強く、最後の最後まで手段を尽くす。これが警察の強さなんですね。カッコいいプレーとは無縁ですが、私は本当の警察の姿を教えられました」（長野県警編『旭の友』より）

この記者の言葉を全国の人びとの声のように感じた警官は胸が一杯になり、涙が止まらなかったと手記に述べている。時として激しく対立するマスコミと警察が心を通わせあった一瞬であった。

◆忍耐の限界

忍耐に忍耐を重ねた上の決着であったが、軽井沢に取材にきた外国の記者たちも、「日本の警察はなぜ撃たないのでしょう。忍耐強いですね。私の国だったら、相手が撃てばすぐに警察も撃ち返しますよ」と誰もが驚きの色を隠さなかった。先年、ペルーで起きた日本大使公邸占拠事件の際、犯人はもちろん人質の一部まで特殊部隊に射殺されたことは記憶に新しい。

しかし、現場で総合的な指揮をとった警察庁警備局参事官の丸山昂は、この夜、「このような解決の仕方であれば、もっと早く山荘の中に突入すべきだった」と述べた。

十日間も待つ必要がなかったとすれば、そこまで引き延ばした戦略的な意図があったのだろうか。この点について佐々淳行は意外なことを話してくれた。

「警察庁に高橋幹夫という警備心理学に長けた次長がいた。中曾根さんと同期だという元海軍少佐で大変な作戦家だった。マスメディアに対してものすごく配慮する人で、私も常々メディアを大切にしなければ駄目だと言われていた。そこであの事件の時も、私はそのことを考えた。

何が一番メディアを怒らせるかというと、折角ニュースが入っても放送できない、書けないということだ。だから記者会見の時間もその点を配慮した。午前十一時と午後四時の会見はメディアが嫌がる時間だ。十一時だとラジオ、テレビの昼のニュースには間に合わないが（当時の昼のニュースは十一時半からが多かった）、新聞の夕刊には間に合う。四時だと夕方のニュースには入るが、夕刊には入らないからだ。そのために午後一時と午後十一時に重きを置いた。そうすればラジオ、テレビと新聞がほぼ同じ条件になるからで、強行突入する場合、夕刊のない日曜日は避けたほうがいいと提案したのはそういう意味もあった。

それからもう一点、高橋さんが言ったのは、現場の記者たちがイライラして警察に食ってかかってくるようになったらやれ、ということだった。

確かに日を追って、寒くて腹は空くし、疲れがたまってきて、記者たちの苛立ちや焦りが目立ってきた。そしてとうとう『貴様ら、命が惜しいのか』とか、『もう俺には待てん。佐々さん、いい加減に決断しろよ』という激しい言葉が浴びせられるようになった。

そのことを高橋さんに報告すると、そろそろ機は熟したかな、と言われた」

久能も一週間を過ぎたころから多少イライラし始めていたが、きわめて攻めにくい浅間山荘を前にして、人質を無事救出するためには作戦と準備にある程度時間がかかってもやむをえないと思い込んでいた。佐々の話を聞いた時、警察はそこまで考えていたのかという驚きと、図らずもその術中に嵌《は》まってしまったという悔しさが複雑に交錯した。

作家の三好徹と聖心女子大教授島田一男は『読売新聞』（二月二十九日付）の対談で次のように述べている。

島田「二十一日に現場に行ったんだが、何しろあの寒さです。早くやらないかとみんなイライラしていましたね。ことにマスコミの人が」

三好「そういう意味では十日間待ったというのは、世論の盛り上がりを待っていたのかもしれない」

◆我に返る

警察は命令系統ががっちりした組織だけに解散命令が出ない限り、部隊の勝手な行動は許されない。人質の無事救出と犯人の全員逮捕という劇的な展開のために解散命令を出し遅れたのか、レイクニュータウンの現場にいる各部隊にその命令が伝えられたのは事件が解決して一時間余りも経ってからであった。その間、現場に残された隊員たちは空腹と寒さに震えながら軽井沢署に戻り、ようやく緊張感から解放された。

決死隊の一人、長野県機の永原尚哉もベッドルームで逮捕した吉野雅邦を連行して軽井沢署に戻ってきた。取調室で吉野を刑事に引き渡すと無性に煙草が吸いたくなったが、放水を浴びて全身びしょ濡れであり、持っていた煙草は吸えたものではない。

「課長、一本くんねえか」

課長から貰った煙草に火を点けようとするのだが、手が震えて火が点けられない。と、ちょうどそこへ結婚式で仲人をしてくれた上司が通りかかった。

「おっ、おめえやったんか。よかったなあ。けがしないで」

その言葉を聞いた途端、永原は身体の震えが止まらなくなり、涙がとめどなく流れた。しかもその上司が偶然にも永原の逮捕した吉野を取り調べることになっていたのだ。

また十六歳の少年を逮捕した九機の小池啓太郎も軽井沢署に連行して留置場に入れた時、看護婦に言われて初めて自分が負傷していることに気がついた。小池は三階に突入した時に撃たれたのだが、その瞬間、パーッと赤い線が目の前を走って燃えるような痛みを右顔面に感じたという。幸い弾丸がすぐそばを掠めた時の熱でできる熱傷だけの軽傷で済んだが、犯人逮捕に夢中ですっかり痛みを忘れていた。

永原も小池も軽井沢署に戻って一息ついて、ようやく我に返ったのだが、二十八歳の誕生日の翌日だったという永原は、

「あの時は俺がやらなくて誰がやるという、警察的な洗脳教育によって培われた警察精神とでもいうものが非常に強かった。もし手錠が五つあったら、全員にかけたいくらいだった」と述懐している。

◆警察官の妻

厳寒の、しかも銃弾の飛び交う現場に夫を送り出した家族の心情は決して安穏としたものではなかった。警察官という職務のもつ社会的な責任が判りながらも、夫だけは無事でいてほしいという家庭人としての気持が当然ある。現場の夫の厳しい勤務とは別の、不安に満ちた十日間を警察官の家族は過ごさなくてはならなかった。長野県警編『旭の友』の「職員の妻の手記」からその一端をみてみよう。

「数知れない救急車や、パトカーから鳴り響くけたたましいサイレンの音にも異質なものを感じ、ぶきみな想像をめぐらしたのは、二月十九日夕方の六時近いころだった。事件の真相を知り、夫の帰るのを待ちながら、まんじりともしない一夜が明け、あきらめかけた午前六時ころ、夫が睡眠をとりに帰宅した。二時間半ばかり休んで、再び出動着姿で飛び出していったが、大事件に直面した興奮で眠れなかったらしい。〈略〉

夜間の張り込みはどんなに寒くてつらいだろうと、夫と同じ立場にひたるつもりで、夜中にそっと外に立ってみた。身も凍る思いで、手足をバタバタさせてみても、頭のシンまで痛くて、数分間もじっとしていられず、家の中へ飛び込んでしまった。

〈略〉

『あなた、人が何と言おうと、危険な所へは行かないで！　私たちのことを考えて行動して……』後を追って説得する私に、玄関に立った夫は、

『バカ！　お前はそれでも警察官の女房か。おれは今、警察官として生きがいを感じている。おそらくおれだけじゃない。みんながだ。何かあればテレビが知らせてくれる。よく見ていなさい』と罵倒して出て行った。この瞬間から、私の気持ちはずいぶん変わった。本人が生きがいを感じているなら、たとえ夫の身に何が起ころうと、危険を顧みずに戦ってほしい。そのときは立派に遂行したことを讃え、甘んじてその結果を受けよう、と。あきらめにも似た勇気が湧いた。〈略〉

強行の二十八日、やはり心配で、地に足がつかなかった。負傷者が次々と報道されると、無事を祈らずにはいられなかった。犯人を憎み、無事救出された人質を恨めしくさえ思い、殉職者、負傷者の家族の心情を思うと泣き出したい気持ちだった。長い長い闘いが終わり、犯人が逮捕されたときは、張りつめていた全身の力が抜けてグッタリしてしまった。いつわりのない安堵だった。〈略〉」（軽井沢署員の妻）

「二月十九日、風はまだ冷たいけれど縁側にさし込む日ざしはもう春でした。午後から明日にかけて休日となり、なんとなく私までホッとして、こたつで編みものを

していました。

　こんな静かで幸福なひとときも、『連合赤軍が南軽井沢、浅間山荘に牟田泰子さんを人質として立てこもる』のニュースで破られてしまいました。いままで、これら過激派グループのニュースもどこか遠くのことと思い過ごしてきましたが、今度は身近なものとして受けとめねばならなくなってしまいました。それから二時間後、夫に出動命令がありました。いつもの出勤の態度とは違い、夕食もそこそこに夫は現地へ出かけました。洗面用具や肌着をかばんへつめるとき、犯人は『ライフル銃を持つ』のニュースが頭をよぎり、口には出しませんでしたが、心に深く祈らずにはいられませんでした。〈略〉

　五日後、けたたましい電話のベルにハッとし、『何かあったのかしら』と不安な気持ちで受話器を取りました。雪の軽井沢の冷たさが受話器を通じて伝わってくるような夫の声でした。

『今日帰れる』

　その一言で、私の周囲がぱっと明るくなったような気がしました。今夜は身体のしんまで暖まるように『鍋もの』にしようかしら。好物の白菜を漬けたり、花でもいけておこうかしら。まだまだ寒い軽井沢で、がんばっている方々もあるのに、私ばかりこんなに喜んで……　とうしろめたい思いは知っていますが、でもうれしいのです。私は台所をうろうろして喜んでしまったのです。〈略〉」（飯田署員の妻）

「結婚して数カ月の私たち。主人は管区機動隊員に指定されており、多くのデモ警備に出動し、危険な状態には慣れてきたものの、事件が起きるごとに危険、困難は増すばかりで、いっこうに気持ちの落ちつくことがありません。〈略〉留守をしていた私に、『非常召集で出かける』と置き手紙を残し、着のみ着のまま で、弾丸飛びかう氷点下の軽井沢へ行った主人を思うと食事ものどを通らず、涙ばかり流れる毎日でした。

せめて私にできることは、神様にお願いすることだけと思い、小雪のパラつく中を毎日、神社へ祈願に行きました。警察官一人としてけが人が出ませんように、みんな無事に帰れますように、そして、軽井沢に降る雪は松本に降らせてくださいと祈りました。〈略〉」

（松本署員の妻）

◆それぞれの想い

長野県警警備二課長　北原薫明

「殉職者が出たことは痛恨の極みではあるが、戦争で死に損ないシベリアで死に損ないと、さんざん修羅場をくぐり抜けてきて、また最前線で従事できたことを誇りに思っている」

日本テレビ駐在員　清水俊夫

「数々の取材の中で、もっとも恐ろしかった。戦場の取材経験がないから……」

フジテレビアナウンサー　露木茂
「スポーツアナなら優勝の瞬間などを放送した場合には高揚した満足感があるのかもしれないが、あの時は満足感などなかった。確かに自分の限界だと思っていた線を超えられたという想いはあったが、これだけのことだったのかという空しさの方が強かった」
日本テレビカメラマン　田口紘
「事実は小説より奇なりというが、報道っておもしろいと思った。同時に銃の恐ろしさも初めて知った。ただカメラマンとして五年間学生運動の取材に携わってさまざまな場面を見てきたので、どちらかというと警察側に反感を持っていた。だから立てこもった彼らにそれほどの敵意は感じなかった」
佐々淳行付伝令　後田成美
「本当にかけがえのない良い経験をさせて貰ったし、警察官だったという証がこれに凝縮されている感じだ」
フジテレビカメラマン　福田勝豁
「普段はスポーツ担当なので、本来なら関わりを持つはずではなかったが、撮影の出来については反省点はあるものの、カメラマン冥利に尽きる」
日本テレビカメラマン　南　穰

「自分と大差ない年代なのにすごい違和感があった。主義信条が何であれ、身勝手な奴らだということを痛切に感じた」

NHKアナウンサー　平田悦朗

「目の前で起きていることは確かに大変なことなのだが、一体これは何なのだろうという思いが最後まで消えなかった。日本の大きな歴史の根幹に関わるような事件なのか、あるいはまったく枝葉のエピソードとして語られるようなことなのか。それがよく判らない。だから自分はどこに立脚していいのか、それが一番不安で、何がなんだか判らないうちに放送が終わってしまった感じだ」

この事件に関わった人たちそれぞれの想いを残しながら長い一日は終わった。

久能は午後十一時にやっと宿に戻った。その日最初の食事を口にしたが、ほとんど食が進まない。モヤモヤした重苦しい気持のまま床についた。

◆スクープ？

二十九日の新聞朝刊は浅間山荘事件一色である。焦点はやはり人質として二百十八時間を耐え抜いた牟田泰子だった。各紙とも前夜、記者会見した夫の郁男の言葉から山荘内での様子を推測した記事ばかりだったが、『朝日新聞』だけは《泰子さん、恐怖の十日間》という大見出しで次のような記事を掲載した。

――どこも痛くないですね？

「はい」

――犯人は五人ですね？

「はい」

――傷はないが、ガスで目が少しやられている。しかし、大丈夫だ。炭酸水で洗おう。

（催涙ガスで刺激された鼻をすする音だけ、無言）

――ちょっとマッサージをしましょう。

（鼻をすする）

――十九日に犯人が入り込んだ時の様子は？

「主人が散歩に出たあとで、私は、お茶を飲んで、新聞を見ていたんです。音がするので、お客さんかと思い、玄関に出ようとしたら、ドアを押し入って来て……、われわれは連合赤軍だ、革命のための行動なのだ、といったようなことを聞かされました。銃を持っているのが見えたので、もうこれはおとなしくしていようと覚悟してしまいました」

――縛られたりしましたか？

「はじめ手と足を縛られました」

――怖かったですか？

「一日目はあぶら汗をかいたりして怖かった。でも二日目あたりからは別に……」

――犯人たちの名前は分かりますか？

「みんな山の名前で呼び合っていました。アサマ、フジサン、タテヤマ、キリシマ、アカギ」

――最初に家に入って来た男はどれですか？

「アサマ……」

――写真を見れば分かりますね？

（無言でうなずく）

――ずっと縛られたままですか？

「いえ、二日間だけであとは自由でした」

――不安感は？

「私はその時、その時割り切っていくたちなんで……（含み笑い。沈みがちだった声がこのあたりからだんだん張りのある声に）」

――逃げようと思いましたか？

「一度だけ、自分で出てみようと考え、その機会をうかがったが、スキがなくてダメでした。あとは自分で外に出ようとは思わなかった」

――犯人がおどしたんですか？

「おとなしくしていれば殺さないと初めにいいました（笑い声）。そのあと、何日目かに鉄砲を撃ったり、行動する時に『危険のないところにいなさい』と、一人が善光寺の御守りを渡してくれました」

――どこにいたのですか？

「（犯人が）行動に移る時、私は縛られ、しばらく〝ききょうの間〟に入れられていた。あとはベッドルームが多かった。

警官が攻め込んで来たときも、そこのベッドは放水でぬれるからと、奥のベッドに行くように言われました。彼らも私を保護しようと気を使っていたようです」

――よく眠れましたか？

「疲れるので、ほとんど寝ていました」

――犯人たちの態度は？

「よく話をしてくれました。われわれのいうことを聞けば最後まで守ってやるといわれました。どうしてこんなことをするのかなど政治的な話も聞かされました。きつく縛りすぎた手首をもんでくれたこともあります」

――失礼な態度はとりませんでしたか？

「べつに……。トイレのドアはしめさせてくれませんでしたが、後ろを向いていてくれました」

――殺されるとは思いませんでしたか？

「別に、殺されるとかそういうことは……」

――だって、手足を縛られていたんでしょう？

「三日目からは、（二人が）見張りをするだけでしたし……」

――大事にされたんですか？

「ええ、大事にされていました」

――食物はどうしていましたか？

「向こうが全部作ってくれました。五日目ごろからはおかゆになりましたが、ちゃんと運んできてくれました。玄関先に届けられた果物の中に私の大好きなリンゴ、ミカンがあった。おいしかったです。後半の三日間は食物がなく、コーラなどでがまんさせられました」

――全国民があなたのことを心配しているのを知っていましたか？

「犯人たちがしょっちゅうトランジスタラジオを聞いていたのでよくわかりました」

――外からの呼びかけは聞こえましたか？

「ええ、全部聞こえました。でも応答してはいけないといわれていましたので」

――犯人たちは外からの呼びかけにどんなでした？

「頭にくるとか言っていたこともあります」

――それでは、きょうの攻防戦の時もラジオをつけていたわけですか？

「はい、最初からつけていました。二人の警察官が亡くなられたことも、攻防戦の最中にラジオで知りました。私はこわくてどきどきしていました。ただお祈りをしていました」

――きょう、ライフルなどを撃ったのはだれとだれですか？

「アサマ、フジ、タテヤマ」

――この十日間、どういう気持で過ごしましたか？

「夢を見ているような気がして……」

――助かったという実感はありますか？

「はい、あります。ガス弾がこわくて、救急車に乗せられたあと急に力が抜けて……」

――その時、意識が遠くなるようなことはなかったですか？

「いえ、それはありません」

――犯人たちが憎いですか？

（無言）

――とにかく、よかった。

「はい、でも、大丈夫」

この記事を読んだ軽井沢病院院長木戸千元は飛び上がらんばかりに驚いた。自分も立ち会って行った精神科医の問診の経過がそっくりそのまま掲載されているからだ。しか

も その場に記者は一人もいなかった。

この記事を注意して読んでみると、冒頭の部分は明らかに医者の言葉であり、その他の部分は事情聴取している警官と泰子のやりとりを記事にしているように読める。

これは臭いと睨んだ長野県警も動き出し、調べたところ泰子の病室から盗聴器が発見され、その後、新聞社の記者が看護婦に頼んで設置したものと判明した。新聞社が警察庁、長野県警に謝罪文を提出してけりがついたが、一歩間違えば犯罪にも繋がりかねないほど、他社を出し抜こうというスクープ合戦は凄まじかった。

取材方法の善し悪しは別として、この記事での泰子の言葉は、前夜に記者会見した郁男の発言とは際立った違いを見せている。郁男が犯人に激しい怒りをぶつけたのに対して、泰子の言葉からは犯人に大切にされたという気持がにじみ出ているように見える。おそらく泰子としては聞かれるままに状況を説明したつもりだったのだろうが、命懸けで救出した警察側をいたく刺激したことも間違いない。

◆社説

浅間山荘事件は新聞各紙の社説でも取り上げられたが、ここでは事件直後の『読売新聞』と『朝日新聞』の社説を見てみよう。この二つの社説は、この事件を把える視点のもっとも対照的なものと言えるだろう。

「なによりも人質の安全確保を第一とした警察当局の作戦の正しさと、その慎重さが成功したことを評価しなければならない。こんどの事件では最後の瞬間まで人質の消息が警察の目から隠し通された。それは彼らにとっての行動の教典である『ゲリラ戦教程』が教えたことかもしれない。しかし、その行動を支配したのは、全くの狂気とすべてを自己中心に考える小児病的発想でしかないのである。革命家チェ・ゲバラも、その行動の旗印は『人間性の回復という神聖な大義である』と言っているではないか。その人間性どころか、むしろ非人間性と反社会性を示した彼らの行動は、法に照らして厳しく処罰されるべきであろう。

一方で、こんどの事件経過は解決のために大きな犠牲を払った警察当局にとっても考えねばならないいくつかの教訓を残しているといえよう。連合赤軍によって使用された銃砲の多くは、栃木県真岡の銃砲店から強奪されたものだった。それだけにこの銃砲の追及が一歩先んじていたらとくやまれる。あるいは群馬県側の山岳アジトから追及の目をのがれて山越えした残党が、軽井沢の別荘地にとじこもる前に逮捕できなかったものか。そして、事件発生当時の初動捜査がもっと臨機応変にできなかったものかどうかなどもう一度ふりかえってみなければならぬ問題点であるといえる」

（二月二十九日付『読売新聞』）

「浅間山荘事件は、人間にとってもっとも貴重な生命を奪い、人権をふみにじったものであった。連合赤軍の五人は、法に照らして厳しく裁かれねばならぬ。しかし、日本のすべての大人は、いま異なった意味における厳しさをもって、事件について考え、自らの責任を追及すべきではないか。青年に告発されるまでもなく、今日の日本の社会と文化が病んでいることは明らかだ。もちろん、日本の環境が悪いから赤軍の五人が免罪されるというのではない。しかし、法による制裁は、問題の部分的な解決にすぎない。

日本の未来を担う青年が望む健康な社会と文化とは何であるのか。これをつきとめ、責任をもって改革に取り組もうとしないかぎり、この種の事件を根絶することはできないであろう。

自由世界のなかで、一党による長期政権が続いている日本のような例は少ない。西欧でも北欧でも政治はもっと柔軟に動き、青年の意識を反映するために努力している。青年がベトナム反戦を叫んだアメリカの大統領は、ついに北京に飛んだ。動きのある柔軟な民主社会をつくる大人の努力こそ、青年の期待にこたえるものだ。GNP三位とか情報社会の声に酔って、自ら熟慮し勇断していないのは、大人自身ではないか。浅間山荘事件にはこのような警告がふくまれていたと思う」

（三月一日付『朝日新聞』）

◆コメント

人によって見方が異なるのは当然だが、新聞、テレビ、ラジオ等を通じて実に多くの人がこの事件に関してコメントしている。

外務大臣　福田赳夫

「彼らはイデオロギーがあると言うかも知れないが、そのイデオロギーは社会から没却し去っていて、むしろ、破壊行為だけが目に映る。『泥棒にも三分の言い分』と言われるが、三分の言い分があるといって泥棒は許されない。そのことが大切なのだ。この度の連合赤軍には三分の言い分も成り立たない」

（『週刊現代』増刊三月二十一日号）

通産大臣　田中角栄

「市民の生命と財産を守るために倒れた警察官、遺族に対し政治は万全の配慮をなすべきである。犯人たちに情状酌量の余地はない。法により厳正な処分を受けるべきである。ただ犯人たちとその家族は別である。家族に対する心ない非難、中傷はするべきではない。家族は加害者ではなく、被害者だからである」

（『週刊現代』増刊三月二十一日号）

前警視総監　秦野章

「今度の事件では完全に警察としての目的を果たした。しかし機動隊の運用の面ではまだまだ研究の余地がある。ライフルを持って警察に立ち向かう凶悪犯に火炎瓶時代と同じ戦術で対応してしまったように思う。あの場合、犠牲なくしてやる高度な戦略が必要だったと思う。大鉄球を使ったのはいい着眼だが、各種の道具を備えた自衛隊を活用すべきだ。断っておくが、自衛隊を使うというのではない。自衛隊の道具だけをもっと使えというのだ。

この事件では指揮官先頭で殉職者を出したが、これは先頭に立って仕事をしている管理社会の営業マンに痛烈な教訓を与えたと思う。管理社会の中でこの指揮官先頭の死の教訓をいかに生かすかを考えなければいけない」

（『週刊現代』増刊三月二十一日号）

日本共産党書記局長　不破哲三

「政府、自民党、治安当局が彼ら反共暴力集団に対して『泳がせ政策』をとってきたことを指摘したい。政府、治安当局は反共を本旨としつつ左翼的装いをとっているトロツキスト集団を泳がせて、政治的に利用するという政策をとってきた。つまり、彼らが暴れるのを利用して、警察力の強化を図る口実にしているのだ。連合赤軍の今回の事件は人民戦争万能論の押し付けが、どんな犯罪的な結果に導くかの実物見本としても注目すべきである」

（『週刊現代』増刊三月二十一日号）

心理学者　宮城音弥

「最良とは言えないにしても、あれ以上の方法があったとは思えない。警察にとっても新しい経験でいろいろ手間取ったりしたが将来はもっといい方法を考えるべきだろう」

（『週刊現代』増刊三月二十一日号）

作家　松本清張

「人質は無事だったし、犯人は全員逮捕したといって大成功だったとは思えない。まず、初動捜査が大変まずかったのではないか。朝のうちに軽井沢駅で四人が捕まっているのだし、軽井沢の別荘地帯に逃げ込んで立てこもることも、当然最初から考えるべきだった。だから十分な数の警察官を出動させて完全に捜査をすれば、こんな事態は避けられたのではないか。人質をとって別荘に立てこもってしまってからでは、事件解決は長期にもなるし、説得すれば出てくるなんていうことは考えられない。革命は国民の間に条件ができていて初めてなし得るもので、あの連中のやっていることは若者のヒロイズムだけとしか思えない」

（『週刊朝日』三月十日号）

作家　飯沢匡

「ピストルを使ってもよいという指示が出ていたにもかかわらず、警察が最後まで発砲しなかった忍耐強さには感心した。もっと凄惨な殺し合いが展開するのではないかと固唾を呑んで見守っていたが、ホッとした。しかし、手をにぎり合う米中首脳の姿が茶の間に飛び込み、平和ムードが漂う一方で、こんな陰惨な事件の全貌がまざまざと映し出されたのは何とも言いようのない皮肉に感じた」

（『週刊朝日』三月十日号）

作家　森村誠一

「普通、狂気というのは、錯乱状態に陥って発揮されるものなのに、今回は終始冷静な狂気であったという点で、いままでの犯罪にない背筋の凍る思いがしました。現場で血を流しながら黙々と救出作戦に当たった警察官に感銘した。血を流さない部外者が他の方法を言うのはおかしいと思う」

（『週刊朝日』三月十日号）

評論家　藤原弘達

「あのような包囲作戦は却って彼らを窮地に追い込み、強い抵抗を招く。むしろ一方に逃げ道を作るという方法の方がよかったのではないか。また人命尊重と言いながら、警官の犠牲を出している。これなどはおかしなことだ。こんなやり方は外国には見られない」

（三月二十一日ＴＢＳラジオの談話）

漫画家　手塚治虫

「私はこんな連中を『漫画世代』と呼んでいるが、映像で育った若い人たちの間にこんな世代が広がっているのはものすごく危険だ。漫画家としても描き方を反省する時期にきていると思う」

（三月二十九日付『朝日新聞』）

精神神経科医　斎藤茂太

「それにしても、あの粘りを見て、日本人も変わったものだと思う。昔の兵隊なら追い詰められた場合、あれだけ粘らずに、ある時がきたら打って出て玉砕という道を選んだのではないか。褒める気はまったくないが、あれだけのエネルギーがあるのなら、何か別のことに使ってくれたらと思った。犯人たちは情緒欠如プラス狂信

（二月二十九日付『朝日新聞』）

的な性格者だと思う」

評論家　羽仁説子

「率直に言って、こうまでみんなが興奮して、のぼせ上がる状態は気味悪い。戦時中にB29が撃ち落とされた時、女たちまでが駆けつけて『米鬼』とののしったことを思い出す。おおごとには違いないが、ニクソン訪中の結果の方が日本国民にとってはおおごとだ。捕物帳のような特殊な事態に騒ぐより、若い人がここまで追い詰められる以前に問題にし、騒ぐべきだと思う」

（二月二十九日付『朝日新聞』）

評論家　上坂冬子

「一方で米中共同声明が発表され、毛沢東主席とニクソン大統領が握手しているのに、日本では毛思想を信奉していると自称する連合赤軍派が人質を楯に暴れ回る。大きな隔たりを感じた」

（二月二十九日付『朝日新聞』）

作家　曾野綾子

「攻防戦について特別言うべきことはない。私は、あのような方法がいいか悪いか、よく分からないので論評できない。しかし事件は人間の道は何かということを素朴なくらい真っすぐに見つめる態度を教えていないから起こったのだ。犯人たちはいい家庭で育ちながら、いわゆる超一流の大学に入学できなかった。絵に描いたようなコースを歩けなかったからと言って、子供と一緒にガッカリしたのでは仕方がないだろう。家庭でも学校でも、子供の教育にあたって腰を据え切れないままに、世間的な評価だけで行っている。これでは、今回の犯人たちのような心理状態が生まれるのも無理がないと考えざるを得ない」（『週刊朝日』三月十日号）

評論家　羽仁五郎

「彼らは自分自身を偽ることができない純粋な連中だ。説得する必要はいささかもない。むしろ説得しなきゃならん相手は政府だ」（『週刊文春』三月十三日号）

◆批判

二人の警官の殉職を悼む言葉がほとんどの人から出るのに、浅間山荘の攻略法については評価するどころか、疑問視する声が意外に多かった。取材を進めていく中で、「指揮を執っていたのは戦争経験者が多く、橋頭堡とか肉弾戦などという言葉がポンポン飛んでくる。戦場と勘違いしているのではないか」「どんなに撃たれても、こちらから撃ってはいけないというのはあの状況での戦術としては間違っている」という声が機動隊員の中からも聞かれた。

また、『朝日新聞』（二月二十九日付）は、

「九日間だけでも八十発にのぼった発砲で犯人らの射撃がかなり訓練を積んだものであることはわかっていたが、完全武装の警官のわずかにむきだしにした顔面を、しかも指揮官を狙い撃ちにしている。そうした正確な犯人らの射撃に対する判断が

甘かったのではないか」

と指摘している。『読売新聞』(二月二十九日付)は次のような見方をしている。

「今回の事件では、相手を絶対に射殺しないというこれまでの警察の態度が逆手にとられてしまった。一味は人質をとった上、殺しても殺されることはないと読み、正確に無防備の顔を狙って撃ってきた。警察庁の幹部は『彼らは山中を転々としているうちに団結力を強め、立てこもってからは彼らが日ごろ口にしている権力の手先、つまり警察官を狙い撃ちにすることを至上命令にしたのではないか。彼らの変身をもっとも正確にとらえなければならなかった我々が、これを冷静に見抜けなかったのは失敗だった』と後悔する。

警察は日本人が人を狙って銃を発砲することには大きな抵抗があるはずだというが、彼らは苦もなく、この心理面の障壁を飛び越えてしまった。突入前日まで繰り返した強行偵察で内部の模様をほとんど察知できなかったハンデが、はっきりこの日の救出作戦に跳ね返ってきたといえる」

こうした批判に対して警察の最高責任者である後藤田正晴警察庁長官は評論家の戸川猪佐武との雑誌対談でこう述べている(『週刊サンケイ』臨時増刊三月十一日号)。

「ほかの国なら、ああいう事件のときは大体相手を射殺してしまう。場合によれば人質も一緒に。ところが日本では日本の風土に合ったやり方でないととてもじゃないが納得してくれない。やはり我慢強くやるということが、結局は長期の治安維持につながるんだと思う。

だからあの場合だって、射殺するのも一つの方法だったけれども、それは人質も場合によればやむをえないという決意をせん限りむずかしい。

シージャックの時は犯人は一人で、人質が数人だったから、その一人さえやれば人質は助かる。しかし、今回は犯人が数人で人質は一人だ。だから犯人の姿があるからといってやっつけても、人質が助かるかというとそうはいかない。なんといっても人質の無事救出が最大の目標だ。

人質の安否が確認できず、また相手方の状況も必ずしも十分にわからないまま、強行突入するというのは最後の最後でなきゃだめだ。そういう危険な、生命がどうなるかわからんという手術は、そのまま放っておいたら死んでしまうという判断がつくまでこれをやる人はなかろうと思う」

と相手を射殺しないという警察の基本姿勢は日本の国民性に根ざしているものであり、相手に逆手にとられると判っても簡単に変えられるものではないことを強調した。しか

し戦術については、

「警察の装備は、今まであういう事件がなかったために防御用で、攻撃に弱い面がある。まして今度の場合、テレビで見る感じと現地の状況とがまるで違っていたということも考えてほしい。テレビは遠方から望遠レンズで撮るので遠近感がない。従ってクレーン車による破壊だってテレビで見ていると、何でもう少し奥の屋根をぶっこわさないのかと誰しも思う。

ところが実際は相当の距離があって届かなかったのだ。あそこまで届く超大型のクレーン車などあの地形では、持っていけるわけがない。

それにテレビ画面ではよく分からないが、道路の高さと屋根の高さが同じで、玄関は石段を降りた所にある。かといって、玄関まで行けるように土木工事をしようにも中から撃ってくるのでどうしようもなかった。また上からヘリコプターを使うという方法も下から撃たれるので、現実問題としては不可能だった」

と、あれ以外の戦術は考えられなかったことを述べている。ただこれらのことを考え合わせた上で、

「あれだけの犠牲を出した警備実施は大いに反省の必要がある」ことを認めている。

こうした批判は佐々淳行の耳にも入っていた。「二人も死なせてしまったことは痛恨の極みだが、俺は精一杯やった。人から悪口を言われるいわれはない」と考える佐々ではあったが、現場を知らない人たちの陰口に嫌気がさし、疲れ切った身体で軽井沢から帰宅すると、「辞めることになるだろう」と妻に言い捨てて床に入った。

佐々は、二月十九日、軽井沢に向けて東京を発つ時、今回の任務が決して生やさしいものではないと覚悟して警察庁の自分の机の引き出しに進退伺いを入れていたのだ。そんな佐々の気持を救ったのは、その夜自宅にかかってきた後藤田正晴の電話であった。

「いろいろ言う奴はおるが、君をおいてあれだけやれる奴はおらん。よくやってくれた。お礼を言います。ご苦労さん」

佐々が辞意を思いとどまったのはもちろんである。しかし後藤田の言葉からも警察庁や警視庁の内部にいかに厳しい批判があったかが窺える。

新聞には連日、〈狂気集団〉〈しぶとい狂気の意思〉〈犯人ら狂気の死守〉と、まるでプロレス記事のような見出しが躍ったが、『朝日新聞』(二月二十五日付)が「天声人語」で、「どんなに非人道的で反社会的で常識をふみにじる凶悪犯でも、それをただちに狂人とか、狂気と呼ぶのはやめようではないか」と自戒するほどの凄まじさであった。

◆スクープ後遺症

テレビは生の迫力で新聞を完全に圧倒したが、この事件をきっかけに多くの問題が噴き出した。

日本テレビの若木裕夫、小林茂ら中継技術のスタッフは事件解決の翌日、東京の本社に帰った。着くとすぐに本部長の松本幸輝久の前に呼び出され「根性がないから負けたんだ」と、意外な言葉を浴びせられた。松本はあの逮捕直後の犯人連行の映像をフジテレビにスクープされたことを怒っていたのだ。

「ご苦労さん」と声を掛けられると思っていた若木らは憮然として松本の叱責を聞いたが、もっといい機材とレンズがあったらという思いと、現場の厳しさを知らない立場からの一方的な言い分にはらわたが煮え返るほど悔しかった、という。

報道部長の浅野誠也も、帰るとすぐに松本から辞表を出せと言われた。理由を尋ねると「フジに負けたからだ」と言う。釈然としない浅野が、そのことを局長の中平公彦に相談すると「出したらいいよ。出されて困るのは本部長だから」という言葉が返ってきた。

そして、その数日後に開かれた日本テレビ系列各局の報道責任者会議の冒頭、松本は、「今回の事件ではフジテレビに完敗し、誠に申し訳ない」と謝罪した。ところが各局からは、

「そんなことはない。犯人の逮捕も、人質の無事救出も日本テレビが情報としては一番

早かった。みんなで表彰しようとしていたのだ」という声が上がり、画像では負けたが音声では勝ったという、妙な結論で会議は終わった。もちろん、浅野が辞表を出すことはなかった。

フジテレビのスクープを口惜しがったのは松本だけではなかった。

現場で指揮をとったNHKの報道局次長梅村耕一は「最後の肝心なところでやられてしまった。ここまできてこれはなんだ」と怒鳴り散らしたという。

フジテレビのスクープがこれほどに他局を口惜しがらせ、苛立たせたのはなぜだろう。

当時、テレビは白黒からカラーへの移行期にあり、各局とも番組のカラー化に全力を挙げていた。報道番組も例外ではない。ところがカラー化に伴って機材は大型化していた。テレビカメラ一台が二百キロもあり、一人、二人で持ち運びできるものではなかった。浅間山荘事件の中継で山の上にカラー用テレビカメラを運び上げるという、そのこと自体が大変なことだった。そのためモノクロのカメラも動員され、テレビ画面がカラーになったり、白黒になったりする局もあったのだが、フジテレビがスクープに成功したのはモノクロの小型カメラであり、本来なら用済みの代物だった。

放送各社が一様に口惜しがったのは、フジテレビの白黒用小型カメラの使用という何の変哲もない発想によってカラー化・大型化の盲点を突かれたからにほかならない。しかしこの事件が機動力のある小型中継車、小型カメラ、中継用望遠レンズなどその後の放送機材の飛躍的進歩のきっかけになったことは間違いない。

◆ジレンマ

この事件はまたテレビ報道のあり方そのものにも大きな問題を投げかけた。

一日中テレビに釘づけになったという建築家の黒川紀章はこう述べた。

「今までは結果の報道であったテレビが、ニクソン訪中の中継と同様、生であることに驚きを感じた。事件のプロセスを犯人たちも見ている。いや見られていることを知っている。事件はオンタイムで見ることができる大変な時代になったと思う」

（『週刊現代』増刊三月二十一日号）

またテレビ評論家の志賀信夫も、

「テレビの報道に限っての感想だが、今回ほどテレビが情報源として大きな役割を果たしたことはないのではなかろうか。速報性がフルに発揮され、すべてがテレビ中心に動いた。浅間山荘の生中継――とくに二十八日は完全に活字ジャーナリズムを圧倒した。プロセスを刻々と映し出すテレビの強さである。

ただし、テレビの即応性という機能は感情に訴えることに対しては強力であるが、考える、分析するということになると活字には追いつかない。両刃の剣である所以である」

と指摘し、さらに、

「いずれにしても、日本のテレビ史上貴重な体験であり、永遠に残るトピックである。娯楽中心の現在のテレビが報道ということを真剣に考える絶好の契機である」

（『週刊現代』増刊三月二十一日号）

とテレビの内容が大きく変わっていくであろうことを予言している。

作家の三好徹、評論家の秋山ちえ子、聖心女子大学教授の島田一男の三人は『読売新聞』（二月二十九日付）の対談でテレビ中継の怖さを次のように論じている。

秋山「アナウンサーが解説すると何でも画一的で平板になる。事件は決してあんなものではないと思う」

三好「その通りだ。テレビの怖さがそこにある。実際に見て来たが、現場はもっと大掛かりであり、警官はピストルを抜いて迫ったり、文字どおり戦場だ。現場とテレビでは実感が違う」

島田「現場は本当に厳しい寒さだし、テレビで見るほどきれいじゃない」
三好「機動隊員だって人間だ。爆弾は怖い。テレビではそれが出てこない」
秋山「テレビで見ている人は危険感がないですね。だからスリルを求めて早くやらないかなんて変な期待感みたいなものを持ってしまうのだ」
島田「テレビも警察官個人の苦労にスポットを当てて、国民に現実の実感を伝えるべきだった。そうすれば早くやれなどというショー見物的な世論ももっと良識的になると思う」

いずれもテレビの人間には耳の痛い指摘だが、テレビ側の関係者はどのような見方をしていたのだろう。

ＮＨＫの梅村耕一は報道制作の立場で次のように語ってくれた。

「視聴者はいつ撃つのかな、いつ撃たれるのかなというゲーム感覚で見ているのだから、興味本位で見られただろうということは想像できる。興味本位だと言われれば確かに興味本位なのだ。目の前で弾を撃っているところであれだけ長い時間中継していれば、人が死ぬところだって映ってしまうかもしれない。

そう考えると、中継をやることが本当にいいことだったのだろうかという気持は今でも残っている。しかし、それでは放送をまったくしないとか、途中で切れるかというと恐らくできないだろうし、どうすればいいのか決め手がない」

日本テレビの浅野誠也も同じような意見をやはりもっていた。

「あの事件の後、遊び感覚で見たというある世論調査結果を記憶している。その後の湾岸戦争の時にも同じことが起きているのだが、自分に危険が及ばないのだから、どうしても遊び感覚になってしまうのだろう。しかしその調査結果を見た時、しまった、テレビの悪い面が露呈してしまったな、と思った。自分が中継車の中にいて画を送り出していながらそんな画を作ってしまったのだから……。ただこんな怖さもテレビにはある。あの当時は学生と機動隊の衝突が頻発していたが、カメラの位置によって学生の背後から見ると機動隊が正当に見えるし、機動隊の背後から見ると学生が正当に見えてしまう。かといって、その衝突をビルの屋上にカメラを構えて見下ろすと、自分が安全な位置にいることが画面から滲《にじ》み出てしまうのだ。浅間山荘事件ではそういう画しかないのだから仕方がなかったが、結果としてそういう画を作ってしまった責任がある。少なくとも制作者の頭には、これはいけないことなんだという感覚がなくてはいけない。ところが浅間山荘のような事件が、今、起きたらどんな画を送り出すかが未だに何も検討されていない。それはテレビの怠慢だと思う」

梅村も浅野も浅間山荘事件の報道でテレビの持つ怖さを充分知り、それ以後も放送の世界にあってそのジレンマに悩んでいるのだ。

視聴者の反応を見る目安の一つに視聴率がある。強行突入の二十八日は、NHKと民放を合わせた数字で、なんと六千万人が見たと推定される八九・七パーセントを記録した。人質救出と犯人逮捕の瞬間がもっとも高かったが、テレビの場合には映像ばかりでなく、音声すなわちアナウンスも視聴者は評価の対象にする。したがってアナウンサーは言葉で事実を伝える者として、浅間山荘事件のように非日常的な、社会生活を圧倒する事実をいかに言葉で伝えるかという悩み、苦しみに捕らわれることになる。

NHKの平田悦朗も悩んだ一人だった。二十数年前を振りかえりながら次のように語る。

「後になっていろいろな話を聞けば聞くほど全国の人たちが吸い寄せられるように画面を見ていたという事実は大変なことだったのだという思いがますます強くなった。

当時のNHKのアナウンサーの喋り方、伝え方は非常に問題をはらんでいた。というのも事実より情緒を伝えるというラジオ時代からの方法論がなかなか乗り越えられなかったのだ。

だからテレビになっても、どうしても情緒を伝えるような技術を重んじ、それがテクニックなのだという錯覚から抜け出せなかった。あまりにも情緒にこだわると真実は伝わらない。その人は伝えた、あるいは表現できたと思うかも知れないが、事実を伝えるということにはならない。

それがまたNHK自体への批判になってきていた。それをも一身に担うような形になり、アナウンサーバッシングはとても強かった。そうしたバッシングは、我々自身の伝え方にかなり問題があったからで、すでにアナウンサーはどういう言葉で、どういう文体で喋らなければならないのか研究を続けてきていたが、あの事件がその成果を試す機会だった」

悶々としたのは久能靖も同様であった。

当日、喋り終えた後の感激とは別のすっきりしない気持はそこに原因があった。九時間喋ったといっても、長時間、目に見えるものを描写していただけで、真実を何も伝えられなかったという思いが日増しに強くなっていった。連合赤軍なるものを理解しないまま放送に臨んだことが恥ずかしかった。

この事件でテレビの威力を知った視聴者は、次にはより納得のいく説明、画面だけでは判らない情報を求めてくるに違いない。そうなれば、今までのように与えられた原稿を読むだけのアナウンサーよりは、現場を自分の足で踏んでリポートする記者の方が求められるのは目に見えている。アナウンサーと記者の両方を兼ね備えた人が台頭する時代が必ずくると考えた久能は少しでもその方向に近づこうとアナウンサーを辞める決心をした。すぐに報道部への配転願いを提出した。ただちに受理とはならなかったが、その年の秋、日中国交回復交渉で田中角栄首相に同行し、北京、上海から中継したのを最後に十三年間のアナウンサー生活に終止符を打ち、報道記者として一からのスタートを切った。この事件は久能の人生にとって大きな転換点であった。

その後の状況は、久能の予想したように、現場からのリポートはアナウンサーから次第に記者へと移行し、いまや記者リポートに何らの違和感もなくなっている。

◆翌日の山荘内

この年は閏年《うるう》であった。二月二十九日、山荘の庇からは夥《おびただ》しい数の大きな氷柱が下がっている。もし強行救出を翌日に持ち越したなら、人質も犯人も凍死しただろうほどの寒さである。

無残に壊された浅間山荘の玄関脇には花とウイスキーが供えられ、殉職した二人の警官を悼んで合掌し、涙する多くの機動隊員の姿があった。山荘内は未だかつてないほどのガス弾が撃ち込まれたため、まだ目を開けていられないほどガスが充満していた。

そこへ後藤田正晴警察庁長官が東京からヘリコプターで到着した。出迎えた長野県警本部長野中庸の手をしっかりと握り、

「ご苦労さん、よく耐えたね」と慰労の言葉をかけると、山荘内に足を踏み入れたが、テレビで見た感じとはまったく違う激闘の跡にすっかり驚いた様子だ。後藤田は殉職の現場で深々と頭を下げ、病院に廻って入院中の負傷者を見舞って帰京した。

山荘内では検証令状をもとに現場検証が始まった。

検証は犯人たちの十日間の実態を明らかにするとともに将来の公判に備えて慎重に進められた。室内には至る所に弾痕が生々しく残っており、中には壁の奥深くに食い込んだままの銃弾もあった。

とくに四人の決死隊が突入したベッドルーム入口の狭い通路の壁に弾痕が集中してお

り、四人がいかに危険な状況の中で任務を遂行したかを如実に示していた。また床には数か所にわたって血痕もあり、犯人らが最後まで抵抗し、逮捕されたベッドの上にはライフル銃や猟銃、弾丸が装塡されたままの拳銃が放置されていた。放水でぐしょぐしょに濡れた布団の下からは使われていない実弾や爆弾が次々に発見された。最終的にライフル銃一丁、ライフル弾十五発、猟銃四丁、猟銃用実弾五百四十五発、拳銃一丁、拳銃用実弾三十四発、爆弾四個が確認された。

検証はガスと水に悩まされながら十日間にわたって行われ、押収された証拠品は六百六品目、数千点にも及んだ。

◆病室での会見

軽井沢病院の牟田泰子は、病院側の懸命の看護の甲斐もあって次第に落ち着いてきたが、まだ多少興奮気味だったのか、二十九日の夜はなかなか寝つかれなかった。そのため午前〇時ごろ、鎮静剤を注射をして、約三十分後に眠りについた。翌朝七時に目を覚まし、院長の木戸千元の診察を受けた。体温、脈拍、血圧とも正常で順調な回復ぶりである。

木戸が「食欲はありますか」と尋ねると「うどんが食べたい」と答えるほどで、その日の昼食にはうどんが用意された。

こうした回復ぶりに記者団から強い要望が出され、翌々日の三月二日午前十一時から短時間という条件付きで記者会見が行われた。会見は記者とテレビ、新聞の各カメラマンの代表三人が病室に入って行われた。泰子はピンクと緑の小さな花柄のガウンを着て、ベッドに寝たまま応答した。

この時のテレビカメラの代表は日本テレビの佐藤佳之輔だった。

「一階の一番奥の部屋だったが、入った途端、ずい分粗末な病室だなと思った。泰子さんはあまり顔色がいいとは言えず、顔面蒼白に見えた。もともと肌の白い人なのであるいはそう見えただけかもしれない。

テレビカメラの代表なので、ゆっくり彼女を観察している暇はなかった。泰子さんの表情や部屋の様子などを夢中で撮影していたが、エッ、もう、という感じで、『もう時間です』と言われた。あのころのカメラは三分間しか撮れなかったが、フィルムを入れ替えた記憶がないので本当に短い時間だったと思う」

その代表取材での泰子の主な答えは次のようであった。

――犯人は脅すようなことは言ったでしょうか？

「いいえ」

――呼びかけについてはどう思いましたか？

「心強く思いましたが、答えてはいけないと言われていたので自分だけで小さな返事をしていました」

——彼らは人質を盾にして前面に出すより、庇《かば》ってくれたんですか？

「庇うというより、私は、いる時は常に真ん中にいたんです」

——中心人物は誰ですか？

「私が見た限りでは、アサマという人です。大きい人です」

——あなたを人質だと言っていましたか？

「私は人質だと思っていましたが、向こうに言わせれば、そうでないようなことを言っていました」

——彼らの言う通りにすれば助かるという確信は持っていましたか？

「確信はありませんけれどね、うまくいけば……。でもやはり恐ろしかったです」

——一斉攻撃が始まった時、どんな気持でしたか？

「怖くて……、たまらない気持でした……（泣き声でほとんど聞きとれない）……家なんか壊れてもいいから早く出してもらいたかった」

——退院したら、まず何をしたいですか？

「みんなと一緒に遊びたい」

——全国から寄せられた手紙は読みましたか？

「いえ、まだあまり読んでいません。いろんな方からお手紙いただいて、ありがたく思っています」

——全国の方にひとこと。

放水の水が氷柱となった救出翌日の浅間山荘（2月29日、提供／読売新聞社）

救出翌日、現場に入った後藤田正晴警察庁長官。後ろは野中本部長（2月29日、提供／北原薫明）

「いろいろありがとうございました」

――夢を見ることはありますか？

「怖いです。ごめんなさい。もう……（声を出して泣き出す）」

泰子が言った「アサマ」とは、その後の調べで坂口弘であると判明するが、このわずか数分のやりとりが報じられると、泰子に対する世論が一変した。「助かって良かった」「早く良くなってください」といった励ましの手紙が急速に減り、「うどんが食べたいとか、遊びたいとは何事だ」「お前のために警官が死んでいるのに何を考えているのか」といった文言の手紙が増え、カミソリの刃を同封してくる脅迫めいたものまで届くようになった。このため、来た手紙は郁男がまず目を通して選別して渡すようにしたのだが、中には泰子の目に触れてしまうものもあったのだろう。泰子は目に見えて精神的に不安定になり、しきりに「怖い、眠れない」を繰り返すようになった。自分の言ったことがそのまま伝わらず、一部分だけが取り上げられ、自分の気持が歪んで伝えられてしまうことに対する失望感が彼女を打ちのめした。

インタビュー記事の場合、一言一句全部を記事にせず、記事になりそうな部分だけを取り上げたり、見出しにする傾向がマスコミにはある。とくに時間の制約が強いテレビやラジオでは一部分だけを抜き出して使うことがほとんどである。編集によっては、本人が意図しないことが前面に出る恐れは多分にある。その点は報道する側が十分配慮しなければならないことはいうまでもない。「うどんが食べたい」「遊びたい」という泰子の言葉は、十日間の拘禁状態から解かれて尋ねられるままに食べたい物、したいことを素直に口にしたそれだけのことである。

殉職者が出たことからして、もっと慎重であるべきだという声が出るのは判らなくはないが、目くじらを立てるほど不謹慎な言葉とは思えない。図らずも日本人の激しやすい一面が噴き出した感じであった。

◆貝になる

その後、三月十一日に行われた二回目の記者会見はすっかり様子が違った。会見は入院後、初めて病室を出て病院の診療室で行われた。貧血気味で足がふらつくため、夫に付き添われ車椅子で現れた泰子は、ガス弾にやられた両眼の下にまだ腫れの残る痛々しい姿であった。夫と院長が見守る中、午後二時過ぎから会見は始まったが、泰子の硬い表情は最後まで崩れることはなかった。

泰子はまず励ましてくれた全国の人たちに感謝した後、一日も早く退院して殉職した警察官の遺族にお詫びしたいと述べた。

山荘内のことに質問が及ぶと、一段と顔をこわばらせ、「(山荘の)中で、私が自由にしていたように伝えられているようですが、トイレ以外、一歩もベッドルームから出られず、トイレもロープで縛られたままでした。また銃でいつ殺されるか判らない状態でしたが、これが自由なのでしょうか。それを自由だったように言われてとても残念です。そのことさえ判って貰えれば何も言うことはありません」と強く無念さをにじませると激しく泣きじゃくった。また犯人たちに対する心境を聞かれると「怖くて……」とだけ言い、思い出したくもないという素振りで俯いてしまった。

後年、久能がこの時の泰子の状態について尋ねたのに対して、病院長だった木戸千元は、

「牟田さんは、入院中も連日、病室で長時間にわたって警察による事情聴取を受けており、このための心労もきつかったと思います」と述べた。

泰子の発言は、救出直後のそれとは変わって、犯人を庇うかのようなニュアンスは完全に影を潜めている。あるいは、そうした犯人に同情的と取られるような発言は禁物だと、誰かが注意したのかもしれない。そして郁男が、

「会社が山荘を再建してくれるなら管理人を続けたい。亡くなられた方々の慰霊碑が建つなら、それを守っていくことが私たちの務めだと思っています」と、今後のことを語って会見を締めくくった。

この二回目の会見は『読売新聞』が夫と二人の写真を載せて報じているのに対して、『朝日新聞』は社会面の片隅に囲み記事として掲載しているだけで、泰子の語った全国の人たちへの感謝の言葉も遺族に対する発言もまったく触れられていない。

泰子はこの会見後、三月十四日に退院する。その前後から週刊誌、中でも女性週刊誌

一夜明けた山荘では、狙撃された現場に酒や花が手向けられた（2月29日、提供／読売新聞社）

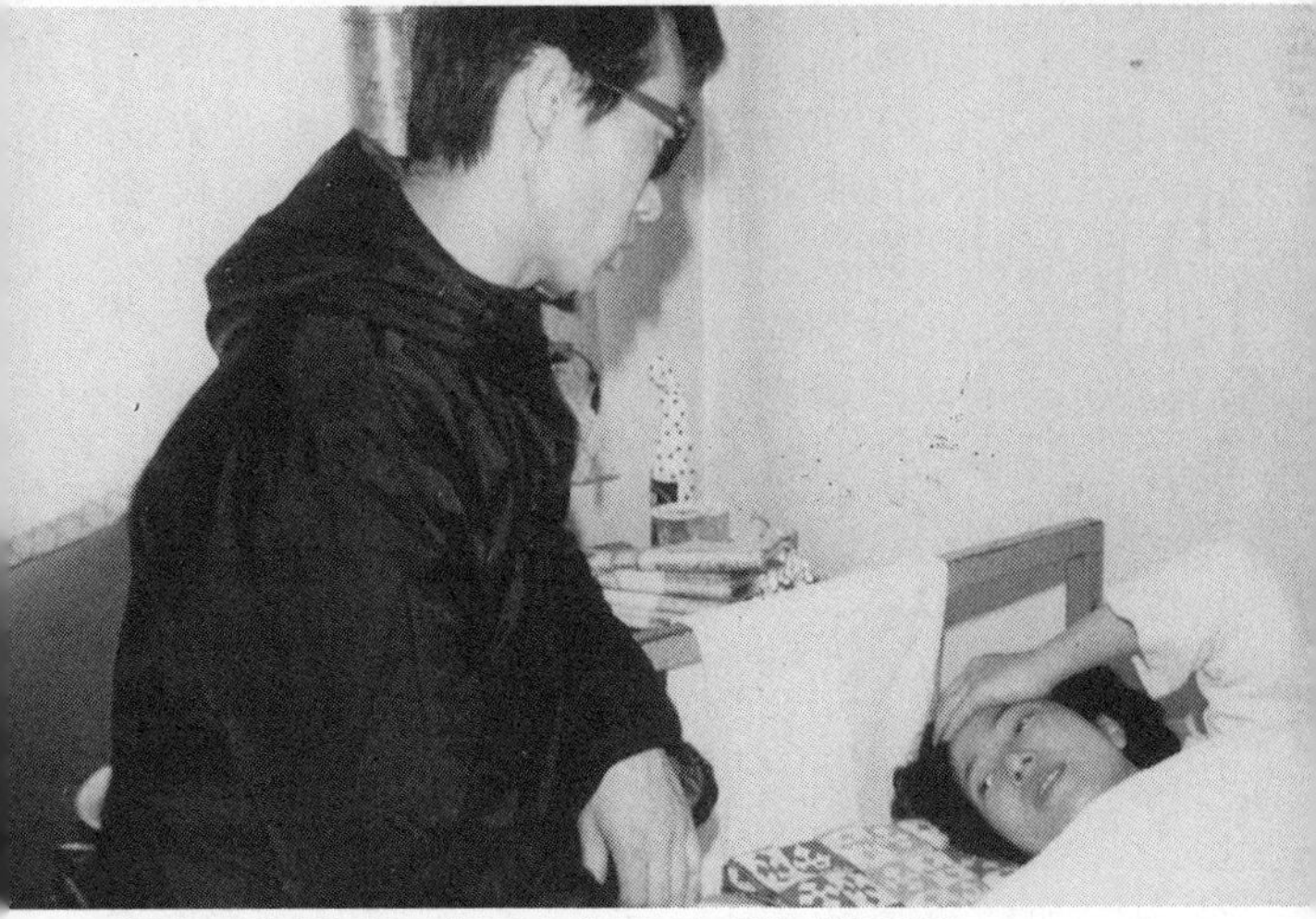

救出後、軽井沢病院での牟田夫妻（2月29日、提供／北原薫明）

が競って泰子を取り上げ、本人の覚えのない内容やプライバシーまでも侵す記事が誌面に載った。反論する術もない泰子はマスコミ不信に陥り、マスコミとの接触を断って完全に貝になってしまった。

◆泰子の証言

泰子がマスコミを避け、その後も事件について決して語らないということは、最初に牟田夫妻を訪ねた際、泰子自身の口から言われていた久能は、泰子の特異な体験を考えれば無理のないことに思え、泰子には直接取材することはしないできた。

一九九九年（平成一一）秋、久能は最後のまとめの段階で、補足取材のために郁男に手紙を出した。かなりの時を経て郁男から届いた返事は、それまでの久能の取材にはなかったある意外な事実を伝えていた。

「泰子が病院に収容されて治療のために衣服を脱がされた時に保管されていたお守りを、私が誰かに渡されたのです。その時の状況はほとんど記憶に無いのですが、囁きかける様な小さな声でお守りの事を聴いたのです。

今想えば私は興奮状態にあったのでしょうか。すぐにその足で軽井沢署での記者会見に出向き、すでに御承知の結果を生んだのです」

御承知の結果とは、救出直後の軽井沢署での記者会見で「泰子が犯人の一人から『奥さん、御守りとしてもっていなさい』と言われ、長野の善光寺のお守りを渡されていた」

と郁男が話した、そのことである。

郁男の手紙には、この記者会見での発言に対して、後に泰子に「間違いだ」と怒られ、かなり激しい夫婦喧嘩になってしまったと記されていた。

泰子は、御守りは犯人にもらったものではない、と言っているのだ。しかし、犯人が御守りを泰子に渡したということは二月二十九日付『朝日新聞』の記事にも泰子自身の言葉として出ており、その記事全体から読み取れるニュアンスを、久能は、泰子が犯人から大切にされたという気持が出ているように見える部分として受けとめていた。

犯人からもらったものではないとすると重大な誤りだ。久能はさっそく坂口弘の著書を開けてみた。

立てこもった山荘内でバリケードの組み換え作業をしていた犯人の一人が、赤色のハンドバッグを見つけ、持ってきて坂口に手渡したところで次のように書いている。

「開けてみると、コンパクトだの手帳だのハンカチだの、さらに現金も入っていた。お守りもあって、善光寺と成田山のお守りが一つの紐で結んであった。これはいい物を見つけた、と思った。

私は、

『これ、牟田さんの？』と言って、ハンドバッグを夫人の前に差し出した。

夫人は、

『そうです』と答えた。それで私は、
『ん、中にお守りが入っているよ』と言って、ハンドバッグを夫人に渡した。
牟田夫人は、バッグを受け取ると、すぐに中からお守りとハンカチを取り出した。そしてハンカチを二つに割いて紐を作り、この紐をお守りの袋の紐に通して首に懸けた。夫人はこのお守りを、最後まで肌身離さず持っていた」

（坂口弘著『あさま山荘 一九七二』）

さらに久能は、当時病室で泰子から事情聴取した長野県警捜査一課の佐野秀二に取材を申し入れた。しかし佐野は、もう当時のことは思い起こすのは無理だと取材を固辞した。手掛かりを探していた久能は、事件後に長野県警がまとめた『旭の友』の中に佐野の文章を発見した。

「お守りのことは、私はあとで泰子さんに直接聞いたところ、
『お守りは善光寺と成田山のもので、私がお参りに行ったときに買って来て、いつも持ち歩くセカンドバッグの中に入れておいたのです。ところが、犯人たちが管理人室からベッドルームにいろんな物を運び込んだとき、セカンドバッグも一緒に運んできたわけです。

私は、そのバッグをそっと引き寄せ、中からお守りをとり出し、ハンカチを切っ

てヒモにしてつなぎあわせ、お守りに通して首にかけ、無事に救出されるように祈っていたのです』

と話してくれた。郁男さんの発言は間違いだったのだが、いったん報道されると、なかなか訂正されないのは悲しいことだった」

坂口の著作中の記述と佐野の文章の記述はほとんど一致している。やはり御守りは犯人からもらったものではなかったのだ。

久能がその点を告げるために郁男に電話を入れると、郁男は留守で電話口に出たのは泰子だった。それまでに何回か会っており、時候の挨拶をしているうちに、久能はつい、

「郁男さんから手紙をもらったのですが、事実と考えてよいのでしょうね」と口を滑らせてしまった。泰子には事件のことは尋ねない、という自分自身で決めたことを破ってしまっただけに、久能は泰子が「答えられません」と返事するものと思った。

一瞬、電話の向こうで考え込んでいる様子だったが、意外にも泰子は、

「事実です。御守りは私が持っていたもので、絶対に犯人から渡されたものではありません」とはっきりした声で答えてきた。二十八年間の沈黙を破って、泰子が事件に関して語ったのだ。さらに泰子は当時の新聞や週刊誌には「自分の言った覚えのないことがたくさん記事になった」とも言った。

久能は日を改めて牟田宅を訪ねた。牟田夫妻と泰子の母親と居間のコタツに入りながら、直接話を聞いた。

泰子が語るには、御守りはセカンドバッグの中から自分で取り出したもので、御守りやバッグについて犯人と言葉を交わしたことはないという。

しかし、泰子は御守りは確かに取り出したが、身につけた覚えがないと言い出した。

郁男が、

「首からさげた御守りの写真があったのだから間違いないよ」と言っても、

「私、本当にさげていたの」と、その当時病室にいた母親に尋ねるほど、その部分は泰子の記憶から完全に消えていた。

また事件後の事情聴取では「善光寺と成田山」の御守りと答えているにもかかわらず、善光寺には参詣した記憶がないし、成田山に郁男と行ったのは事件後なので、なぜその二つの御守りが出てくるのかまったく判らないという。

「川崎大師の御守りなら、弟が川崎に住んでいて参拝したことがあるのだが」と泰子は首を傾げるばかりだ。二十八年も経った今、その記憶を辿ることは無理だが、どこの御守りかはともかくとして記者会見での郁男の発言は間違いであった。

馴れない記者会見の場で、心の中に用意していたことが思い通りに言えず、後で思えば、何かに憑《つ》かれたように壇上で踊ってしまったような感じで、今に至るまで失態として心から消えることはない、と郁男はそのことを深く後悔している。

泰子は、御守りを渡されたとする『朝日新聞』の記事は間違っていると指摘した上で、さらに腑に落ちないところがいくつかあるという。まず一つは「一日目はあぶら汗をかいた」とある点だ。確かに怖かったけれど、あぶら汗をかいたようなことはないという。また縛られたのは「二日間だけであとは自由でした」とあるが、実際は何回も縛られたという。

山荘内での監禁状況については、救出された二月二十八日夜、記者会見の後に病室で事情聴取を行った佐野秀二が次のように書いている。

「『銃をつきつけられて怖かった』『ベッドルームで縛られた』『途中でいったん解かれたが、警察が近づくとまた縛られた』『ベッドルームで監禁されていた』『犯人たちは山の名で呼び合っていた』『大声を出したり、逃げたりしなければ、危害を加えないと言われた』『放水は救出直前にかかっただけなのでそれほど寒くなかった』『ガス弾が撃たれたとき、タオルで口を押さえていたので、それほど苦しくなかった』などと思ったよりははっきりとした口調で話してくれた。

泰子さんは記憶を呼び戻しながら話してくれた。監禁中は縛られているか、縛られていない時は必ず銃を持った男が見張りについており、トイレに行くときもヒモで縛られ、戸を開けたまま用をたすという状況で、とても逃げたり、外へ連絡のとれるような状態ではなかったという」

（長野県警編『旭の友』）

泰子は、その他にも二十九日付の『朝日新聞』の記事にはおかしい個所がある、と指摘する。記事の中に「ききょうの間」に閉じ込められていたと述べた部分があるが、浅間山荘には「ききょうの間」という部屋は存在しないのだ。また、食事は毎回彼らが作って運んでくれたように書かれているが、食べたのはごった煮風の食事一回だけで、後はコーラを飲んでいたこと。夫の差し入れも知らないし、果物籠も見ていない。バナナは確かに食べたが、その他の果物は食べてはいないのだから「おいしかった」と言うわけがない。まして、犯人に大切にされたなどとはひと言も言っていないし、全体としていかにも優しくされたような表現に作為的なものを感じたとさえ言い切った。

しかも、救出された安堵感と疲れで朦朧とした意識の中でのやりとりにしては整然とし過ぎていると言うのである。

ここまで話をして、泰子は母親とともに外出してしまった。その後、郁男が、なぜ泰子が二回目の記者会見の後に貝になってしまったのかを、二十八年間を振り返りながら話してくれた。

「泰子は当時、自分の発言がいちいち問題にされることに悩み苦しみ、日増しに精神的にも不安定な状態になっていった。聞かれたことに答えただけなのになぜそれが問題なのかと毎日泣いていた。

『それでは、私にどうしろというの。どう答えたら満足してもらえるの。私は死んだ方がよかったの』と私が責められたこともあった。

　報道関係者からの要望で代表による記者会見が病室で行われることになった時も、母親が『話をする状態を見ても、いつもの泰子と違う』と心配したほどだった。泰子は気が動転し、自分でも何を言っているのか判らなかったのではないかと思った。

　案の定、傍らにいた私がハラハラするような会見が終わった後、泰子は興奮して寝込んでしまった。事件が解決するまでは励ましの手紙ばかりだったのに、一転して脅迫状めいたものに変わり、泰子の退院の時には『ウソ泣き泰子』とか『偽善家』という言葉さえあった。事件後に出された週刊誌の見出しにも堪《こた》えるものがあった。

　事件が膠着状態にあった時、『人質さえいなければ決着は簡単なんだがなあ』という声を耳にしたことがあった。思わず食ってかかろうと思ったが、みんな連日の疲れで極限状態にあるのだろうと、その時はグッとこらえた。

　でも、私も我慢の限界だった。妻がいったい何をしたというのだろう。悔しくて悔しくて、いっそ心中してしまおうとさえ思った。私の本心はもう誰にも判ってもらえなくてもいい、と泰子が貝になってしまったのはそれからだ」

　佐野秀二の書いたものによると、泰子は救出された翌日あたりから監禁中の恐怖感がよみがえったのか、機動隊の人に部屋に入ってもらってほしい、と頼むほど怯え切っていた。

そして三月一日に東京で行われた二人の殉職警察官の合同葬には夫の郁男と父親の毛利計男が出席したが、泰子は葬儀の始まる午後一時にベッドの上に正座して浅間山荘の方向に向かい、静かに黙禱をささげ、涙を流しながら祈っていた。その時、「公葬までには元気になって、ぜひ郁男と一緒に出席したい」と漏らしていた泰子は、三月十四日に退院すると、その足で病院から浅間山荘に直行し、殉職現場の祭壇にひざまずいて、「申し訳ありません」と泣き崩れた。着物が濡れるのも構わず長い時間、詫び続けていた姿が佐野のまぶたに焼き付いた。

泰子の入院からおよそ二週間を、そのすぐ近くで過ごした佐野は、泰子が物事にこだわらない大らかな明るい性格で、悲しいことや辛いことがあってもいちいち口に出さず、いつも笑顔を絶やさない人だという印象を強くもっていた。そして病室での泰子の普段の会話では、殉職警察官や負傷した警察官、またその家族に詫びる言葉が何かにつけて出ていたのに、記者会見という場ではひと言多かったり、言うべきことを言わなかったりしたために、誤解されてしまったのだ、と佐野は記している。

新聞が伝えた泰子の言動から泰子を非常識だと感じた人がいたことは事実だろうが、泰子には犯人から優しくしてもらったという気持がまったくなかったことを、取材を通じて久能は強く感じた。ひとたび報道されてしまうと、後からどんなに訂正しても初めの印象は容易には消えないものだ。配慮を欠いた報道がどれほど牟田夫妻を傷つけ、苦しめたことだろう。

二十八年ぶりに沈黙を破った泰子とその泰子を見守り続けてきた郁男の言葉は、マスコミの一端にいる久能の心に重くのしかかるものがあった。

◆思いがけない展開

妙義山、軽井沢駅、浅間山荘で相次いで逮捕された連合赤軍の被疑者たちは、群馬、長野両県の警察署に分散留置され、連日厳しい取り調べを受けた。しかし、まだ数名の幹部の行方が判らず、彼らを奪回にくる恐れもあると見て、厳重な警備、警戒の中での取り調べであった。

警察当局はもちろん、マスコミも含めて誰もが、彼らを自供に追い込み全容を明らかにすることで一連の連合赤軍事件はけりがつくと思っていたのだが、事件は思いもかけない方向に展開していった。

群馬県警の中山和夫警備二課長は、妙義山中のアジトで発見されたリュックサックの数とズタズタに切り裂かれた衣類にこだわっていた。必ず誰かが殺されているはずだと思った中山は、取り調べ中の奥田寿一に思い切ってその衣類を見せた。三月三日のことである。

これは奥田が取り調べに対して、頑なな態度を崩し始めていたからだが、その衣類を見た途端、奥田は顔面蒼白となり、全身を固くして黙り込んでしまった。取り調べ担当の刑事は何かを隠していると確信してさらに追及したが、その日は黙秘してひと言も喋ろうとはしなかった。翌日もその一点に絞って追及を続けると、同志が一人死んだことをほのめかした。そしてついに観念したのか、三月五日、断片的ながら、「妙義山の洞窟で、同志の一人に集団でリンチを加え、手足を縛って洞窟の外に出しておいたところ二日後に死亡した。死体は衣類を剝ぎ取り、下仁田町の山林内に埋めた」と自供した。

六日夜には、遺体を埋めた場所を地図に書いたため、そこへ本人を同行することになった。奥田が案内した場所は下仁田の市街地から一〇・五キロほど北西に行った上野橋の手前をさらに左の杉林の中に二〇メートルほど踏み込んだ所だった。深夜だったこともあり、七日の早朝からその地点を発掘することになった。このことは報道陣にはまったく発表していなかったが、どこで嗅ぎつけたのか、翌朝、現場付近にはほとんどの新聞、放送各社が押しかけて発掘作業を見守った。

午前十一時三分、男性の死体が発見された。奥田の自供通りなら埋められたのは二月十三日の夜、ほぼ三週間前ということになる。発掘に立ち会った中山によると顔は外傷もなくきれいだったという。やがてこの遺体は指紋などから山村健（仮名）であることが確認された。山村は連合赤軍結成時の七人の中央委員の一人で、一時は赤軍派ナンバー3の幹部であったが、埼玉県越谷に妻子を残したまま、前年の九月から行方が判らなくなっていた。

◆「総括」というリンチ

なぜ幹部の山村は殺されることになったのだろう。

その後の数人の被疑者の供述を総合すると、同じ赤軍派でありながら、武器をもって立ち上がり革命の先陣を切ろうという武闘派の森恒夫と、玉砕戦法とも思える暴走を何とか阻止しようとする理論派の山村とはことごとく対立していたという。

一度は組織から除名された山村はなぜかふたたび組織の一員として返り咲いたが、そのころからアジトが警察の手によって次々と摘発されたり、真岡市銃砲店襲撃事件一周年記念蜂起にも慎重な行動を主張したりしたため密告者の疑いをかけられ、山村が留守の間に、全員でリンチを加えることを決議したのだった。慎重な言動はすべて弱腰、日和見主義として片づける幹部の森恒夫や永田洋子にとって山村は許しがたい反革命的な裏切り者としか映らなかったのだ。

山村は迦葉山のアジトで正座させられ、総括と称して全員の前で厳しい自己批判を迫られた。山村には交替で四六時中監視がつき、水一杯だけで雪の中でたきぎ拾いをさせられた。物を食べていないのだから動作も緩慢になるが、それすら反省していない証拠としてさらに追及を浴びる結果になった。そして、厳寒の屋外で正座をさせられ、ひどい凍傷のために足腰が立たなくなった。それでも許されず、迦葉山のアジトを急遽撤収することになると、彼は寝袋に入れられて妙義山の洞窟に運ばれた。

そこでもまた監視つきで放置された。幹部はひどい凍傷にかかった山村の手足を切断する相談までしたという。食事は一応与えられていたが、十二日午前二時ごろ、「ちくしょう、総括だって」と吐き捨てるように言うとこと切れた。遺体は、衣類を切り裂き剝ぎ取られた上で、翌日の夜、車で下仁田の杉林に運ばれ埋められた。

◆十四人の殺人

下仁田町で遺体の発掘が行われていた七日の昼ごろ、長野県警の北原薫明警備二課長に電話がかかってきた。小諸署で武藤道夫の取り調べをしていた警備部の堀内藤弥からだ。

「被疑者がえらいことを言い出した。嘘だろう、と何回も聞き直したが本当らしい」

それまでも数々の事件で被疑者を自供に追い込んでいるベテランの堀内の言葉だけに北原は緊張しながら聞き返した。

「何が起きたんだ」

「連中が山岳アジトで十二人を殺したと言っている。それも〝総括〟とか何とかと言っているんだ」

その時点ではまだ下仁田での発掘について何も連絡を受けていなかった北原はすっかり混乱し、思わず、「十二人だって、そんな馬鹿な！」と叫んだが、堀内の答えは変わらない。

「俺もそう思って今朝から何回も聞いているんだが、間違いないようだ。至急、他の連中にも聞いてみてくれないか」という。

〝総括〟という言葉は左翼系がデモなどの行動を行った後、締めくくりの集会などで好んで使うが、殺人の意味合いで使うのは聞いたことがない。それが北原を混乱させ、どうしても総括と殺人が結びつかない。しかし、十二人の殺人が事実なら大事件だ。ただちに他の警察署で取り調べ中の被疑者にもぶつけると、午後二時ごろ、軽井沢駅で捕まった一人と浅間山荘で逮捕した少年がそのことを認めたという連絡が入った。特別捜査本部は騒然となった。

北原は彼が関わった連合赤軍による事件全体の中でのもっとも衝撃的な三つの出来事として、内田・高見両警官の殉職、牟田泰子の無事救出とともに、この大量殺人を挙げている。

このことはただちに警察庁に報告されたが、本庁も信じようとはしない。

「三人の被疑者が同じことを言っているのだから間違いありません」と北原が力説して、相手もようやく納得した。報告を受けた後藤田正晴長官が、まず「君、そんな馬鹿な」と言い、その後詳しく内容を聞いて、「ウーン」とうなって黙ってしまったという話を北原は後に人づてに聞いた。

渋川署に留置されていた最高幹部の森恒夫は完全黙秘で通していたが、山村の切り裂かれたシャツと遺体の写真を見せられると激しく動揺し、翌日、上申書を書くと言い出した。

上申書は被疑者の言ったことを係官がまとめる供述書と違って、自分の意志で書くものだけに供述書よりも裁判での証拠価値が高い。森はすらすらと十二人の名前とどこでどのように殺害したかを書いて提出した。内容はその後の検証で正確さが立証されたほど詳細なものであった。

もう一人の最高幹部の永田洋子は山村の遺体発見を聞かされても顔色一つ変えなかったという。

森の上申書と各被疑者のその後の供述によって、山村健以外の十一人は、榛名山近くに八人、迦葉山周辺に三人が埋められていることが明らかになった。

浅間山荘事件が解決したのも束の間、このビッグニュースにマスコミ各社はまたまた大動員をかけたが、軽井沢の反省もあってテレビ各局も今度はがっちりと中継態勢を組んで待機した。

遺体の発掘は三月十日朝から、まず迦葉山のアジトで殺害された三人から始められた。現場はすでに被疑者を同行して確認してあり、沼田の市街地からおよそ一〇キロ、高平の集落で分かれた旧国道沿いの杉林で作業開始後まもない午前十時に、女性の一遺体が発見された。道路を挟んで右側は畑だったが、左側の杉林を二〇メートルほど入った所に埋められていた。それからおよそ二十分。そこからさらに奥の背沢林道脇で一つの穴

（上）群馬県倉淵村でリンチ殺人の遺体を発掘作業する群馬県警係官（3月11日、提供／読売新聞社）
（下）四人の遺体が発掘された倉淵村地蔵峠の現場（3月12日、提供／読売新聞社）

から男女それぞれ一遺体が発見された。こちらも杉林の中である。

十一日から十三日にかけて、榛名山アジトで殺害された八人の発掘作業が行われた。八人はおよそ一〇〇メートル四方の内にある四か所から次々と発見された。場所は榛名山アジトから二〇キロ以上も離れた県道渋川―松井田線脇の杉林である。

四日間に掘り出された十一人の遺体は水洗いされ、あらかじめ呼ばれていた遺族によって身元が確認されていった。覚悟していたとはいえ、あまりにもむごい姿にほとんどの家族がその場に泣き崩れた。ある父親は「せめてもの救いは加害者にならなかったことだ」と泣きながら呟いた。

こうして山村を含めて十二人の発掘が終わった。遺体はすべて全裸であった。遺体から剝ぎ取った衣類は証拠を消すために焼却していたが、山村の衣類だけは大慌てで妙義山のアジトを逃げ出したため、岩陰に捨てるしかなかったのである。そして、その衣類が決定的な証拠となり、リンチ殺人事件解明のきっかけになったのだ。

掘り出された十二人の内訳は、男性が八人、女性が四人でほとんどの遺体はリンチによって激しい殴打の跡や凍傷が見られたほか、女性は髪の毛を切られていた。中には内臓が破裂したり、肋骨が折れた遺体もあった。無数の突き傷や首を絞められた跡がはっきりと残る遺体があり、その凄惨さには遺体を扱い慣れている解剖医や鑑識課員も思わず顔をそむけるほどであった。

遺体が掘り出された後の穴には検証のために白線で遺体のあった位置が示され、捜査員が線香を手向け合掌した。

ところが犠牲者はそれだけでは終わらなかった。

被疑者を送検するためには二十日間の拘置期限内に手続きを終えなければならない。思いもかけない殺人事件が加わって、捜査員全員が超多忙なスケジュールに追われながらも、ようやくその手続きを終えたばかりの三月二十二日、上田署の取調官から、北原のもとに、取り調べ中の吉野雅邦がさらに二人を殺害したという上申書を提出した、と連絡が入った。上申書には「昨年八月に革命左派のアジトから逃げた二人の同志を殺して千葉県の印旛沼に埋めた。二人の両親や家族のもとに一日も早く遺体を引き渡し、安らかに眠れるようにお願いします」としたためられていた。

捜査本部は「またか」と色めき立った。三月二十五日、現地に同行した吉野の指し示した場所から男女の二遺体が発掘された。二体とも全裸で腐敗が進み一部は白骨化していた。ただちに解剖が行われ、二人とも死因は絞殺であることが判明、やがて遺体の二人は長野県上伊那郡出身の男性と長崎県佐世保市出身の女性と判り、これで犠牲者は合わせて十四人となった。

殺された二人は組織からの脱走者だった。吉野の自供によると、警察に通報されることを恐れた永田洋子らが中心になって、二人の殺害を計画したという。そして二人の住まいを探し当て、一人ずつ言葉巧みにアジトに連れ込み、酒を飲ませて酔わせた上で車に乗せ、途中で殺害して、事前に下見してあった印旛沼付近の松林の中に埋めたのであ

◆〝総括〟の論理

各警察署に分散留置されている被疑者たちは浅間山荘事件のことについては容易に口を割ろうとしなかったが、リンチ殺人については比較的よく喋った。後悔と殺人に対する自責の念がそうさせたのであろうが、〝総括〟というリンチはどんな考えから生まれ、どのようにして行われたのだろう。

総括を理論づけたのは最高幹部の森恒夫である。「銃による殲滅《せんめつ》戦は共産主義化された兵士によってのみ勝ち取ることができるのであって、共産化されていない者は総括によって共産化された兵士に生まれ変わる必要がある。それができない者は組織から排除すべきであり、敵である権力機関に通報させないために死に追いやることもやむをえない」とし、誰を総括の対象者とするかは、森と永田の最高幹部二人が決めることにした。

つまり、革命達成のためには、死を恐れず銃を使いこなせる兵士を作り上げることが急務だとし、そのために過去の闘いへの姿勢を振り返り、自分の誤りや不完全な点を全員の前で披瀝《ひれき》して自己批判をする。他の人にも指摘してもらいながら革命戦士として闘い抜く決意を固めるというのが総括であった。しかし榛名山アジト以降、総括にかけられた十二人のうち生き残った者は一人もいない。

総括できない者は脱落者であり、そのまま死を意味していたが、どこまで反省し総括

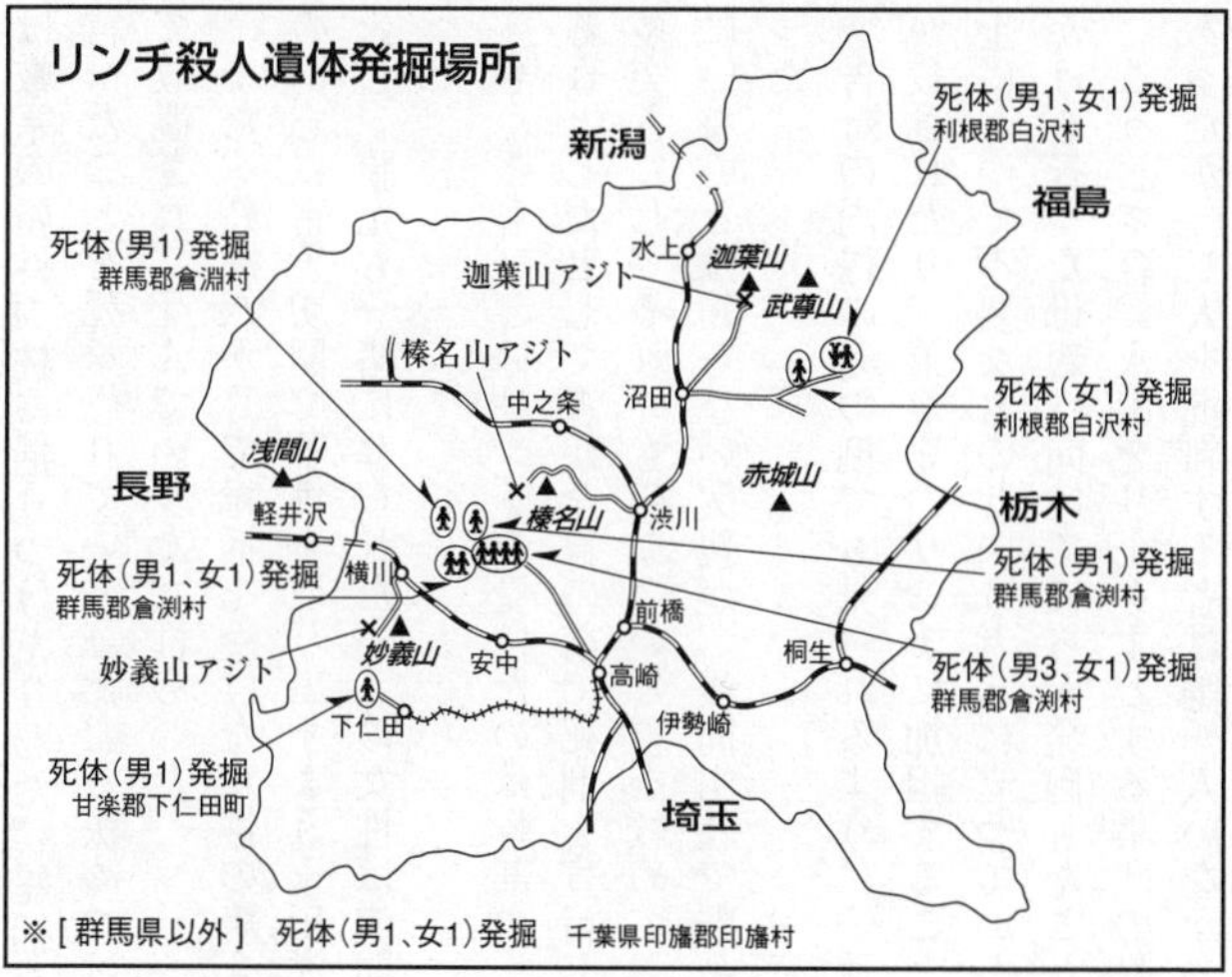

すれば許されるのかという基準は何もなかった。総括にかける基準も曖《あい》昧《まい》である。

「革命組織についての認識が甘い」「総括にかけられた同志に対して本気で総括を求めず、手ぬるい」「警察に逮捕された時に完全黙秘を貫き通さなかった」というものがあるかと思えば、「活動をさぼって仲間の女に手を出した」「女であることを売り物にした」「キスをした」「ネックレスや指輪、化粧品を持っており、ブルジョア性が抜けていない」といった理由もあった。

しかし理由は何であれ、いったん総括にかけられると全員で殴る、蹴るの暴行を加えて、「まだ反省が足りない」「総括していない」としては厳寒の屋外の柱に括りつけたりした。総括を受けている最中に、「死にたくない」と言ったことを死を恐れている証拠だと決めつけられ、足に棒を挟まれ、逆エビに縛られて放置され、死んでいった女性もいた。

また、妊娠八か月で総括を受けた女性の場合には、子には罪はないからと、医科大生の同志に帝王切開で子供を取り出すよう永田洋子が命じていた。その女性はまもなく凍死し、胎児も一緒に葬られた。この女性は浅間山荘で逮捕された吉野雅邦の内縁の妻だった。

もっともひどいリンチを受けたのは幹部の一人でもある寺田浩一である。別組織を作ろうとしたとして森が全員の前で死刑を宣言し、血が出ないようにとアイスピックで滅多突きにし、それでも死なないと首を絞めて殺すという残忍ぶりであった。もうこの世にいないとは知らない父親が、浅間山荘で懸命に呼びかけ、説得をしたのはこの寺田だった。

吉野の内縁の妻の例でも見られるように一連の総括は、乳飲み子を抱えた妻の前で夫が殺されたり、弟が兄のリンチに加担することさえあったが、それは肉親の情は革命戦士にとって不要なものという考えに立っていたからである。このことは浅間山荘で呼びかけを行った母親に向けて彼らが発砲したことからも窺えよう。

こうして森、永田をリーダーとする集団の暴走はますますエスカレートするばかりであったが、二人を批判する者は誰一人いなかった。少しでもそんな動きを見せれば次に自分が指名されるという恐怖心を生んだからで、総括される者に対しても手心を加えることのない暴行をさらに増幅することになったのだ。共産化を進めるためのこの総括も実は脱落者が出ることへの極度の警戒感によるものなのだが、総括によって表向き鉄の団結が強まったかに見える組織も、実は同志を次々と失うことによって逆にますます弱体化していったのである。

◆見放す世論

マスコミはこのリンチ殺人事件を浅間山荘事件にも増して大々的に報じたが、カメラマンとして発掘現場にも飛んだTBSの田近東吾は次のように語ってくれた。

「心の奥底に傷のように残っているのは浅間山荘事件よりもリンチ殺人の方だ。浅間山荘の時は手段、方法はともかくとして、彼らなりのある種の正義感というものが判らなくもないという気持があった。しかし、リンチ殺人は何とも無残でやり切れない気持になった」

おそらくこれはほとんどの人の共通した気持であったと思われる。

上智大学教授　小木貞孝

「信じられない。ショックで言葉もない。連合赤軍といえども革命家を名乗るなら一定のモラルを持っているものと信じていたのだが……」

（三月十日付『読売新聞』）

評論家　尾崎秀樹

「集団になるとコワモテにするが、実は一人一人の弱さから来た現象ではないか。こうした弱い部分から残酷性が出たとしか考えられない。一連の赤軍事件はノホホンとした日本の状況にパンチを与えたことは事実だ」（三月十日付『読売新聞』）

評論家　藤原弘達

「最近にないショックな事件で、新聞を見て朝食がまずくなった。悲惨という言葉を通り越して地獄絵だ。彼らの精神構造を疑う。ゲリラや革命には一種の爽快さとヒューマニズムがあるものだ。心情的には彼らの行動を肯定した人も、これではもう救いようがないとしか言いようがない」（三月十日付『読売新聞』）

詩人　金子光晴

「戦前から過激な思想の持ち主はいたものだが、こんな事件は前代未聞の残虐行為だ。仲間でも反逆者は殺すという論理に基づいているのかも知れないが、ここまできては論理どころではない。現実をまったく無視しており、ついていく国民は誰もいない」（三月十日付『読売新聞』）

評論家　荻昌弘

「この事件は人間、日本人の内部にまだあのような悪魔性が残っているのかと嫌な気分にさせる。大量虐殺の記録は、日本人だけでなくどこの民族の歴史にもあるが、そこには人種差別、宗教的対立などが働いていた。今回のように、同じ民族の中で、しかも同じ思想集団の内部で起こったということは信じがたいことだ」

（三月十四日　ニッポン放送「時の問題」）

ＮＨＫ解説委員　山室英男

「いわゆる有識者という人々の談話の中に、『彼らの気持もわからないではないが』という前置きがつくことがある。殺人的集団の猟奇事件について、一体、どんなふうに気持がわかるというのだろうか。本当は、わかっていないのだろう。ただ、一言そういわなければおさまりの悪いような気持、あるいは自分はなんでもわかっているのだが、というようなポーズ、きわめて日本的なというか、もって回ったしかも内容のない捨てことばなのかもしれないが、ことの是非、善悪に対しては愚かなくらいに、明快に反応する姿勢こそ、実は一番必要なことではないかと思う」

（三月十四日　ＮＨＫラジオ「時の話題」）

評論家　池田弥三郎

「浅間山荘事件のとき、いわゆる進歩的文化人といわれる人の談話などで『彼らを追いつめたのはなにか』という、またしてもすり替えて弁護するような意見を発表していた人もあった。その人達は今度の事件を知った段階でどう考えているのか、もし新聞があのような談話を追及するならば、前にいった人達がどのように前言に対して責任を持つのかというところまで追及してよいのではないか。いわゆる評論家とか文化人とかいわれる人達が社会的に発言する場合は、十分気をつけなければならないことだと思う。また推理作家は職業上、いろいろなことを空想するのは当然であろうが、原因がまだわからない段階で『警察のスパイだったかもしれない』などと推理作家らしく言うが、これも警察の努力に対して水をぶっかけるような気がする」

（三月十一日　NHK「新聞を読んで」）

また、リンチ殺人事件は、外国人にはどのように受け止められたのだろう。日本の事情に詳しい人の意見をみてみよう。

UPI通信東京支局長　アルバート・カーフ（アメリカ）

「この平和な日本にどうしてそんな恐ろしいことが起き得るのか不思議でなりません。いまの若者たちのイライラが分からないわけではありません。日本だけでなく、アメリカその他の国でも若者たちが、政府と違った考え方をもつのはごく当然のことですし、その結果、自分たちの政府なり、住んでいる社会全体を改革しようという気持には同情できます。しかし、だからといって、罪もない人たちを傷つけたり、仲間同志をリンチにかけて殺すなど、もはや弁解の余地はありません」

（『週刊読売』臨時増刊四月五日号）

レストラン経営者　A・M・ナイル（インド、在日四十四年）

「こんどの残虐な事件をみて、泣いても泣ききれない重苦しい気持です。若くて思慮が足りなかったといえばそれまでですが、いったい何が彼らをそうさせたのか、国民みんなが研究すべき課題ではないでしょうか。ほかでもありません。歴史的事件はすぐに特定の個人や集団の責任で済ませてしまう傾向があるからです。第二次世界大戦をみてごらんなさい。戦犯だけ処罰して責任問題は解決したとするむきがなかったでしょうか。私が心配するのは、海外的に日本の評判が悪くなるのではないか、日本人が戦前以上に悪辣なことをする人種のようにみられはしないかということです」

（『週刊読売』臨時増刊四月五日号）

テレビプロデューサー　金　壺真（韓国）

「極端な言い方かも知れませんが、事件の奥底にひそむものは、日本人特有の潜在的な残忍性じゃないかとかんぐりたくもなるのです。日本では昔から武士道というものがあって尊ばれてきましたね。しかし、三島事件にもこんどの事件にも共通していえることは、武士道の残酷さじゃないかと感じるのです」

（『週刊読売』臨時増刊四月五日号）

厳しい批判ばかりで、浅間山荘事件では割合好意的な発言をしていた識者たちもこの事件ではまったく沈黙した。また心情的には彼らを一番理解していると思われていた若い層も一様に頭を抱えてしまった。『朝日新聞』（三月十一日付）は次のような若者の声を掲載している。

「浅間山荘で玉砕せずに捕まった時は、やはり革命家だと思ったし、大人たちが彼らを狂気集団と呼んだ時には反発も感じた。だが、リンチの論理は判らない。弁護する気はなくなった」　（大学生、二十歳）

「もう彼らは僕らとは違う世界に行ってしまった」　（大学受験浪人、十九歳）

「彼らは人質を殺すようなことはしないと一〇〇％確信していた。それはその通りになった。そこまでは僕なりに彼らの論理、心理の軌跡を辿れたんだが……」　（会社員、二十四歳）

「あちこちで爆弾を破裂させ、血を流し、追われて山中を逃げ回っているうちに、あの人たちは人間の心をどこかに置き忘れてしまったのでしょうか」　（会社員、二十一歳）

「あの連中に世直しなんかできるわけがない」　（大学受験生、十九歳）

共感を得るべき若者たちからも見放された連合赤軍は革命の先陣を切るどころか組織としても一気に崩壊の道を転がり落ちて行ったのだ。

このリンチ殺人事件こそ浅間山荘事件を解く一つのカギを握っているように思われる。

革命戦士になれと迫り、全員が同志の死に関わってしまった以上、死を賭して闘わなければ死んだ同志に言い訳が立たないという気持が山荘に立てこもったメンバーにはあったのではないか。

見逃せないのは坂口弘の気持、心情だ。実は坂口と最高幹部の永田洋子は夫婦だったのだが、二月初めに闘争資金調達のために上京した永田と森恒夫の後を追って、二月十三日、妙義山にアジトを変更せざるをえなくなった経過と山村の死について報告に行った坂口に永田は、

「私は森が好きになったので、あなたと別れて森と結婚する」と冷たく言い放っている。一方的な通告であった。坂口が大きな衝撃を受けるとともに、同志には肉親の情までも断つように命じて総括にかけながら、自分たちだけは夫婦であることが許されるという永田と森の身勝手さに憤りを覚えたことは想像に難くない。しかもその後、妙義山麓で簡単に逮捕されてしまった二人に対して自分こそ革命戦士として最後まで闘い、見返してやろうという気持が坂口にあったとしても無理のないことであった。

◆元気に育っていた女児

無惨な遺体が次々と発掘されているころ、一人の女性が名古屋の中村署に出頭してきた。リンチで夫を殺された岩田直美（仮名）であった。彼女は、夫に続いて今度は自分が総括されることを知り、二月六日に子供を残したままアジトから脱走したのだった。

名古屋から群馬県の伊勢崎署に護送された岩田は次のように供述した。

「榛名山のアジトから迦葉山に移ったのは一月二十六日だった。夫はすでに四、五日前に移っていた。そこで凄惨なリンチを受ける夫を目撃し、自分も夫を殴ることを強要された。夫はオムツをリュックに詰めるのを手伝っただけで夫婦気取りで革命を真剣に考えていないと批判されたのだが、涙をこぼすと自分も同類と見られて殺されると思い、泣くわけにはいかなかった。

二月六日はほとんどの者が榛名山のアジトの取り壊しに出掛け、迦葉山のアジトに残っていた男性は坂口弘と山村健だけだったが、山村はロープで縛られていた。

東京へレンタカーを返しに行っている連中が戻ってきたら次に自分が自己批判させられることを聞かされたが、自己批判が死であることは夫を見て判っていたので、逃げるのは今しかないと思った。そこで近くの車へ荷物を取りに行かされた時、一緒にいた女性に落とした時計を探してくると嘘を言い、そばのスキー場からタクシーで沼田駅近くまで出た。そしてスラックスなどを買って着替えた。その夜、上野駅に着いたが、子供を連れ出す機会はなかった」

岩田はアジトに残してきた子供のことを思い浮かべたのか、激しく泣きじゃくりながら供述した。

アジトに残された女児の名前は麻里亜（仮名）。生後三か月であったが、夫婦、親子の関係を絶たなければ革命はできないという理由で、その子は取り上げられ、メンバーの三村智子（仮名）がずっと面倒をみていたのである。

実は、岩田の脱走こそ、急遽、迦葉山から妙義山へとアジトを変更することになった原因だった。そして二月七日の早朝、迦葉山透門から榛名湖畔までタクシーに乗った子連れの女こそ三村であり、抱かれていたのが麻里亜だった。

群馬県警は三村がまだ麻里亜を育てていると見て、三月十一日、全国に指名手配した。当然、マスコミも大きく取り上げたが、その二日後、事情を知らずに預かったという三村の友人の女性が警察に届け出て麻里亜は無事保護され、三村自身も警視庁に出頭してきた。まるまると太った元気そうな麻里亜の写真を見せられると岩田は目に一杯涙をためて身体を震わせた。そこには女性革命戦士ではなく、夫を殺され、子供と引き裂かれた一人の母親の姿しかなかった。〈麻里亜ちゃん無事〉のニュースは、やり切れない事件の中にあって唯一、救われる思いで受けとめられた話題だった。

◆刑事と被疑者

リンチ殺人による遺体の発掘中も、分散留置された被疑者の取り調べは続けられた。長野県警の北原薫明二課長は、取調官を二人一組とし、刑事と警備警察のベテランを組み合わせ、一人がこわもての場合はもう一人は優しく話しかけるタイプと硬軟をうまく組み合わせた。

北原は取り調べを始めるに当たって次のように指示した。

「彼らと理論を闘わせるな。今まで極左は自供しないのが相場だったが、その壁を破れ」

しかし、取り調べる側の全員が極左を相手にするのは初めてであり、かなり戸惑いがあったらしい。浅間山荘事件に絞って追及する者もいれば、なぜ闘争に加わったかという経過から聞き出そうとする者などさまざまであった。

取り調べは難航したが、頑なな態度を変えて喋り始めたのは武藤道夫であった。武藤は、警察に逮捕されると殴る、蹴るの暴行が待ち受けている、と聞かされて覚悟していた。ところが軽井沢署から小諸署に移送されたその夜のうちから、戸惑いを感じ始めていた。風呂はもちろん、留置場の布団の中には湯タンポまで用意されていたからである。

翌日、武藤の取り調べに当たったのは、朴訥《ぼくとつ》で優しい話し方の刑事だった。刑事は「俺は君らのお父さんとは同年輩だ。君らの思想のことはよく判らんが、俺を父親と思い、何でも相談したいことがあったら話してみろ」と言い、いきなり自分のセーターを脱ぐと寒さと緊張に震える武藤の肩にそっと掛けてくれた。夜には一緒に風呂にも入ってくれた。連合赤軍兵士といってもまだ多感な十九歳である。人間的な温かさに心を開いた武藤はその翌日からポツリポツリと自供を始めた。そして同志の遺体が次々と発掘されたことを知ると、用意された空き缶に線香を立てて、毎日手を合わせるようになっていた。

しかし幹部クラスになるとそうはいかない。途中から坂東国男の取り調べに当たったのは中野署の原文雄刑事課長だった。坂東は三月二日に中野署に移送されてきたが、完全黙秘で取りつくシマもない。そこで数々の実績を上げている原にお鉢が廻ってきた。その原が取調室で初めて坂東と相対したのは十五日であった。その時の第一印象を原はこう語っている。

「カッと睨《にら》みつけて瞬《まばた》きもしない。らんらんとして獲物を狙う獣の目だと思った。それまでもいろんな奴をやってきたが、老練というのとは違って恐ろしさというものを彼は持っていた。取調室の中なので飛び掛かってくることはないが、そういう威嚇的というか、反権力的というか、ものすごい信念のようなものを顔に出していた。権力とは口をきくものか、権力には絶対に屈しないぞという感じで、これはえらいもんだと思った」

無理に喋らせるのではなく、自ら供述するようにする雰囲気が大切だと日ごろから考えていた原は、坂東に対しても犯罪事実を認めさせるよりも、まず人間性の回復に重点を置いた。

「名前はなんちゅうんだ」と聞いても坂東は返事もしない。「坂東だな」と言っても返事もしないし、頷きもしない。睨みつけたままだ。そこで原も坂東の目を見据えたままで話をすることにした。睨み返すような目つきではなく、穏やかな目で見つめ続けた。目を逸らしたら負けだと思ったからだ。坂東は、よくもそんなに瞬きしないでいられるものだと思うくらい、目を見開いたままでいるが、さすがに三十分に一回ぐらいは瞬きをする。その時、原も瞬きをした。こんな状態が十日以上続いたころから板東が目を伏せるようになった。こちらのペースに入ってきたな、と原は感じた。ベテランの原には坂東がひと言も喋ろうとしなくても、顔色や態度でどんな風に感じているかがおおよそ読めた。

人間性を回復させようと、原が最初に持ち出したのは、坂東の逮捕を聞いて自殺した父親のことである。原は観月院雪嶺知信居士という坂東の父親の戒名がどういう由縁をもつのかを善光寺の住職を通じて菩提寺に尋ねてもらった。すると、京都の山に出ている同じ月が浅間山の雪の嶺を照らしている、その月を見ながら子供を信じて死についた、という意味だということが判った。そこで原は静かに戒名の話を持ち出してその意味を説明し、

「子供が親を思う気持より、親が子供を思う気持の方が比較にならないほど大きい。しかも君の行為でお父さんは自らの命を絶ったんだよ」と語りかけた。

その上でリンチ事件に触れたが、他の被疑者がすでに喋ったことはおくびにも出さなかった。「残るのはお前だけだぞ」と言って、誘導するようなやり方を原は好まなかった。自分から喋る方向へもっていくというのが原の信条であり、リンチ事件に触れること自体がすでに「お前が喋らなくても警察は何でも知っているのだぞ」という無言の圧力になるからだ。

実はその時、すでに十二人の遺体がどこに埋められているかは判っていたのだが、原は敢えて坂東にこんな話をした。

「十二人を死に追いやったということは避けて通れないことなんだ。今もそのうちの何

人かはどこに葬られているのかさえ判らない。君らの同志たちは自分の生まれた故郷へ帰りたい、親の元へ帰りたいと切望して死んで行ったんだ。しかし、もう人間ではなくて霊になっているんだよ。

君にはそういう霊を親元に帰してやるくらいの人間味はないのか。君がそういう気持になって話してくれればできるじゃないか。留置場では温かいものを食べ、入浴をし、取調室でも暖房が入り、拷問など一つもないだろう。そういう現実にもっと目を見開いて温かい人間性を出してほしい」

坂東はこの話にも反応を示さず、相変わらず睨み返すだけだったが、原には坂東の心にわずかな風穴が開きつつあることを感じ取っていた。

原がさらにリンチ事件について「これは君の行為によって生じたことなのだから、自分でけじめをつけないといけない。自分に不利なことを避けて通る者は早く言えば卑怯者だということだ」と言った途端、坂東は苦い物を口に入れたように顔をしかめて横を向いた。卑怯者と呼ばれたことが堪えたのか、坂東の見せた初の反応である。それはその時だけでまたしばらく睨み合いの日々が続いた。

三月二十四日の昼間、取り調べ中に坂東が初めて居眠りをした。原はその時、坂東が精神的に非常に疲れ、自供するかもしれないと思いつつ黙って見逃した。ふたたび居眠りをしたのは三十日の夜だ。原は怒鳴りつけた。

「こんなに真剣に人の道を説いている時に居眠りするとは何事だ。これで二回目ではないか。お父さんに代わって叱ってやる。なんたるざまだ！」

「ごめん、ごめん」

坂東は小さな声で言うと座り直して頭を下げた。初めて坂東が喋った。その目はあのらんらんとした獣の目ではなく非常に穏やかになっていた。これはいける、と感じた原はさらに追い討ちをかけた。

「憎くて叱っているんじゃない。自分の子供なら殴りつけたが、君にそんなことができるわけがない。真剣に私の話を聞いて貰いたいから言うのだ。愛のムチだと思え」

その言葉に坂東の目がわずかに涙ぐんだ。原が取り調べ始めてから十五日、坂東は人間性回復の兆しをはっきりと示し始めた。

その夜、原は夢を見た。坂東が小さな船で暗い海に出て行く夢だった。翌日の取り調べの際にその話を持ち出した。

「坂東君、私は昨夜、君の夢を見たんだ。君が夜の海に小さな船で出て行くんだよ。オーイと呼んでもちっとも返事がないんだ。歌を忘れたカナリアみたいなもんだなあ」

「ウグイスだよ。カナリアじゃなくてウグイスだよ」という意外な言葉が返ってきた。

「なぜウグイスなのかな」

「時期がくれば鳴くよ。まだその時期じゃないよ」

こうなれば原の勝ちだ。後は焦らさずじっと待つことにした。そして毎日、「君は確かに自分から喋ると約束したよな」と、念を押し続けた。

四月三日、突然「メモをしたい」と言い出し、逮捕から三十六日目で自供を始めた。そのメモなどをもとに調書がすべてできあがったのは四月二十日である。その中で坂東は次のように述べている。

「現在十二人の亡き同志のことが私の心に強く、重くのしかかっています。我々はプロレタリア革命―革命戦争のための党建設と、その党の共産主義化を勝ち取ろうとした闘争が敗北したことを今考えているところです。

私はこの敗北が党建設と党の共産主義化実践の敗北なのか、さらに根底的には自らの思想（社会革命から人間革命）理論実践の敗北なのかということに関して現在まだ総括できていないことと権力に屈服したくないということが主たる沈黙の理由でした。

しかし沈黙を破るにあたって、何よりもまず十二人の今は亡き同志に対して冥福を祈ります。そして私のことで死を選んだ父親のことを考えますと残された肉親の方々の悲しみがどんなにかと思い、お詫び致します。

十二人とともに生と死をかけて闘い取ろうとしたことがなんであったのかということを今後明らかにしていきたいと思います」

被疑者全員が確信犯であり、表面は強気で反抗的態度を取っているものの、内には人間としての情感を鬱屈させ、寂しさに耐えている者がほとんどであった。取調官が被疑者の郷里にまで出向き、生い立ちや性格、嗜好まで克明に調べ、理論を闘わせず、一人ひとりの心に踏み込んだことが全員の自供へと繋がった。中には調書の取れない者もいたが、五月上旬には被疑者の取り調べは終わり、保護処分に決まった十六歳の少年を除く全員の身柄が警視庁や神奈川県警に移送された。

しかし長野県警の北原薫明は、今でも浅間山荘事件の解明が不充分に終わってしまったという思いに駆られ、そのことを悔やんでいる。浅間山荘事件の取り調べの途中でリンチ殺人が明らかになり、捜査の重点がそちらに移らざるをえなかったからである。

「なぜ坂口は人質を捕りながら、それを利用して何の要求も出そうとしなかったのか。正々堂々と極左らしく闘おう、という彼なりのプライドがそうさせたのか。胸の内をぜひ聞いてみたかった」と北原は言う。

◆レイクニュータウンその後

多忙をきわめた群馬、長野両県警の特別捜査本部はその役目を終え、相次いで解散した。

事件前に比べてさらに一段と忙しさを増したのが浅間山荘のあるレイクニュータウンであった。管理事務所責任者の篠原宣彦は警察やマスコミが潮が引くようにいなくなった別荘地を巡回して呆然となった。大切に育ててきたポプラ並木が無残な姿になっている。

通称ポプラ通りには北海道から移植した約二千本のポプラがあったが、十日間にたきぎとしてほとんど使われてしまったのだ。枯れたポプラがよく燃えるからだが、植えてから七、八年、ようやく並木らしくなっていただけに篠原は泣きたい気分になった。しかもアスファルト道路は焚き火で穴ぼこだらけだ。また飲料用の水を放水に使ってしまった。長野県警はいろいろ迷惑をかけたお詫びとして百万円を支払ったが、被害はそんな額で償えるものではなかった。

さらに困ったことは、事件の現場である浅間山荘をひと目見ようと車で乗りつける人が跡を絶たないことである。ついには観光バスを仕立てたツアー客までやってくる。もともと別荘地であり「入れろ」「入れない」の押し問答が連日繰り返されただけでなく、そうした客が捨てていくごみ処理も大変だった。後遺症は事件後十年間も続いた。

◆最高幹部の自殺

起訴された被告たちの裁判は翌一九七三年(昭和四八)一月二十三日から始まる予定だったが、正月早々思いがけない事件が起こった。元日の午後、東京小菅の東京拘置所に収監されていた連合赤軍最高幹部の森恒夫が自殺したのである。午後一時五十二分ごろ、独房の覗き窓の鉄格子にタオルをかけ、足首を下着で縛って首を吊っている森を巡回中の看守が発見した。当直医が駆けつけ、強心剤を打つなどの手当を施したが、午後三時十五分死亡が確認された。

十分から十五分間隔で行われる看守の見回りのわずかな隙をついての自殺だった。

独房にはボールペンでびっしり書かれた横書きの数通の遺書とメモが残されていた。森の理論上の支えとなった赤軍派議長塩見孝也宛の遺書は十二月三十一日付、赤軍派の坂東国男宛の遺書は一月一日付になっており、これからも覚悟の自殺であることが窺われた。

大阪に住む父親宛の遺書には、「仲間を殺したのは誤りであった。こういう結果になったのは理論よりも私の性格の弱さが原因だ。私がもっと強かったらこんなことにはならなかった」といった意味が書き綴ってあったというが、そこには多くの同志を死に追いやったかつての独裁者の片鱗もない弱々しい姿しかなかった。遺書とともにあったメモは、唯銃主義は失敗だったと戦術的誤りを認める文面だったという。この戦術の誤りは、事件後から仲間である赤軍派の同志からも厳しく批判され、逮捕後の森は完全に孤立していた。

自殺の前年、取り調べ最中の森の状況を『朝日新聞』(三月十四日付)は次のように伝えている。

「森は赤軍派元政治局員山村健(二七)の死体が七日発見されてからショックを受け、調べ中に泣きじゃくるなど、それまでの強い態度をくずし始めた。

ところが八日、前橋地裁所長あてに書いた上申書では『山村らの〝総括〟は革命遂行のために必要だった』と処刑の正当性を主張し、居直りを見せていた。

しかし十日以後、次々に掘り出された惨殺死体のカラー写真を見せられて再び態度が急激に変わり出した。十三日夜にはついに『死刑になるんでしょうか。死刑がこわい』と調べ官に恐怖を訴えた。

この報告を聞いた群馬県警本部のある幹部は『死は正常な人間なら誰にとっても最大の恐怖だ。その意味で森にやっと正常人らしい感覚がよみがえり、リンチ殺人を後悔してきているのではないか』といっている」

森は生来の気弱な性格と孤独感とが強い敗北感となって自らを死に追いやったとみられる。

◆クアラルンプール事件

思いがけないことはこれだけに止まらなかった。

それから二年半後の一九七五年（昭和五〇）八月四日午前十一時、日本赤軍を名乗る武装ゲリラがマレーシアの首都クアラルンプールの中心部にあるアメリカン・インターナショナル・アシュアランスビル九階のアメリカ大使館の領事部と隣のスウェーデン大使館に乱入し、アメリカ領事ら約五十人を人質に立てこもった。

武装グループは路上に向けてライフル銃を発砲し、マレーシアの警察官一人を死亡させた後、ビルを取り囲む警官隊に黄色い封筒に入った要求書を投げ落とした。三ページにわたる要求書の内容は、日本国内で拘置中の七人を即時釈放し、日航機でクアラルンプールに運び、そこからゲリラも一緒に希望する場所まで行け、というものであった。

この事件は翌日にワシントンでの日米首脳会談を控えていた日本政府に大きな衝撃を与えた。

日米首脳会談に狙いを定めた襲撃であることは明らかであり、領事など四人のアメリカ人が人質に含まれていることもあって、政府はアメリカの国民感情を考慮しなければならず、非常に苦しい立場に追い込まれた。

ワシントンの迎賓館ブレアハウスに泊まっていた三木武夫首相は就寝中のところを起こされた。事件の概要を聞いて「えらいことだ」とすぐに起き出し、同行していた宮沢喜一外務大臣を中心に対策本部を設置し、留守を預かる福田赳夫副総理に対して緊急対策を立てるよう指示した。午後五時四十分、官邸に井出官房長官を本部長とする〈在マレーシア米大使館襲撃事件対策本部〉が設置された。

ゲリラ側からは早く結論を出せと矢の催促である。三時間余りの協議を経て、午後九時十五分、川島官房副長官が記者会見し、無念そうに政府の決定を発表した。

「人命第一、マレーシア政府の判断に従い、犯人の要求を飲まざるをえない」

ゲリラ側との交渉らしい交渉もないまま、すべての要求を飲むという異例の早い決断であった。日米首脳会談を優先した選択だったことは間違いない。記者団に囲まれた福田副総理は苛立った様子でポツンと漏らした。

「とにかく人命尊重さ。それしかない」

政府の決定を受けてゲリラ側が釈放を要求した七人の意思確認が行われた。七人の中に浅間山荘で逮捕された坂口弘と坂東国男が含まれている。坂口ははっきりと拒否した。坂東は受け入れ、出国に同意した他の四人とともに翌朝、日航特別機で手錠をかけられたままクアラルンプールに運ばれ、そこで釈放されることになった。

しかし問題は、前例がないだけでなく、どの法律に基づいて釈放するかであった。稲葉法務大臣は記者会見で次のように述べた。

「今回の釈放に対して適法な刑事訴訟法上の手続きをとるわけにはいかず、超法規的な措置として現存する法律体系の中に手続きのモデルを求めた結果、検察庁法第一四条にならうことになった」（八月五日付『読売新聞』）

つまり現在の法律では該当するものがないので、法務大臣が「緊急の事態に鑑み、五人をマレーシア国において釈放されたい」という指揮書を検事総長に手渡すという、いわゆる〝指揮権の発動〟で対処したのだ。有無を言わせぬ法務大臣の命令である。

翌八月五日午後二時三十分、五人は日航特別機でクアラルンプールに向けて飛び立ったが、超法規という処置に対して賛否両論が渦巻いた。賛成する人は人命尊重の上から当然だとするものだが、疑問を投げかける人も少なくなかった。

一橋大学名誉教授　植松正

「裁判所の令状で行われた被告らの拘置を解く手続きに裁判所がまったくタッチしていないのは釈然としない。手続き上は違法な身柄釈放だが、超法規的な事態だから裁判所も許してくれるだろうという考え方が政府・法務省当局になかっただろうか。正義の実現という見地からすれば後味の悪さが残ることは否定できない」

（八月六日付『読売新聞』）

作家　三好徹

「日米会談を控えた『特殊条件』がない場合でもこうも簡単に釈放しただろうか。政府は説明不足だ」

（八月六日付『読売新聞』）

作家　戸川昌子

「赤軍派と政府のやり方はどっちもどっちだ。政府はバカに早く『人命尊重』の立場から釈放を決めたが、これがアメリカ大使館以外で起きた事件だったら……。いずれにしても『人命尊重』を掲げた以上、一つ許せば五つ、五つ許せば十になるのではないか」

（八月六日付『読売新聞』）

人命尊重は判るが、これに過激派が味をしめて同じ手を使ってきたらどうするのか。

多くの人たちの危惧はその点にあった。三木首相には「人命は地球よりも重い。釈放してもまた捕まえればいい」という考えがあったというが、危惧はその二年後に現実のものになった。

一九七七年（昭和五二）九月二十八日、日航機が赤軍派にハイジャックされた〈ダッカ事件〉の勃発である。当時の福田赳夫首相はまたも超法規的措置によって六人を釈放した。しかもその時は十六億円の身代金つきであった。

超法規的措置による坂東国男の出国に、もっとも激しい反応を示したのは浅間山荘事件の関係者だった。殉職した高見繁光の長男は「父親を射殺した犯人が機動隊員に守られて国外に逃亡することは何としても納得がいかない」（八月六日付『読売新聞』）と悔しさをにじませ、当時警視庁の機動隊を指揮した石川三郎も「実に残念の一言だ。部下が坂東に殺されたことを思うと何とも表現できない気持だ。遺族の皆様にも申し訳ない」（八月六日付『読売新聞』）と怒りをあらわにしている。

また軽井沢署の記者会見場で警察情報を発表し続けた広報担当の菊岡平八郎は、警視庁の警備課長に転じており、皮肉にも出国する五人の警護責任者であった。その時の気持を「護送車にパトカーをつけろと言われた時の悔しさといったらなかった。私が一番空しかったのはその時だ」と語っている。

一方、浅間山荘の現場で指揮をとった一人の佐々淳行のもとには第九機動隊の隊員から、

「あなたは必ず死刑にすると言ったのに話が違うじゃないですか」と凄い剣幕の電話が殺到した。

法律に基づいて、犯人たちを必ず厳罰に処するからと言われ、殉職者を出しながらも命がけで犯人全員を逮捕した隊員たちにしてみれば、その怒りは当然だった。

「だからあの時、命令を無視してでもやっつけておけばよかった」といきり立つ者までいたが、怒る気持は佐々もまた同じである。佐々は、

「絶対に賛成できません」と三井警備局長の部屋に怒鳴り込んだ。このままでは隊員たちに顔向けできないと思った佐々は、さらに、

「私は徹底的に反対しますからね」と念を押した。さすがに三井もカチンときたのか、

「そんなことは判っている。君はもう警備部長ではないんだから政治の決定には口を出すな」と一喝された。実は佐々はこの日付けで三重県警本部長を命ぜられていたのである。

◆出国拒否の理由

それにしてもなぜ坂口は出国を拒否し、坂東は簡単に応じたのだろう。

坂口は、いつか仲間が奪還にくることを予想していたらしく、著書『続　あさま山荘一九七二』の中で次のように記している。

「同夜九時の就寝時間には規則通り布団を敷いて横になった。一時間位してから房の扉が開いた。宿直の看守が覗き込みながら、

『坂口、検事さんが呼んでいるから、ちょっと来てくれないか』

と言った。これは、日本赤軍が私の奪還を要求しているに違いないとピーンと来た。七、八名の看守に別棟の新舎に連れて行かれ、エレベーターに乗って三階の調べ室に連れて行かれた。中に入ると、公安担当の赤塚健検事が事務官と共に机の向こうに座っていた。

『私は赤塚というものだが』と改まって言うので、

『分かっています。いつも法廷であっているじゃないですか。用件を早く言ってください』と答えると、赤塚検事は書面を手にし、

『本日、日本赤軍と称する者たちが、マレーシアの首都クアラルンプールのアメリカ・スウェーデン両大使館に立てこもり、大使ら五十三名を人質にとって君の釈放を要求している。これに対し日本政府は君の意向を訊きたいということだが……』

と読み上げた。案の定だ、と思った。

重要な要件なので、

『もう一度繰り返して下さい』と頼んだ。赤塚検事は、再度書面を読み上げた。

『拒否』の返事は、房を出る時から決めていたが、『日本政府云々』とあるのが引っ掛かり、説明が終わってからも黙っていた（後で弁護人が法廷で問題にしたが、

私の身柄を拘束しているのは東京地方裁判所であるから、内閣が同地裁の頭越しに私の身柄を云々することは出来ないのである）。

赤塚検事の机の上に小型の録音テープが置かれていたので、余計なことは言うまいと思い、

『答える必要はないと思います。房に帰ります』と言った。

これが私の奪還拒否の回答だった。みすみすチャンスを逃がしたことへの悔しさとか無念の気持とか言ったものはなかった。『拒否』は、私にとって選択の余地もない程ハッキリした回答だった」

冷静に対応したつもりでもやはり興奮して寝つけなかったというが、翌朝、坂口と直接話したいという電話がかかっているから来てくれ、と呼び出しがきた。坂口は「行きたくない」と答えたが「そんなことを言わずに来てくれないか」と頼むので、しぶしぶ管理部長室にかかってきた電話に出ることにした。ふたたび坂口の著書に戻ろう。

「受話器を取ると、英語の声が聴こえた。人質になっている米大使館の関係者らしかった。すぐに人が代わり、若い日本人の声が聴こえた。日本赤軍のメンバーだった。歳が私より下なのか丁寧な言葉で自己紹介らしきものをした後、『坂口同志が出国を拒否された理由を訊かせて下さい』と言ってきたので、私は、

『武装闘争は間違った闘争との結論を出しています。この闘争に参加する積もりはありません』

と答えた。相手は雄弁な男で、私の意思を確認した後も何か喋っていた。我慢して聴いていたが、一向に終わりそうにないので、私は、

『こちらの意思は伝えたので、電話は切りますよ』

と言って、受話器を置いた。これで出国騒ぎは終わった。この時、ふと、長野の警察署で担当の検事が言った言葉を想い出した。

『君は死刑になることは九九パーセント間違いない。生き残れる可能性は一パーセントしかない。それは獄外の同志が奪還闘争を起こした時だ』

この一パーセントの可能性が現実に起きたのである。人間の運命なんて本当に分からないものである。

この後、新橋の救援連絡センターの若い女性が面会に来た。心配そうな顔をして、

『どうして出国なさらないのですか』と尋ねて来たので、私は、

『もう武闘は清算したからです』と答えた。

『でも、厳しい判決が予想されますが』

『責任を果たさねばなりませんから。僕まで出国したら、統一公判は立ち行かなくなります。ここに居ても勉強は出来ますから、残された期間一杯勉強はする積もりです』

救援連絡センターの女性は、最後まで納得のいかぬ顔をしていたが、私の方はサッパリしたものだった」

この一連の記述からも坂口の決意は充分読み取ることができる。一方の人間性を回復したかに見えた坂東国男はなぜ同意したのだろう。

坂東を自供に追い込んだ原文雄は、いかにも残念だ、という想いを強く抱きつつ、取り調べでの坂東について語った。原によると、坂東は取り調べの途中で、言葉でははっきりと言わなかったが、どうせ俺なんか死刑だから、という素振りをしたことがあったという。自分が幹部の一人として死刑に処せられることを予想していたのだろうが、その時、原はこんな話をした。

「坂東君、それは違うぞ。人間誰だって命がなくなっていいなどと思っている人はいない。君だってリンチ殺人をやっているが、自分たちが革命によって自分たちなりに良い方向に持っていこうという信念の下にやってきたのだろうから、正々堂々と自分たちの闘争を裁判で訴えるぐらいのしっかりした考えを持たなければだめじゃないか」

坂東は黙って聞いていたというが、卑怯者と言われた時に激しく反応した坂東が超法規的措置による出国を卑怯な手段と思わなかったのかという疑問がどうしても残る。その点を原はこう分析している。

「彼が頼んでやったことではなく、連合赤軍の国外にいる連中からの圧力で政府が取った措置なのだから卑怯だと思わず、喜んで応じたと思う。先のことを考えて、あくまでも革命を成就するのだと考えているとしたら、若干の横道は許されると思ったのではなかろうか。それとやはり本心では死刑が怖かったのだろう」

◆判決

坂口弘はその後、殉職した内田、高見の遺族はもちろん、人質となった牟田泰子や負傷した警察官にお詫びの手紙を送った。また獄中にある本人に代わって母親が弁護士に伴われて各家庭に謝罪して廻っていた。

会いたくない、と言って拒否する家族もあったが、牟田郁男も坂口の母親の訪問を受け入れるかどうか随分、迷ったという。しかし考えた末、訪問を受けることにした。母親は玄関を入るなり、いきなり土下座して「許してください」と涙を流しながら床に頭をこすりつけた。

郁男は母親に罪はないとその心情を思いやりながらも、

「どうか頭を上げてください。許すとか許さないとか言える立場にない私たち夫婦の気持も汲んでください」と答えるのが精一杯だった。

坂口本人からの手紙と母親の謝罪に、ほとんどの人が誠意を感じながらも複雑な心境だった、と語っている。「今さら謝って貰ったところで何になる」と吐き捨てるように言う人もいた。

群馬、長野両県での一連の連合赤軍事件による逮捕者は男性十一人、女性六人の十七人であった。浅間山荘で逮捕された未成年の兄弟のうち十六歳の高校生は少年院送致となったが、十九歳の兄は未成年ながら裁判で刑事責任を問われることになった。この間、裁判は自殺した森恒夫と国外逃亡した坂東国男、少年院送りの少年を除いて続けられた。

一九八二年（昭和五七）六月、永田洋子、坂口弘に対する一審判決が東京地裁で言い渡された。求刑通りの死刑判決であった。二人とも控訴した。事件から十年を経たこのころには、いわゆる「連合赤軍兵士」メンバーの大半は、懲役二十年から懲役四年といった刑が確定しており、十年以下の刑期の者は刑期を終えて社会復帰していた。吉野雅邦は一九七九年（昭和五四）三月に無期懲役の一審判決を受けた。検察側が東京高裁に控訴したが、八三年（昭和五八）控訴棄却の判決が出て、刑は確定した。

永田と坂口に対する二審の控訴審判決は一九八六年（昭和六一）九月二十六日、東京高等裁判所で言い渡された。山本茂裁判長は控訴棄却を言い渡した後、主文を朗読した。そして、

「連合赤軍事件は被告人永田の個人的資質の欠陥と森の器量不足に大きく起因し、この負因の合体による相乗作用によって問題が著しく増幅した」とする一審の判断を全面的に支持し、森、永田の二人がリーダーとして相応しくなかったことが一連の事件の原因であると断じた。

判決文はさらに最大の争点になった山岳アジトでのリンチ殺人について、「総括にかけられたのは森、永田の意にそぐわなかったり、批判的な態度を取った者であり、さらに女性は容姿とか頭がよいとかを売り物にしているとされた者だった」とした上で、「これらの者に反感や不快、対抗意識ないし嫉妬などの個人的感情をからめて追及した永田被告の思い上がりによるもので、革命戦士への変革を目指すという共産主義化のための総括にはそぐわない」と、厳しい口調で総括の名の下で行われたリンチと革命とは無縁であると断罪した。

久能には、一連の事件を二人のリーダーの力量不足と度量の狭さだけで片づけていいのかという大きな疑問が残ったが、判決文はさらに永田の死刑判決について、「人の生命を奪った者の反省の心情としては琴線に触れるものが少ない。その責任の多くを森恒夫に帰せしめようとするなど自らの刑事責任を真に自覚しているとは言えない」と結んでいる。

一方、同じく死刑判決を受けた坂口には、「罪の深さを自覚し、武装闘争路線は誤りだったことを潔く認め、また日本赤軍の国外からの呼びかけにも応じず、被害者がそれぞれに送ったであろう有為な人生を無残にも断った自らの罪の大きさを反省するとともに被害者や遺族に謝罪の書簡を送り、また世間の目に耐えてひたすら我が子の罪を詫びる母親とともにその真摯さは疑う余地がない」と評価した。しかし、それでも、「かつては永田と夫婦でありながら、森や永田に反抗する勇気も論破する力もないとして自らの努力を放棄し、同志を死に至らしめた責任はどんな事情を斟酌してもなお重大である」と述べ、死刑が妥当であるとした。

この判決に対して、永田は即刻最高裁に上告する意思を明らかにしたが、坂口は自著の中で、十四年もの長い歳月で自分自身がすっかり疲れた上、被害者や遺族に与えた心労を思いやり、すでにどんな判決が出ても受け入れる覚悟だった、と記している。結局は周囲の熱心な勧めもあって上告することにしたが、坂口はこの時の心境を収監以来打ち込んできた短歌に託している。

世の中は
　死に出の山のさらにまた
　　越ゆるに険しき山ぞありける

それからさらに七年の歳月が流れた一九九三年（平成五）二月十九日、最高裁の上告審判決が出された。その日は坂口らが銃を持って浅間山荘に立てこもった二十一年目に当たっていた。

判決は予想通り、二審判決を支持し、上告を棄却するものであった。

上告審で被告、弁護側は次のように一審、二審の事実誤認を主張した。

一、山岳ベースでのリンチ殺人の直接原因は、森恒夫が提唱、指導した「共産主義化」の理論と「総括要求」にあり、永田洋子らの責任は相対的に軽い。

一、「総括」によるメンバーの死亡や、浅間山荘からの銃撃の多くについては殺意はなかった。

また坂口弘についてはクアラルンプール事件の際、国外脱出を自ら拒否した点などを考慮すべきだと訴えたが、いずれも退けられ死刑が確定した。

二人とも一、二審判決が覆る可能性はきわめて薄いことは悟っていたようで、坂口は「この判決を事件に対する一つのけじめとして、今後も自分なりに総括を続け、償いを果たしたい」と弁護士に語ったという。

◆祈りの日々

この最高裁判決の時の心境を詠んだ坂口の短歌が『朝日新聞』と『読売新聞』に掲載された。

わが一生
　牢にあるとも極刑を
　　まぬがれたしと思うときあり

血を拭い　シーツ直しつ山小屋に　朝日入り来てリンチ長しも

坂口はそれまでもしばしば短歌を新聞の歌壇欄に投稿して入選していたが、亡き同志への祈りを詠んだものが多い。

後年、一九九七年（平成九）四月二十三日、ペルーの日本大使公邸占拠事件が、占拠した武装グループばかりか人質の一部も犠牲になる形で解決した。

佐々淳行はその様子をテレビで見ながら、かつて浅間山荘事件に関わった機動隊員たちはどのような想いで見ているのだろうと思い巡らせている時、突然電話が鳴った。

第二機動隊員だった大津高幸の死去の知らせであった。

二十五年前、浅間山荘の玄関前で「気をつけて行けよ」と大津の肩を叩いて送り出した佐々には、細身ながら剣道で鍛えた大津の筋肉の感触が甦っていた。笑顔で応えた大津はその直後、土嚢を越えようとして顔面を撃たれ、血まみれになって倒れた。

奇跡的に一命はとり止めたが、左目は失明し、右目もいつ失明するかもしれないという不安と常に闘わなければならなかった。まじめな性格で職務に忠実な大津は、それまでも何回か負傷して病院に担ぎ込まれていたが、その時の看護婦と結婚し、目が不自由な障害を乗り越えて警部補まで昇進した。しかしその後、妻に先立たれ、一人住まいをしているうち、ペルー事件解決のその日に、喘息の激しい発作に襲われて倒れたのだった。五十一歳で逝くまで大津は浅間山荘事件をその身に背負い続けた。

「殉職したペルーのパレル少佐とヒメネス中尉と連れ立って大津君は旅立った。人命は地球より重いというが、ペルーの事件も同様、人命を救うために自らを犠牲にした一線の人がいることを絶対に忘れてはいけない」と言う佐々は、大津の死を浅間山荘事件三人目の殉職だと言う。

軽井沢署長だった吉江利彦は浅間山荘事件を「涙と祈りの事件」だったと言うが、事件に関わった警察庁、警視庁の幹部も、また長野県警の幹部も、日時こそ違え、今でも毎年一回集まっては殉職した二人を偲び、冥福を祈っている。

あれから二十八年、多くの人々に重い心の傷を残した浅間山荘事件は、坂東国男が国外に逃亡したままであり、まだ終わっていない。

◆植垣の証言

軽井沢駅で逮捕された四人のうちの一人、植垣康博がすでに刑期を終えて出所し、テレビの取材に応じていることを知った。そこで伝《つて》を頼って取材を申し込むと、会ってくれるという。

連合赤軍は、キューバ革命の指導者の一人であるチェ・ゲバラを師と仰ぎ、世界同時革命を唱える赤軍派と、毛沢東理論を信奉して一国革命を唱える京浜安保共闘が手を結んだ地下ゲリラ組織である。私の質問は当然、主義主張の違う両派がなぜ合体したのかということから始まった。

植垣「一九七〇年（昭和四五年）十二月十八日に京浜安保共闘が行なった上赤塚交番襲撃闘争を赤軍派が高く評価したことから、両派の交流が始まった。その後、両派の幹部同士が革命に対する考え方に違いはあっても一緒に闘えると判断し、七一年（昭和四六年）七月に連合赤軍を結成することになった。問題は、私たち兵隊には、どういうふうに合意に達したのかについて説明がなかったことだ。連合赤軍が結成されたということを知らされただけだった。

もっとも赤軍派の指導部は、軍は党の決定に従っていればよいのだという対応だったので違和感はなかった。むしろ連合赤軍の結成そのものにほとんど関心がなかったといっていいが、それでも赤軍派のリーダーであった森恒夫が以後、主導権を握っていることから見て、赤軍派が京浜安保共闘を取り込めるという打算があったのではないかと思う」

久能「連合赤軍は結成後、どのような行動をとったのか」

植垣「当初、森は結成直後の七一年秋に両派で交番襲撃の共同作戦を行なおうとしたが、我々赤軍派の兵隊たちは京浜安保共闘への援助は惜しまない反面、共同作戦には関心がなかった。それどころか彼らが山をベースに行動していることに批判的だった。結局、この共同作戦は赤軍派の兵隊が森の指示に従わなかったり、京浜安保共闘側に離脱者が出たため、失敗に終わった。

そこで森は両派の軍の交流が必要だと考え、共同軍事訓練を行なうことにした。その頃、兵隊は七二年の沖縄決戦に向け、米軍の富士演習場から武器を奪うために南アルプスの山中（新倉）に基地を作ろうとしていた。

当初は山中にテントを張って作戦を行なうつもりだったが、山を調査中、たまたま途中で出会った伐採の作業員たちから冬場に空いている作業小屋を使っていいといわれたので、そこを拠点にすることにした。そこは深い山の沢筋にあり、食料も備蓄してあったので、短期間使用するにはもってこいだった。調査から戻ると、森から『そこで共同軍事訓練ができるか』と問われ、私は『充分可能だ』と答えた。

こうして南アルプスの基地が、同時に共同軍事訓練の場所になった。その小屋に、その年の十二月初頭、両派から九人ずつ合わせて十八人が集まった。銃は赤軍派のライフル銃一丁、散弾銃二丁と、京浜安保共闘の散弾銃九丁、拳銃一丁があり、弾薬も充分あった。ところがそこに集合する際、京浜安保共闘が水筒を持ってこなかったことに対して、森が考えが甘いと批判した。また二名の脱走者を出したり、六名の大量逮捕者を出したりしたそれまでのことを厳しく追及した。

すると、京浜安保共闘側が指輪をしていた赤軍派の遠山美枝子を名指しで批判、山に来る決意がないと応酬し、共同軍事訓練の場所がいきなり両派の主導権争いに発展してしまった。しかし森はついに遠山批判を、二人の脱走者を見つけ出して殺害し、印旛沼近くに埋めた（のちに印旛沼事件とよばれた）京浜安保共闘の厳しい姿勢の一環だととらえて高く評価し、その場を収めた。森としてはこの厳しさこそ、革命戦士を育成するための共産主義化の方法として、積極的に行なうべきだと判断したのだ。これがのちに、革命戦士を育成するためだとして行なわれたいわゆるリンチ殺人事件へとつながっていった。

こうして森は、共産主義化を通して京浜安保共闘を指導していくことを可能にした」

久能　「その南アルプスの拠点を、なぜ放棄したのか」

植垣　「共同軍事訓練後の十二月下旬に、両派の指導部会議が、その時すでにあった京浜安保共闘の榛名山ベースで行なわれた。そこで『共産主義化による党建設』をともに行なうことで一致し、南アルプスに残っていた兵隊が全員そこに集合させられることになったからだ。それがのちに群馬県警によって発見された榛名山アジトだ。京浜安保共闘のこのアジトは、小さな沢のそばにあった元温泉宿の廃屋を解体して移築したもので、温泉は沸かして使っていた。我々兵隊がそこに移ったのは、十二月末から一月二日にかけてだった」

久能「そこを捨てて迦葉山にアジトを移したのはなぜか」

植垣「一月中旬に脱走者が出たからだが、そもそも榛名山の小屋は狭すぎて両派の全員が生活するには無理があった。そのため森は、別のところに大きくて安定した小屋を作ることを考えており、ただちに迦葉山方面、赤城山方面、日光方面の調査を行なうことになった。私は迦葉山方面の調査を命じられたが、その際、森から『南アルプスのような深い山はダメだ。近くまで車を着けられるようなところを探せ』といわれたが、そのような場所では警察に発見されやすいので、いささか不本意であった。

アジトに適した場所を探すには尾根筋を歩くのが一番なのだが、その際、そばに水が流れているのが絶対条件だ。こうして見つけたのが、迦葉山より奥の沢（鹿俣《しかまた》沢《ざわ》）沿いだった。

山の調査から戻ると、名古屋に派遣されていた一人が離脱したことを知らされた。森はその者から警察に情報が漏れる恐れがあるため、急いで榛名山から移動する必要があると判断し、移動先として迦葉山がもっとも適していると考えた。私は森からそのことを伝えられると同時に、車を近くに着けられるところに三十人ほど収容できる山小屋を一週間で作れといわれた。雪山にそんな大きな山小屋を一週間で作れというのは、無茶苦茶なことだった。しかもその場所が林道に近く、そこを通るきこりや猟師たちに見られてしまうため、とてもベースに適しているとは私には思えなかったが、森の指示には従うしかなかった。

小屋は必死の作業で一月末頃にはほぼでき上がったが、せっかく作ったベースにいたのは十日程度だった。というのも、ここでもまた二人も脱走者が出てしまい、警察が動き出すと思ったからである。そのため大あわてで妙義山の洞穴にひとまず移動したが、二月十六日に群馬県警が県内の山を捜索していることが判明した。そこで群馬県内はもう危ないと判断して、福島県南部にある阿武隈山系の八溝《やみぞ》山を調査することにした。

ところがその調査に行こうとしたところで、群馬県警の私服警察が乗った車と遭遇したばかりか、車が泥道にはまって立往生してしまった。私もその車に乗っていたのだが、急いで洞穴に戻った。その後の事態の急転はご存知の通りだ。

洞穴に戻ると坂口弘が坂東國男、吉野雅邦と相談していたが、そのあと私に妙義山の山越えをして長野県の佐久へ行き、そこからさらに八ヶ岳高原にある松原湖へ行くから先導してくれといってきた。坂口が私に先導を頼んだのは、私が高校時代に地学部に所属し、地質調査のため多くの山に行っていて、山の地形にくわしかったからだ。一般道は警察の手がまわっているだろうし、とても使えない。警察の包囲網を突破するには確かに厳冬の妙義山を越えるしかなかった。

私たちは銃器と弾薬、若干の食料だけを持って沢を登っていくことにした。もちろん尾根に出る登山道はあるのだが、どうせ警察は警察犬を使うだろうと判断し、臭いを消すためにわざわざ岩場の続く沢を選んだ。しかし急ぐあまり、たくさんのリュックと切り裂かれた衣類を洞穴に置いていくしかなかった。それがその後、総括要求による殺人事件が明るみに出るきっかけになってしまったのだ。

妙義山は、夏場でもむずかしい山だ。目の前に大きな岩が立ちはだかったり、くさり場があったりするのだ。しかも夜間に移動しなければならない。それでもなんとか、九人全員が妙義越えを果たした。

ところが真夜中の道を歩いていると、群馬県と長野県の県境にある和美峠にわずかな灯りが見えた。峠の近くの林の中からそっと偵察すると、警察の検問の灯りであった。すると坂口があわてて左側の林の中へ雪を踏みわけて入っていってしまったので、全員があとを追わざるをえなかった。仕方なく途中から、また私が先頭に立った。

県境の尾根を南に向かえば佐久に出られることはわかっていたが、夜になって眼下にチラチラ見えた灯りを佐久だと思い込み、そこで尾根を下りてしまった。ところがそこは、私の持っていた五万分の一の地図に載っていない南軽井沢のレイクタウンという造成中の新興別荘地だった」

久能「しかしなぜ翌朝、四人だけで軽井沢駅へ行ったのか」

植垣「そこがどこかわからないくらいだから、当然最初からわかって軽井沢駅へ向かったわけではない。たまたま停まっていたバスが軽井沢駅行きだったというだけだ。しかし、とにかく街へ出て食料を仕入れるとともに銃を入れるゴルフバッグのような入れ物を買おうと思ったのだが、銃は数丁あるし、入れ物が数個になると思ったので四人で行ったのだ。

本当は一つ手前で降りるつもりだったが、なんとそこが軽井沢署前だったので、そのまま終点まで乗っていく破目になってしまった。我々のことを不審に思った売店のおばさんの通報が逮捕のきっかけのようにいわれているが、我々はすでに私服警察が張り込んでいることに気がついていた。見ると私服が我々の方を見て震えていたので、ここで逮捕されるのは時間の問題だと思い、派手な立ち回りで逮捕されてやろうと考えた。そうすればニュースで大きく取り上げられ、別荘地に残っている五人がラジオでそれを知り、うまく山に逃げてくれると思っていた。ところが軽井沢署で取り調べ中に、人質をとって山荘に立てこもったと刑事から聞かされ、びっくりした」

久能「結局、五人は最後まで抵抗したが、人質をとったことをどう思うか」

植垣「最初から人質にしようとしたのではなく、たまたま踏み込んだ山荘に人がいたわけだが、私はただちに解放すべきだったと思う」

久能「しかしもし人質がいなければ、警察はもっと容赦なく攻撃していたのではないか」

植垣「もちろんそうだろうが、私が一緒に立てこもっていたとしても徹底的に闘っただろう。私はそれまでのゲリラ戦を通して警察との攻防戦に自信を持っていただけでなく、総括要求の重圧から解放され、全力で闘い抜く気持ちがみなぎっていた。しかも仲間に手をかけて死に追いやってきたのだから、死をもって報いるぐらいの気持ちは当然持っていた。

だから私は、ほかのだれよりも積極的に闘ったと思う。ただ私がその場にいたら、おそらく立てこもることに反対し、警察に包囲される前にそこからさらに山越えをして逃げることを主張したと思う。というのは、私にはその自信があったからだ。逆にいえば私がその場にいなかったために、坂口たちは立てこもらざるをえなかったのだと思う」

久能「リンチ殺人事件についてはどう思っているのか」

植垣「暴力的な総括要求自体、私にとっては想定外の事態であった。もちろん私はそのことが正しく必要な行為とは思っていなかったし、実際、私なりに坂東に『こんなことをやっていいのか』と問うたことがあったが、坂東から『党のためだから仕方がない』といわれると、それ以上何もいえなかった。

それどころか、総括要求が次から次へとエスカレートしていくことに振り回されてしまい、早く終わってくれることを望むことしかできなかった。ただそうした思いと同時に自分たちのやっていることがいったいどういうことなのか、本当に必要なのかよく考えてみなければならないという思いが、次第につのっていたことも確かだ」

久能「なぜここまで何もかも話す気になったのか」

植垣「この総括要求に関わった一人の人間として、きちんと総括していくことが大切であり、責任だと思ったからだ。ただ私が一人で総括するだけでは限界があり、より多くの人に考えてもらう必要がある。そのためには私の思いを語るだけでは不充分であり、何よりも当時の私たちの行動を含めた事実関係を、それに関わった人たちが可能な限り正確に明らかにしていかなければならない。それが逮捕されてからの私の一貫した思いである」

彼の言葉の端々から強い反省の気持ちを感じた私が、亡くなった方々のところへ巡礼に行かないかと持ちかけると、ぜひ一緒に行きたいという。しかし彼は、実際に遺体を車に乗せることはしたが、埋めることはしていないので埋葬されていた場所を知らないという。そこで赤軍派だった一人に案内してもらうことにした。

植垣はまず、アジトのあった榛名山と迦葉山、それに妙義山の洞穴に案内し説明してくれたが、よくも気づかれなかったものだと思うほど、いずれも道路から少し入っただけのところであった。そのあと訪れた埋葬場所は昼でも暗い木立ちの中で、そこには埋葬場所だったことを示す白い小さな標柱が立っていた。昼間のうちにほかのメンバーが場所を探しておいて、深夜来て埋葬したというが、アジトからは遠く離れており、車は一台も通らない何ともおぞましい場所であった。植垣はそこにしゃがみ込んで静かに手を合わせていたが、今も日本の現状を憂える気持ちにまったく変わりはないという。

◆加藤の証言

最近になって浅間山荘に立てこもって逮捕された五人のうちの一人、加藤倫教《みちのり》にも話を聞くことができた。加藤は刑期を終えたあとに故郷に帰り、現在は農業に打ち込む一方、環境保全に熱心に取り組んでいる。

彼の兄と弟も連合赤軍に加わっていたが、兄はリンチで殺害され、当時まだ高校生だった弟は一緒に浅間山荘に立てこもって逮捕されている。

久能「運動に入ったきっかけは何か」

加藤「高校二年のとき、生物部の友達と名古屋の栄に遊びに行った際、たまたま4・28沖縄返還デーのデモに出くわした。沖縄が占領下にあることは知っていたが、デモの意味も充分わからないまま、デモの最後の集団から声をかけられて、そのまま仲間に入った。そのころ兄とは接点がなかったが、弟は私が集会やデモに連れていった。しかし政治的な話はしたことがなかった。その後、私が連合赤軍に入ったのは十九歳のときだった」

久能「左翼運動にいて、活動に疑問はなかったか」

加藤「疑問はいつも持っていた。私は高校の自分の機関紙で、真岡銃砲店襲撃事件について、交番はともかく人民である民間の銃砲店を襲撃するのは疑問だと書いたくらいだ。一九六九年から七一年の活動以後、組織が過激になって、闘争の邪魔になるのは敵だということになり、私も納得して最終的に武力革命しかないと思うようになった。人民武装を実現して、自分たちの軍隊をつくるという流れになったが、そういうことが自分の中で正当化されていった」

久能「当時、闘争はすでに先細りになっていたのではないか」

加藤「早い段階で先細りになっていた。当初、革命左派を信じたのは、労働者や女性の組織の集会やデモなどを見て、この運動は人民のためだと思ったからだ。そのうち、意図的に非合法の武装攻撃をするようになって、みな離れていった。孤立化は徐々に進み、過激化していった」

久能「植垣はいま考えると間違っていたと言っている。当時、坂東に間違っているのではないかと聞いたら、もう決まったことだからしかたがないと言われたという」

加藤「長野で裁判を受けたが、坂口と袂を分かったのは、その点だ。自分は最初、労働者になって大衆の中で組織を拡大しながら活動したいと思っていた。武装闘争の前年の一九七一年夏頃まではそうだった。しかし突然、山へ入れと指令があって驚いた。誰がいままでの活動を支えていくのか、その時も疑問に思った。根本的な間違いは、活動が自己目的化したことだ。大衆のためでなく自分たちのため、自己実現のためのものになった」

久能「追われて妙義山のアジトから大急ぎで逃亡したが、厳冬の妙義山はかなりきつかったのではないか」

加藤「夢中だったこともあったが、さほど大変だとは思わなかった」

久能「なぜ、さつき山荘に入ったのか」

加藤「わかって入ったわけではない。当時はさつき山荘自体、知らなかった。朝方だったので、とりあえず休もうということになった。最初は雪洞を作ってその中で休んだが、周辺の様子を見つつ買い物をするために植垣ら四人が雪洞から出て行った。しばらくしてラジオのニュースで四人が逮捕されたことを知ったが、四人の逮捕のきっかけが汚れた身体の異臭だったことから、大急ぎで雪洞を出ていったら別荘地だった。

さつき山荘は簡単に入れたが、異臭を消すために身体を拭いたりした。そのあと坂口から、全員で逃亡すると目立つので一旦それぞれ別行動をとって、茨城の袋田の滝に集結しようと、一人十万円くらいずつ渡された。そしていざ行動に移ろうとしたとき、外から『誰かおるのか』という声がした。

私と吉野で外を見たら、警官は三人ぐらいしか見えなかった。最初、坂口が警察を狙って撃ったら、撃ち返してきた。そこで、運びやすいように分解してあった銃を組み立て直し、発砲しながらさつき山荘を逃げ出した。しかしそれは、別の建物に入ろうとしたのではなく、車を見つけて逃走しようとしていたからだ。

ちょうど浅間山荘の隣に一台の車があったので、坂口が浅間山荘に行ったが、その車は家のものではないと言われ、そのまま浅間山荘に入ることになってしまった。

私は警察の姿は少ないし、今のうちなら逆に包囲してパトカーを奪えると言ったのだが、坂口はもう完全に包囲されてしまったと思い込んだのだろう。坂口から『みんな中に入れ』と言われた瞬間に、私はああ終わりだと思った」

久能「浅間山荘に入ってから銃撃戦が始まった」

加藤「その後、一日くらいかけてバリケードを築いた。部屋ごとに雨戸を閉めて、畳を上げた。警察もこちらが何人いるかわからなかったようで踏み込んでこなかったために、結果として銃撃戦になった。もしこの段階で警察が突入してきたら、あっという間に終わっていたと思う。

私は当初、トイレの窓から撃っていて、その後、坂東と一緒に天井裏に上がれと言われた。トイレも死角があり、管理人室は見通しが悪かったので、天井裏になったと思う。バルコニーにも出た。三階は吉野と坂東で、弟は玄関だった。一階は使っていなかった。人数が限られていたので、出入口は全部鍵をかけて二階と三階を守り抜くという態勢だった」

久能「人質になった牟田泰子さんの様子はどうだったか」

加藤「坂口だけが牟田さんの番をしていた。私は時々しか様子は見ていない。最初は縛って、ベッドルームの中につないでいた。彼女は座り込んでいてトイレに行く時だけついていった。食事は坂口がおもに作っていたが、牟田さんはほとんど食べられなかったようだ。彼女は、何も言わないから解放してくれと何度も訴えていた」

久能「崖を登ってきた民間人の男（田中保彦）について」

加藤「最初、スパイだと思った。民間人なら、包囲されているのになぜ近づけるのか不思議だったからだ。果物籠を持って『赤軍さん、赤軍さん』と言っていると、玄関口を守っていた弟が坂口に報告した。そこで民間人のわけがないという判断になったらしく、坂口が管理人室から撃ったようだ」

久能「催涙弾や放水は山荘内ではどうだったか」

加藤「本当にこちらに影響が出たのは最後の日だけだった。壁を壊されて催涙弾がどんどん入ってくるので、何も見えない状態だった。窓から顔を出している報道写真があるが、本当に呼吸できないほど苦しかった時のものだ。放水は銃眼だけ狙っていたのでほとんど影響はなかったが、身体中濡れてしまって戦意は喪失した。しかし最後の日だけは別だった。催涙ガスが放水の水に溶けて、太腿が全部火ぶくれになった。ずぶ濡れで暖房もないし、突入と逮捕が翌日になっていたら、全員凍死していたかもしれない」

久能「突入口を開けるモンケンについてはどう思ったか」

加藤「最初は壁を壊すのが目的だとは思っていなかった。まともに柱などに当たったら、建物自体が倒壊してしまうのではないかと思った。実際は玄関を潰してそこから突入してくると予想していた。銃眼にもぶつけてきたので、これで終わったのかなと思った。ただ、横にぶつけてきたときに、無駄だとわかっていたが、モンケンの運転席目がけて撃った」

久能「機動隊二機隊長内田尚孝さんと警視庁中隊長の高見繁光さんが撃たれたのは知っていたか」

加藤「ラジオで坂口が聞いていて、やったぞと言いに来た。内田さんはライフル弾だったので、撃ったのは坂東しかありえない。高見さんは散弾なので、私でないとは言い切れないがたぶん違うと思う。こちらでは指揮官を狙えという指示は何もなく、誰でもいいから撃つという状態だった。双方ともあまりに接近していたし、こちらから丸見えになったところに警察が身体をさらすなど信じられなかった。やめてくれとさえ思った。こちらはチャンスがあれば撃つしかなかったのだから。

突入のときは、警察に厨房に入られたので、爆弾を投げた。怪我人程度で終わったので、意外と威力がないと思った。撤退させる効果はあった」

久能「逮捕された後に何を考えたか」

加藤　「予想通りの結果になったと思った。逮捕されたとき加藤だけ平然とした顔をしていたと後日よく言われたが、私だけ冷静だったわけではない。偶然死ぬことがあるかもしれないが、犯人を一人も殺さず全員を生け捕りにするだろうと思ったし、実際その通りになった。当時、十九歳の私でさえこうしたことを予想していたのに、幹部連はあまりにも周りが見えてなかったと言える。

私は高校のとき生物部にいて、一方、家は農家、浄土真宗、父はラバウルで終戦、明治の大不況時に三代前の祖先が財産を手に入れて小地主になり、戦後に農地解放で土地が半分になった。自分ではそのつもりはないが、アメリカ大嫌い、そしてすべてのものに命があるという考え方。アメリカがベトナムを絨毯爆撃していることも、父が戦争に行ったことも許せない、と思ってきた。

逮捕されてから三年くらいは、革命をやるべきだと思っていた。三年目は公判のため長野から東京に移った。犠牲になった人たちのためには、自分たちは正しかったと訴えなければならなかった。弁護士も内乱罪で公判に臨む予定でいた。しかし兄が命を落としたのは、榛名山で森と永田が統合することに兄が反対したからだ。だから内乱罪だけで、死んだ兄をはじめ犠牲者の名誉を回復できるのかと思うようになった。

なぜこんなことになってしまったのか。突き詰めて考えると、自分たちが大衆から遊離し、浅間山荘での人質事件などを起こしてしまったということに尽きる。これは正当化して主張すべきでないと、吉野とともに公判から分離した。それが武装闘争の考えが変わった理由だ。もうひとつ、経済成長は続かないという考え方、社会主義国が次々と資本主義社会になっていること、物質的な豊かさと地球環境との共存可能な社会など、二十五〜二十六歳ごろから革命は幻想でしかない、自分は間違っていたのではないかと思うようになった。今でも社会主義と共産主義が間違っているとは思わないが、実現できない幻想だと思う。

資本主義を倒して社会主義を目指すのではなく、地球規模の環境と共生する生活をしなければ人類の未来はないということ、共生がすべての生物にとっての一番の利益だと思う」

二人のインタビューによって彼らの行動など今まで知られていなかった事件の全貌が明らかになったが、いまだに国外逃亡を続けている坂東が逮捕されないかぎり、浅間山荘事件が完全に終わったとはいえない。

あとがき

今、あの時と同じ「浅間山荘」を見下ろす斜面に立つと、山荘西側の庇《ひさし》が見えるだけで玄関はまったく見えない。木々が葉を落とした真冬でさえそうだから、鬱蒼《うっそう》と葉の茂る夏では尚更だ。すっかり生長した木々があれから二十八年という歳月をあらためて感じさせる。その時間の長さを想えば、私自身がアナウンサーとして関わった「浅間山荘事件」が人びとの記憶の彼方に消えていこうとしているのも無理はない。当時小学生だった人たちでさえ、四十代に届こうというのだから。

数年前、私は偶然、書店で佐々淳行氏の書かれた本『連合赤軍「あさま山荘」事件』を目にし、ためらわず買い求めた。浅間山荘事件と前後して当時の騒然とした社会で起きた多くの事件の報道に携わった私であるが、あの事件には特別な感慨があり、むさぼるように読んだ。おもしろかった。

が、そこに描かれているのは現場で指揮を執った警察幹部の目を通しての浅間山荘事件であって、そこに書かれたものだけが浅間山荘事件ではない、という思いに強くかられた。関心を呼び覚まされた私は書店や図書館で調べてみたが、警察側や連合赤軍兵士の手になる著作はあるのだが報道人の立場で書かれたものがない。これは正直、意外だった。

あの事件が起きたころ、テレビは技術的にはそれまでの白黒からカラー放送への切替わりの時期にあたり、また民放各局の間では視聴率競争が激烈をきわめ（これは現在も同じだが）、報道番組もその渦中にあってテレビ報道のありようが問われていた。そこにあの事件が起き、テレビ報道始まって以来の長時間の実況中継となった。結果論かもしれないが、あの事件報道がその後のテレビ報道の少なからぬ改革の芽生えとなったと考えるのは私だけであろうか。

これは書かなければならない、と私は思い込んでしまった。私自身の放送人としての集大成としてまとめてみようと思った。幸い、私には放送記者として取材のノウハウはある。また記者をしている間に培った人脈もそれなりにある。徹底して取材しよう、事件にかかわったそれぞれの立場の人たちが何を感じ、どう行動したのかをひとつずつ検証し、事件の全容を明らかにしてみようと考えた。

とはいえ、私自身、毎週月曜日から金曜日まで生番組を持っており時間的拘束を受けている。自由に使える土曜、日曜を使って取材を始めてほどなく、日本テレビの前橋駐在員小室嘉朗氏から強行救出当日の実況放送テープの提供を受けた。現在のような簡便などデオのない時代であり、当時のテレビ放送の記録が音声だけとはいえ残っていることは奇跡にも近いことに思われた。それは九時間にわたる実況中継のほぼ七割を録音した貴重なテープで、これによって私たち日本テレビの四人のアナウンサーがどのように現場の状況を報道したかを検証することが可能になった。

しかし、取材を始めてすぐに大きな壁にぶちあたった。記憶の壁である。二十八年前のことを思い出してもらうのは容易なことではない。なかには緊張や恐怖のあまり、ある部分の記憶がとぎれてしまった人もいる。時として同じ事柄を数人に取材してやっと真相にたどりついたこともあった。

こうして次々に明らかになった事実は意外なことばかりであった。連合赤軍の彼らが群馬県内から逃げ出さなければならなかった理由、厳冬の裏妙義の逃避行、今だから話そうと明らかにされた検問中の見落とし等々。私があの日、軽井沢の現場からマイクを通して伝えたことは事件全体のごく一部でしかなかったことを痛感した。まして山荘内部の壮絶な闘いは発表された警察情報だけではまったく窺《うかが》い知ることのできないものであった。それは戦争そのものだった。否応なく死と直面し、死を覚悟しなければならなかった極限状態の人間の姿が次々と迫ってきた。

究極には、もちろん人質の無事救出があるのだが、多くの証言によって浮かび上がった事件の全体像は、ことの善悪は別にして、当時の政治、社会の情勢などを背景としたまさに壮大なドラマであった。そのためであろうか、事件にかかわったほとんどすべての人が、いまだにこの事件を引きずり続けていることはむしろ驚きだった。

この本は一報道人の眼を通して見た事件の報告であることは間違いないが、それだけではなく私が試みたのは、事件を目撃し体験した多くの人々の証言から事件の全体像を再検証することでもあった。その意味では、あの事件をめぐる人間の記録集ともなっていると思っている。

私の求めに応じて当時の状況、現在の個人的な想いまで含めて語っていただいたのは、本文中に名前を挙げた元長野県警本部長の野中庸氏をはじめ佐々淳行氏や北原薫明氏などの警察庁、警視庁、長野県警の警察関係者、軽井沢病院の医師、看護婦の方々、NHK、民放の関係者などおよそ百人に上った。その中に二十八年間の沈黙を破って、あまりにも重いそして類い稀《まれ》な体験を聞かせてくれた牟田郁男・泰子夫妻が含まれていることはいうまでもない。坂口弘死刑囚に直接取材できなかったことだけは心残りだが、多くの方々のご協力により、事件の全容に迫ることができたのではないかと思っている。

一人ひとりの名前を挙げることは控えるが、貴重な体験を語ってくださったすべての方々に心からお礼を申し上げたい。

なお、本書に登場する人物の所属、役職などは当時のものである。また、すでに服役を終えて出所した人や、とくに差し障りがあると思われる人については、本文中ではすべて仮名とした。

最後に、数々の貴重なアドバイスと編集の労をとってくれた中島兼三氏に紙面を借りて心からお礼を申し上げるとともに、関仁美、赤川尊子、東智加の各氏の協力のあったことも申し添えておきたい。

著者

二〇〇〇年二月

文庫版あとがき

この本を書き上げたのがきっかけで、植垣康博氏と知り合うこととなった。あの浅間山荘での銃撃戦に入る前に、早朝の軽井沢駅で逮捕された植垣氏である。

すでに服役を終えて社会に復帰していたとは言え、彼の立場に配慮した私は、『浅間山荘事件の真実』中では仮名にしたのだったが、植垣氏は自らの行動が大きな誤りであったとの自らの総括の上に立っての再出発であり、実名にしてもらって構わないと言う。その意を汲んで、この文庫本からは実名で登場してもらうことにした。

植垣氏とは、その後も何回となく語り合い、リンチ事件の現場への巡礼をもちかけた。快諾してくれた。案内してくれたアジト跡はもちろん跡かたもないが、よくもこんな所にと思うほどの難所ばかりであった。革命の道は間違っていたが、日本を憂う気持ちは変わらないという植垣氏の生きざまについてはまた別の機会にまとめてみたいと思う。

また、妻を人質にとられた牟田郁男氏は「ふり返って見ると、これまでは忌まわしい事件として夫婦二人とも極力忘れようとしてきたように思う。事件の一部しかわからなかったため、自分たちの視野の中でしかものごとが考えられなかったが、この本で初めて全体像がわかり、いかに多くの方々が死まで賭して妻の救出のために動いてくださっていたかを知った。今、改めて殉職された二人の警官をはじめ多くの関係者に心からおわびとお礼を言いたい」と読後感を語ってくれた。

この言葉からも、事件の全体像を明らかにしようと筆をとった私の当初の意図は、少なからぬ読者に理解されたのだと信じている。

著者

二〇〇二年二月

参考文献

坂口　弘著『あさま山荘　一九七二』上下（一九九三、彩流社）
坂口　弘著『続　あさま山荘　一九七二』（一九九五、彩流社）
永田洋子著『十六の墓標』上下（一九八二・一九八三、彩流社）
坂東国男著『永田洋子さんへの手紙』（一九八四、彩流社）
植垣康博著『兵士たちの連合赤軍』（一九八四、彩流社）
佐々淳行著『連合赤軍「あさま山荘」事件』（一九九三、文藝春秋）
北原薫明著『連合赤軍「あさま山荘事件」の真実』（一九九六、ほおずき書籍）
長野県警編『旭の友』（一九七三）
警視庁警備部編『あゆみ』四月号（一九七二）
信越放送編『連合赤軍あさま山荘事件（資料）』（一九七二）
以上のほか、朝日新聞社『週刊朝日』、毎日新聞社『サンデー毎日』、読売新聞社『週刊読売』、産経新聞社『週刊サンケイ』、文藝春秋『週刊文春』、講談社『週刊現代』等の週刊誌、『朝日新聞』縮刷版、『読売新聞』縮刷版、『視聴率表』（一九七二年二月、ビデオリサーチ）等を参考にした。

本書初版は、二〇〇〇年に小社より『浅間山荘事件の真実』として刊行され、二〇〇二年に文庫化された。本書は改題し巻末に新原稿を加えた増補版である。

連合赤軍《れんごうせきぐん》 浅間《あさま》山荘《さんそう》事件《じけん》の真実《しんじつ》

二〇〇二年 四 月三〇日 初版発行
二〇二二年 六 月一〇日 増補版初版印刷
二〇二二年 六 月二〇日 増補版初版発行

著 者 久能《くのう》靖《やすし》
発行者 小野寺優
発行所 株式会社河出書房新社
〒一五一－〇〇五一
東京都渋谷区千駄ヶ谷二－三二－二
電話〇三－三四〇四－八六一一（編集）
〇三－三四〇四－一二〇一（営業）
https://www.kawade.co.jp/

デザイン 粟津潔
本文組版 KAWADE DTP WORKS
印刷・製本 中央精版印刷株式会社

Printed in Japan ISBN978-4-309-41824-7

樺美智子、安保闘争に斃れた東大生

江刺昭子　41755-4

60年安保闘争に斃れた東大生・ヒロインの死の真相は何だったのか。国会議事堂に突入し22歳で死去し、悲劇のヒロインとして伝説化していった彼女の実像に迫った渾身のノンフィクション。

日航123便　墜落の新事実

青山透子　41750-9

墜落現場の特定と救助はなぜ遅れたのか。目撃された戦闘機の追尾と赤い物体。仲間を失った元客室乗務員が執念で解き明かす渾身のノンフィクション。ベストセラー、待望の文庫化。事故ではなく事件なのか？

複眼で見よ

本田靖春　41712-7

戦後を代表するジャーナリストが遺した、ジャーナリズム論とルポルタージュ傑作選。権力と慣例と差別に抗った眼識が、現代にも響き渡る。今こそ読むべき、豊穣な感知でえぐりとった記録。

韓国ナショナリズムの起源

朴裕河　安宇植〔訳〕　46716-0

韓国の歴史認識がいかにナショナリズムに傾いたかを1990年代以降の状況を追いながら、嫌韓でもなく反日でもなく一方的な親日でもない立場で冷静に論理的に分析する名著。

「噂の眞相」トップ屋稼業　スキャンダルを追え！

西岡研介　40970-2

東京高検検事長の女性スキャンダル、人気タレントらの乱交パーティ、首相の買春検挙報道……。神戸新聞で阪神大震災などを取材し、雑誌「噂の眞相」で数々のスクープを放った敏腕記者の奮闘記。

私戦

本田靖春　41173-6

一九六八年、暴力団員を射殺し、寸又峡温泉の旅館に人質をとり篭城した劇場型犯罪・金嬉老事件。差別に晒され続けた犯人と直に向き合い、事件の背景にある悲哀に寄り添った、戦後ノンフィクションの傑作。

宮武外骨伝

吉野孝雄　41135-4

あらためて、いま外骨！　明治から昭和を通じて活躍した過激な反権力のジャーナリスト、外骨。百二十以上の雑誌書籍を発行、罰金発禁二十九回に及ぶ怪物ぶり。最も信頼できる評伝を待望の新装新版で。

死刑のある国ニッポン

森達也／藤井誠二　41416-4

「知らない」で済ませるのは、罪だ。真っ向対立する廃止派・森と存置派・藤井が、死刑制度の本質をめぐり、苦悶しながら交わした大激論！　文庫化にあたり、この国の在り方についての新たな対話を収録。

右翼と左翼はどうちがう？

雨宮処凛　41279-5

右翼と左翼、命懸けで闘い、求めているのはどちらも平和な社会。なのに、ぶつかり合うのはなぜか？　両方の活動を経験した著者が、歴史や現状をとことん嚙み砕く。活動家六人への取材も収録。

戦後史入門

成田龍一　41382-2

「戦後」を学ぶには、まずこの一冊から！　占領、55年体制、高度経済成長、バブル、沖縄や在日コリアンから見た戦後、そして今――これだけは知っておきたい重要ポイントがわかる新しい歴史入門。

篦棒《べらぼー》な人々　戦後サブカルチャー偉人伝

竹熊健太郎　40880-4

戦後大衆文化が生んだ、ケタ外れの偉人たち――康芳夫（虚業家）、石原豪人（画怪人）、川内康範（月光仮面原作）、糸井貫二（全裸の超前衛芸術家）――を追う伝説のインタビュー集。昭和の裏が甦る。

東京震災記

田山花袋　41100-2

一九二三年九月一日、関東大震災。地震直後の東京の街を歩き回り、被災の実態を事細かに刻んだルポルタージュ。その時、東京はどうだったのか。歴史から学び、備えるための記録と記憶。

大震災'95

小松左京 41124-8

『日本沈没』の作者は巨大災害に直面し、その全貌の記録と総合的な解析を行った。阪神・淡路大震災の貴重なルポにして、未来への警鐘を鳴らす名著。巻末に単行本未収録エッセイを特別収録。

福島第一原発収束作業日記

ハッピー 41346-4

原発事故は終わらない。東日本大震災が起きた二〇一一年三月一一日からほぼ毎日ツイッター上で綴られた、福島第一原発の事故収束作業にあたる現役現場作業員の貴重な「生」の手記。

瓦礫から本を生む

土方正志 41732-5

東北のちいさな出版社から、全国の〈被災地〉へ。東日本大震災の混乱の中、社員２人の仙台の出版社・荒蝦夷が全国へ、そして未来へ発信し続けた激動の記録。３・11から10年目を迎え増補した決定版。

教養としての宗教事件史

島田裕巳 41439-3

宗教とは本来、スキャンダラスなものである。四十九の事件をひもときつつ、人類と宗教の関わりをダイナミックに描く現代人必読の宗教入門。ビジネスパーソンにも学生にも。宗教がわかれば、世界がわかる！

カルト脱出記

佐藤典雅 41504-8

東京ガールズコレクションの仕掛け人としても知られる著者は、ロス、ＮＹ、ハワイ、東京と九歳から三十五歳までエホバの証人として教団活動していた。信者の日常、自らと家族の脱会を描く。待望の文庫化。

ヨコハマメリー

中村高寛 41765-3

1995年冬、伊勢佐木町から忽然と姿を消した白塗りの老娼ヨコハマメリーは何者だったのか？　徹底した取材から明かされる彼女の生涯と、戦後横浜の真実をスリリングに描くノンフィクション。

著訳者名の後の数字はISBNコードです。頭に「978-4-309」を付け、お近くの書店にてご注文下さい。